Voor alle ouders die ongewild tot inspiratie dienden. Met dank aan
mijn muzemeisjes en hun vader in het bijzonder.

Omslagbeeld: Hans Innemée
Omslagontwerp: Gijs Mathijs Ontwerpers
Vormgeving binnenwerk: Tijs Krammer
Auteursfoto: Allard Willemse

ISBN 978-90-820-7002-6
NUR 740
www.hummpublishing.nl

Inhoudsopgave

Janneke poogt de almaar groeiende drukte die een gezin
met zich meebrengt in te dammen en Alice gooit er juist
een schepje bovenop

Waarin Janneke balanceert op het slappe koord van
'alles goed willen doen' en Alice zich afvraagt of daar
geen leuke app voor is

Als Janneke met veel moeite oud zeer overwint
bombardeert Alice dat tot gouden oudermomenten

Janneke zoekt een plek in het gezin en Alice ontrafelt
waarom gezinsrelaties zo ingewikkeld zijn

OUDERS

Najaar 1998. Er staan écht twee blauwe streepjes op de zwangerschapstest. Help!

Zwanger worden was weliswaar de bedoeling, toch overvalt het me. 'Wat moeten we nu doen?' 'Negen maanden wachten', is het nuchtere antwoord van mijn man, en hij stelt voor om vooral door te gaan met ons gewone leven. Maar voor mij staat de wereld even stil. Het is het grootste wat ik me voor kan stellen en slorpt me volledig op. Ik denk ook dat iedereen het aan me kan zien. Of zou moeten zien. En hoewel ik overdag naar mijn werk ga, elke donderdagavond ga zingen, met vrienden afspreek en de nieuwe films zie, is al gauw elk verloren ogenblik gevuld met lezen en internetten over zwanger zijn, bevallen en het eerste baby-jaar. Ik ben zo nieuwsgierig naar wat me te wachten staat en wil zo graag goed beslagen ten ijs komen – gelukkig wemelt het op het kersverse worldwide web van de 'zwangerschapsforums'.

Ik hoef van mezelf niet álles te lezen. Sowieso onbegonnen werk. Terugkijkend valt me op dat ik vooral selecteerde op 'informatie', dat ik niet zoveel kon met de afdeling 'tips en adviezen'. Hoe worden ouders wijs uit de tegenstrijdige berichten die hen overspoelen? Hoe combineer je het advies 'Voorkom wiegendood, leg je baby altijd op zijn rug in bed' met de waarschuwing 'Een baby die altijd op zijn rug in bed gelegd wordt loopt het risico op een afgeplat achter-hoofd'? Hoe kies je tussen 'Neem een veilige Maxi-Cosi als je het beste voor je kind wil' en 'Kies voor een draagdoek als je je kindje een natuurlijke ontwikkeling gunt'? Hoe ga je om met de uiteenlopende behoeftes van volwassene en kind? 'Reinheid, rust en regelmaat zijn onontbeerlijk voor het jonge kind', zeggen ze, maar ook 'Spring regelmatig uit de band en zoek voldoende prikkels zodat je als volwassene niet vastroest'. Ik was vooral nieuwsgierig naar hoe het er achter de voordeur aan toe gaat – maar dat kreeg ik niet ge-vonden. En over de vraag hoe je als gezellig stel je tot elkaar verhoudt als vader en moeder stond al helemaal niks in de boekjes. Die gaan over wat kinderen nodig hebben om zich evenwichtig te ontplooien. Dus schoof ik die boeken aan de kant en besloot te vertrouwen op mijn gezond verstand. Goed kijken, dan snap je heus wel wat een kind nodig heeft, dacht ik, en tussendoor een beetje onderhandelen met me-zelf en mijn geliefde om het midden te ontdekken tussen perfectie en verwaarlozing.

Tot ik een paar jaar later, ook de tweede was inmiddels geboren, op mijn werk professor Baartman hoorde spreken. Deze emeritus hoogleraar hield zich bezig met preventie en hulpverlening rond kindermishandeling en vertelde hoe hij zich in het begin van zijn carrière had afgevraagd hoe het toch mogelijk is dat ouders hun kinderen mishandelen? La-ter vroeg hij zich af hoe het mogelijk is dat ouders hun kin-deren zomaar goed grootbrengen... Het verbaasde hem dat er zo ontzettend weinig bekend is over wat het van ouders vraagt: werken, huishouden en kinderen groot zien te krijgen. Hoe doen ze dat eigenlijk?

Ik ontdekte vervolgens het werk van Alice van der Pas, die met haar boeken over ouderbegeleiding aandacht vraagt voor een nieuwe tak van de menswetenschappen: psychologie van ouderschap. Dat voelde als thuiskomen. Sindsdien hebben ouders mijn hart, en coach, schrijf, denk en spreek ik vanuit het perspectief van ouders.

In dit boek staan daarom de ouders centraal in anekdotes uit het dagelijks gezinsleven. Stuk voor stuk zijn ze waar gebeurd (met hier en daar wat dichterlijke vrijheid), de meeste dicht bij huis – soms omwille van de privacy wat aangepast – en gaan ze over de vraag waarom je als ouder doet zoals je doet. Ik heb Alice gevraagd om er commentaar bij te schrijven vanuit de theorie – aan het eind van elk hoofdstuk. Het boek is op allerlei manieren te lezen: eerst de anekdotes en dan de theorie, of hoofdstukken door elkaar. Doe wat passend is. Dat is trouwens ook een goed idee als de volgende opvoed-hype zich aandient: eerst kijken of het aansluit je gezin, en alleen gebruiken wat nuttig is. Methodes zijn niet de heilige weg. Het zijn praktische middelen om je doel te bereiken.

1

In den beginne

*Waarin Janneke de wankele schreden van kersverse
ouders onderzoekt en Alice de geboorte van vader- en
moederschap schetst*

OP EIGEN BENEN

Het heeft even geduurd maar daar is ze dan, mijn eerste kind. Al die maanden zat het veilig in mijn buik, heb ik braaf sapjes in plaats van alcohol gedronken. Ik stopte op tijd met werken en deed gedwee een middagslaapje. Ik verdroeg het geneuzel van de verloskundige en bereidde me voor op de bevalling met een vage pufcursus. Maar nu is het dus zover, mijn kind is geboren. Een half uur geleden twijfelde ik nog even of het wel een kind zou zijn, ik was al uren aan het werk voor een wezen dat ik nog nooit gezien had. Misschien was het wel een hondje? Het is duidelijk, zwangerschap leidt tot hersenverweking. Ik verman mij, of kun je dat in zo'n situatie niet zeggen, en concentreer me op het laatste stukje. Ja- wel nog één flinke duw en hopla daar is ze.

In een serene stilte aanschouwen we ons eigen wereld- wonder. Fijn dat het dienstdoend personeel zich aanpast aan onze bezonken stemming. Dan is enige actie gewenst, er moeten tenen geteld en agpars gescoord. Er zweeft een schaar tussen ons in, 'wie biedt?' lijkt de vraag. Ik pak 'm aan, wat me een verbaasde blik van de verloskundige oplevert, 'wil je man dat niet doen?' maar nee, dit is mijn taak. Mijn man is allang blij. Ik knip haar los met de woorden 'daar ga je, op eigen benen', want zo voelt het. Vanaf nu moet het meisje het zelf doen. De wenkbrauwen van de verloskundige schie- ten omhoog, de kraamzuster slaakt een kreet. Het personeel is in shock, zoiets hebben ze nog nooit meegemaakt. Zit ik in de verkeerde film? Ben ik echt meteen een ontaarde moeder? Ik bedoel toch niet dat ik niets voor mijn kind over heb, ik blijf er heus wel bij. Maar nu zal ze zelf moeten ademen, zelf moeten eten, zelf moeten groeien. Ik sta erbij en kijk ernaar. En ik zal de voorwaarden scheppen, pleisters plakken als het nodig is, maar ik ga niet meer voor haar ademen. Dat is nu háár taak. Het leven is begonnen, aan de slag!

Misschien was ik er vroeg bij, dat zou kunnen. Maar ik geloof dat de primaire taak van ouders is hun kinderen naar zelfstandigheid te begeleiden. En daar begin je niet pas mee in de puberteit.

WEL/NIET?

Wanneer wist jij dat je kinderen wilde? Sommigen weten het al jong, het spelen met poppen geeft ze het overtuigende gevoel dat ze later een gezin met kinderen willen. Prille pubermeisjes die oppassen op de kinderen van de buren kunnen ook zo stellig zijn; 'zo schattig, ik wil er later vier' dwepen ze vol overgave. En ik zou de twintigers niet graag de kost geven die vanzelfsprekend kinderen hebben gekregen, omdat het zo 'hoort'. 'Daar dacht je niet bij na' zoals mijn moeder zeggen zou.

Voor mij was het niet zo glashelder. Ik heb lang getwijfeld, of eigenlijk, heel lang heb ik er überhaupt niet over nagedacht. Totdat een dierbare collega tussen neus en lippen door 'wacht maar af, de biologische klok gaat vanzelf tikken' tegen me zei. Ik weet nog exact waar ik aan de grond genageld stond. Bijna eenendertig was ik, het leven nét op orde, een zonnige voorjaarsdag wrong het licht met bakken door de geloken luxaflex van ons kantoor. Ik lachte zijn veronderstelling weg, maar diep binnenin vond er een aardverschuiving plaats. Vanaf dat moment werd ik bloednerveus. Want ik was bijzonder gehecht aan het idee dat ik zelf invloed uitoefende op de loop van mijn leven. Dat chemische processen mij in een bepalende richting zouden sturen – waar ik zelf geen grip op zou hebben – joeg me grote schrik aan. Dus ik zocht mijn heil in de ratio. Ik probeerde de voor- en nadelen af te wegen van het kinderen krijgen.

Voordelen	*Nadelen*
Instandhouding soort	Gebonden voor altijd
Nageslacht dat hopelijk naar je omkijkt als je oud wordt	Altruïsme is niet mijn sterkste kant
Goede genen doorgeven	Kostbaar
Avontuur	Zorgen
Nieuwsgierigheid	Onafhankelijkheid opgeven
	Onoverzichtelijk

Die lijstjes hielpen me niet om minder ambivalent te worden ten opzichte van het moederschap. Ik stelde me voor hoe mijn leven zich zou ontwikkelen met liefst dezelfde lief, mijn goedlopende bedrijf met steeds meer verantwoordelijkheid, genoeg geld om zonder zorgen te wonen, te reizen en te leven, en dan? De schijnbare voorspelbaarheid maakt me onrustig. Gaf dat houvast me voldoende uitdaging en zin om nog veertig jaar door te leven? Met een kind krijg je gratis kilo's uitdaging meegeleverd. Maar wat te doen als ik niet geschikt zou blijken voor het moederschap? Hoe te handelen als mijn kind gehandicapt ter wereld zou komen? En mocht ik eigenlijk wel verwachten dat mijn kinderen en kleinkinderen later op bezoek zouden komen als ik oud en gebrekkig mijn dagen aan het slijten was? Als ik behoefte had aan avontuur, aan onvoorspelbaarheid, was een wereldreis dan niet een betere optie?

Hoe ik de knoop heb doorgehakt kan ik niet meer reconstrueren. Misschien dus toch de hormonen. Maar opeens kon ik me niet voorstellen om later als ik oud was géén kinderen te hebben gekregen. Sinds ik moeder ben is de grootste impact gek genoeg niet de nooit aflatende zorg en verantwoordelijkheid, maar het besef dat deze beslissing onomkeerbaar is. Kinderen ruilen, ontslaan of er van scheiden is geen optie. Sterker, zelfs het nadenken over hoe het zou zijn geweest om je kinderen niet te hebben gekregen – laat staan spijt hebben van je beslissing – is *not done*. De illusie van de maakbaarheid van mijn bestaan heb ik voorgoed om zeep geholpen. Zou dat de reden zijn dat zoveel vuile-gezinswas binnenshuis gehouden wordt? Omdat je het over jezelf afgeroepen hebt?

OMDAT IK HET ZEG!

Toen mijn oudste moord en brand schreeuwde in de tummytub vroeg ik mij plots af 'hoe vaak ga ik mijn kind eigenlijk in bad doen? Moet dat echt elke dag en waarom dan?' Het was de eerste, maar zeker niet de laatste keer dat ik voor een keuze werd gesteld die me confronteerde de oorsprong van mijn opvattingen te onderzoeken. Natuurlijk geven opvoedboeken een prettig houvast als je onzeker bent, of kun je de kunst afkijken van je eigen ouders, maar soms botst dat met de praktijk. Omdat je het anders wil doen of omdat het niet werkt bij dat ene kind. Wat voor mij vanzelf spreekt wordt bovendien door mijn partner op een andere manier ingevuld, dat was een hele openbaring voor me.

Is het bijvoorbeeld belangrijk dat een kind luistert omdat de verhoudingen daarmee duidelijk zijn? Moet het omdat jij het vroeger ook moest? Of gaat het jou erom dat je op je kind kunt vertrouwen in levensbedreigende situaties zoals een drukke straat oversteken, de riem vastmaken in de auto en niet met vreemde mannen meegaan op straat als ze een snoepje beloven?

Is het voldoende als een kind kleren aantrekt die passen bij het seizoen, moeten de kleuren precies matchen, is 'als ze maar schoon en heel zijn' je motto of moet het passend zijn bij mama's handtasje?

Eet een kind gezond als het zijn bord leeg eet (dan weet

ik tenminste wat er naar binnen is gegaan, dat moest ik zelf vroeger ook, zonde om weg te gooien zolang er nog kinderen honger lijden in de wereld, zo leren ze alles eten dat komt later goed van pas) of ben je al blij als er überhaupt dagelijks een paar happen groente en fruit in gaan (zolang ie goed groeit en lekker speelt vertrouw ik erop dat het goed gaat, ik weet nog hoe ik vroeger zelf tegen heug en meug mijn bord moest leegeten, ze leren pas genieten van eten als je het niet opdringt).

Plotseling moet ik denken aan een anekdote die de ronde deed in onze familie. Tante Riek sneed altijd de 'kontjes' van een rollade af voordat ze 'm in de braadpan deed. Op een dag vroeg haar dochter 'waarom doe je dat eigenlijk?' En ze zei 'dat hoort zo, zo deed mijn moeder dat ook altijd.' Haar dochter, die graag het naadje van de kous wist, vond het maar vreemd en deed navraag bij oma. 'Oh ja, dat deed ik vroeger altijd omdat mijn braadpan te klein was', antwoordde oma tot grote hilariteit van haar kleindochter.

CONSTERNATIEBUREAU

'Gaat alles goed?' De wijkverpleegkundige schrijft ondertussen door in het kinddossier. Ik weet niet goed wat ze van
mij verwachten op het consultatiebureau. Doe ik daar moe-
der-examen of staan ze aan mijn kant? En 'alles' is nogal veel,
daar weet ik niet meteen antwoord op als kersverse moeder.
Het moment is alweer voorbij, mijn zwijgen wordt geïn-
terpreteerd als 'geen bijzonderheden'. Mijn dochter wordt
gewogen en gemeten, reflexen getest en tien minuten later
sta ik confuus weer buiten. Misschien heb ik het niet ge-
troffen, maar dat de meeste jonge ouders in mijn omgeving
spreken over het 'consternatiebureau' is op zijn minst op-
vallend. De volgende keer ga ik er met nieuwe moed heen,
ik zit vol vragen rond het vaccinatiebeleid en ik hoor graag
hoe de jeugdarts daarover denkt. 'Maar het is erg belangrijk
dat u het rijksvaccinatieprogramma volgt hoor, dat is de enige manier waarop we deze ziektes onder de duim kunnen
houden.' Veel meer komt er niet uit als ik stug doorvraag.
Zelfstandig denken is blijkbaar niet de bedoeling, volg de
massa, is het devies. Zou ik de aantekening 'moeilijk stuur-
bare ouder' hebben gekregen in het dossier? Scoor ik daar
punten mee bij de risico-inventarisatie? Mij raakten ze in
elk geval kwijt. Ik kwam voortaan braaf opdraven, gaf sociaal wenselijke antwoorden en probeerde verder niet op te

vallen. Het consultatiebureau stond definitief niet naast, maar tegenover mij.

Toch jammer. Het had ook de plek kunnen zijn waar ik als moeder mijn licht zou kunnen opsteken, waar ik mijn twijfels vrijelijk zou kunnen uiten om vervolgens gesterkt verder te gaan. Een inspiratiebron om je aan te laven, waar deskundigen hun kennis ter beschikking stellen zodat het wiel uitvinden simpeler wordt. Want dat is het wonderlijke van kinderen krijgen, ieder moet zijn eigen weg vinden in het ouderschap en het is allang geaccepteerd dat je je kinderen niet altijd als vanzelf begrijpt. Het zou een centrum kunnen zijn waar je in laagdrempelige cursussen je vaardigheden aanscherpt en gecoacht kunt worden in het ouderschap. Met een infotheek over de plaatselijke kinderopvang, voorlichting over onderwijsmethodes en vrijetijdsbesteding. En waar de focus niet uitsluitend op het (fysieke) welzijn van het kind gericht is, maar waar ook ruimte is voor de ontwikkeling van een gezin – en de ouders in het bijzonder. Niet alleen voor de eerste vier jaar, maar voor de hele gezinscyclus. En misschien zelfs voor grootouders en hun (klein)kinderen. Wat zou het mooi zijn dit ideaal te realiseren. Centra voor Jeugd en Gezin opzetten vanuit het ouderlijk perspectief, dát zou pas echt vernieuwend zijn. Wat een consternatie zal dat geven op het consultatiebureau.

UITVINDEN

Ook al worden er boeken vol geschreven over hoe kinderen zich ontwikkelen en wat ze nodig hebben, het is toch uitvinden hoe je dat als ouder in de praktijk uitvoert. Ik weet nog hoe trots ik was dat mijn oudste meteen goed bij me begon te drinken. Dat hielp enorm om zelfvertrouwen te krijgen in mijn onwennige nieuwe taak als moeder. Toen de kraamverzorgster echter na zes dagen zei dat het nu toch wel echt tijd werd om mijn dochter op een strakker voedingsschema te zetten, was ik totaal onthutst. Want hoe doe je dat dan? Ze gaf er geen handleiding bij dus ik rommelde wat aan, hield het gehuil tussendoor soms wel en soms niet uit (oh, slecht-slecht-slecht want ik zou toch consequent zijn, zoals de pedagogen voorschreven) en na een paar weken schoof het op zijn plek. Haha, victorie, ik had uitgevonden hoe het moest. Dacht ik. Totdat er dan weer een 'oei-ik-groei-regeldag' voorbijkwam en ik opnieuw kon beginnen.

Met naar bed brengen gingen wij geen gedoe krijgen, zo had ik mij voorgenomen. Dus dat deed ik liefdevol gedecideerd en met vaste rituelen, zoals het in de boekjes staat. En jawel, met negen weken sliep ze door en ook later nooit gezeur. Dat hadden we toch maar mooi voor elkaar, klopten we ons op de borst.

Tegen de tijd dat de tweede werd geboren had ik echt het gevoel dat ik het te pakken had, dat ik snapte hoe het werkte.

En kijk zie je wel, nummer twee dronk ook meteen als een voorbeeldkind uit de folders van Borstvoeding Natuurlijk. In *no time* hadden we haar 'op schema' en we voelden ons ervaren volleerde ouders. Laat maar komen die kinderen, als het zo gaat kunnen we er wel tien aan, zeiden we nog tegen elkaar. Maar met zes weken huilde ze elke avond van 18 tot 22 uur, de enige remedie was vasthouden en rondlopen. Elke nacht werd ze bovendien drie tot vijf keer wakker. Als ze haar speen weer had en even getroost was, lagen we drie minuten later weer terug in bed (maar zie dan maar weer in te slapen). Dat hield ze de eerste drie jaar van haar leven vol, wat we ook probeerden. Ik schaamde me met terugwerkende kracht over het leedvermaak waarmee ik de verhalen van vrienden over gebroken nachten had aangehoord.

Boeken zijn nuttig om kennis op te doen over kinderontwikkeling. Daarnaast is het ouderschap een continue leerschool voor de eigen ontwikkeling. Mijn grootste strijd was vrede krijgen met de onplanbaarheid van het bestaan. Daarnaast heb ik mijn lessen in nederigheid gekregen. Mijn twee totaal verschillende kinderen relativeren bovendien mijn invloed als opvoeder. En bovenal heb ik leren kijken, uitvinden, bijstellen, uithuilen en opnieuw beginnen.

MOEDER WORDEN – HOE GAAT DAT VANDAAG DE DAG?

In genetisch opzicht is de vrouw voorbestemd om te baren en te zogen. Moeder Natuur voorziet haar immers eenmaal per maand van een eicel; ze heeft een aparte ruimte in haar buik waar de bevruchte cel kan uitgroeien tot een compleet mens; en zo nodig kan zij geheel alleen het kind maandenlang alle voedsel geven dat het nodig heeft. Maar daarmee eindigen dan ook de voorzieningen van Moeder Natuur. Behalve baren, bevallen en zogen is er weinig voorbestemd of geregeld. Integendeel: verder mag moeder het zelf uitzoeken.

'Kinderen krijgen' is ook niet meer iets vanzelfsprekends, dus hoe en waarom besluit een jonge vrouw, of al in de dertig, om een kind te willen?

Vaak komt er geen besluit aan te pas. Het 'gebeurt'. Sommige vrouwen willen bewust te werk gaan en maken een lijstje van alle voors en tegens van moederschap die hun te binnen schieten. Ik vermoed dat het besluit dan al is genomen, 'ergens', en dat het lijstje dient om aan zichzelf en aan het kind verantwoording af te leggen over die vermetele stap.

Want dat is het – hoe bloemrijk en rozig men zich het ook voorstelt – een stap in het grote onbekende van 'ik krijg een kind'.

Niet voor niets zijn barende vrouwen door de eeuwen heen omringd geweest met ervaren seksegenoten. Die zorgden ervoor dat moeder en kind de bevalling overleefden en zagen erop toe dat moeder zelf voor de boreling ging zorgen. Niet elke moeder kan en wil dat namelijk: zelf voor haar kind zorgen.

Beter gezegd: óf ze het wil en kan, ligt niet alleen aan haarzelf, maar ook aan minstens de volgende drie omstandigheden: wat voor kind het is (ofwel 'de aard van het beestje'), hoe de partner zich ontpopt als ouder, en hoe behulpzaam de omgeving is.

DE AARD VAN HET BEESTJE

Elke nieuwe baby is een vreemdeling. Misschien een ongewenste vreemdeling; in elk geval een 100% nieuw menselijk wezen. Hoeveel genen van hoeveel generaties bloedverwanten het ook heeft, déze combinatie heeft zich niet eerder voorgedaan. Misschien heeft het kind de neus van opa, maar het is geen kopie van opa. Van niemand.

De navelstreng doorknippen is makkelijk – en eigenlijk zouden vader en moeder dat samen moeten doen, net als met de bruidstaart. Maar is dit kind zoals je stiekem hoopte? Ziet het er goed uit, of verfomfaaid? Gezond of kneuzig? Huilt het zielig of dwingend? Er zijn zelfs sikkeneurige baby's. Een vader zei eens dat zijn zoon keek alsof hij niet op deze wereld wilde zijn en die eerste ervaring speelde hem nog jaren parten. Het temperament waarmee een kind ter wereld komt manifesteert zich meteen en het is dan maar de vraag of een stoere vader van het Ferrari-type blij is met een kind dat imponeert als een Fiatje. Of andersom. De eerste indrukken zijn sterk en werken soms nog jaren door.

HOE ONTPOPT DE PARTNER ZICH ALS OUDER?

Niet zelden valt de aardige partner tegen als papa... Of hij heeft moeite met moeders moeite met het kind... En zij reageert zo anders op hem dan voorheen... Opeens manifesteert zich het gegeven dat je nog een tweede relatie hebt met elkaar: als ouders. Het is een relatie met een andere historie en opzet. Terwijl in de partnerrelatie het belang van de ander bovenaan op de agenda staat, is dat in de ouderrelatie het belang van het kind. Nu bepaalt dat kind de dagindeling en de nachtrust.

Allerlei vormen van 'samen' zijn nu anders. Er is vaders samenzijn met jullie kind, en dat is genieten wanneer je kind het zichtbaar fijn vindt bij hem. Maar het is een kwelling wanneer hij het nog steeds zo onhandig vasthoudt, of zijn aandacht méér bij het nieuws heeft. En zeg je daarover iets tegen je *partner* – of nu tegen de andere *ouder*?

Je reageert ook niet 'samen' als ze weer huilt. Je verluiert niet 'samen' en je voert en babbelt niet tegelijk. Het kind zou er gek van worden. Eén ouder is meestal genoeg. Ook voor de ouders: hoe vind je anders je eigen manier van omgaan met dit kind uit? Het kind zelf reageert ook nog eens anders op de een dan op de ander: op het andere stemgeluid en de andere geur. Beide ouders zijn immers vreemd; aan beide moet het nog wennen.

Kortom, van een overzichtelijk tweepersoons huishouden belanden partners van de ene op de andere dag in een ingewikkeld netwerkje van deels vreemde relaties. De vertrouwde partner kan als ouder zelfs lelijk tegenvallen, en jijzelf als ouder, wie zal het zeggen?

HOE BEHULPZAAM IS DE OMGEVING?

Het groepje vrouwen-met-ervaring om de jonge moeder heen kennen we niet meer. Het is vervangen door de baker; toen de vroedvrouw, nu de verloskundige, de kraamzorg, de lactatiedeskundige, de voedingsschema's van het consultatiebureau en de groeicurves van de jeugdarts. Gemiddelden, curves en schema's houden per definitie geen rekening met unieke genenpakketten. Evenmin met omgevingsfactoren, zoals hoe het thuis loopt, hoe de buurt is, wat jullie cultuur is en hoe de politiek daarover denkt. Toch bepalen die allemaal mee hoe ouder en kind zich gedragen. En toch sturen gemiddelden, curves en schema's al ruim een halve eeuw de professionele bemoeienis met kinderen – en hun ouders. En zo wordt kindergedrag dat niet 'gewoon' is al gauw benoemd als 'zorgelijk'. En niet alleen op het consultatiebureau.

Niet voor niets zijn boeken over opvoeden zo populair. Hoe komen moeders anders te weten hoe vaak hun unieke kind in bad moet!

'ALS MOEDER ER GENOEG VAN HEEFT'

Dat was het antwoord van een wijze Amerikaanse kinder-
therapeute[1] op een vraag over het juiste moment om met
borstvoeding te stoppen. Zij zag het 'er genoeg van hebben'
van de moeder als een duidelijk stopsignaal voor borstvoeding en voor nog vele volgende grootbrengmomenten. Kennelijk is het dan tijd om hogere eisen te stellen aan het kind.
De irritatie is het zetje dat moeder nodig heeft om het kind
toch maar te frustreren – met alle gedoe van dien.

Ruim tien jaar eerder zei een andere kinderkennisgroot-
heid: 'We mogen blij zijn voor het kind dat moederliefde niet
onuitputtelijk is.'[2] Oftewel: laat moeder vooral niet denken
dat 'altijd lief' het ideaal is. Meer recent betoogde een Britse
therapeut[3] die zich specialiseert in problemen van moeders:
toegeven dat je het kind zat bent, zijn gedrag of wat ook, dat
je het haat – het is allemaal beter dan jezelf het geweld aan-
doen van onuitputtelijke liefde. Soms is ook moederliefde ge-
woonweg even op. Dat voelt aan als riskant, maar de moeder
die durft toe te geven dat ze haar kind nu écht zat is, weet ook
weer dat het kind beter verdient – en handelt daarnaar.

Als drie befaamde kindertherapeuten dat zo onomwon-
den stellen, mag dan niet elke moeder daarop vertrouwen?
Ouders willen het allerbeste voor hun unieke kind, en hun
unieke weg daarheen voert nu eenmaal via vele keren 'niet
zo best'. Dat is hét unieke van vader en moeder zijn.

---

[1]   *Mary E. Bergen (1969). Emotional stress in the symbiotic relation-ship. Social Casework. Zij was kinderpsychotherapeute in Cleveland, Ohio, circa 1966.*

[2]   Judith Kestenberg (1956). *On the development of maternal feelings in early childhood. The Psychoanalytic Study of the Child*, XI, 257-291.

[3]   Roszika Parker (1995). *Mother love, mother hate. The power of maternal ambivalence.* New York, Basic Books.

2

Weerbarstige praktijk

Janneke worstelt met de disharmonie van het dagelijkse gedoe en Alice belicht de nuttige kanten van 'ruis in huis'

| 31

EIGENLIJK

Bizar hoe kinderen je zwakke plekken weten te vinden. Doe ik nog zo mijn best om het schap met de koekjes voorbij te lopen in de supermarkt, komt mijn jongste enthousiast aanzetten met een pak chocoladebiscuitjes. Bij het geringste spoortje twijfel pakt zij de ruimte waarvan ik nog niet in de gaten had dat ie er was. Want ik hou zelf héél erg van chocoladekoekjes, maar ik vind eigenlijk dat we ze niet moeten kopen.

Maar *eigenlijk* is niet duidelijk genoeg voor een kind.

Dus als ik *eigenlijk* vind dat ze maar één koekje bij de thee mogen, terwijl ik er zelf wel meer zou willen, dan vragen zij er twee. Als ik *eigenlijk* op de fiets naar school wil, maar ervan baal dat het regent, dan gaan ze zeuren of we met de auto gaan. En wanneer ze van mij niet naar Nickelodeon mogen kijken, maar ik nog niet goed heb nagedacht over waarom niet, blijven ze die zender opzoeken en blijven we strijd voeren.

Dat is zo vermoeiend aan opvoeden: dat je telkens weer moet weten wat je wil, en keuzes maken, en dat die pas werken als je er pal achter staat. Kinderen blijken een feilloze radar te hebben voor wat je écht wil en vindt, en trekken zich weinig aan van de sociale druk die je voelt of de idealen waarmee je opgegroeid bent. Binnenkant en buitenkant moeten precies met elkaar kloppen, want kinderen reageren meer op lichaamstaal dan op wat ze je horen zeggen. Dat is dan ook dé moeilijkheid van consequent zijn: het lukt pas als je het eens bent met jezelf...

OFF-DAY

Zaterdagochtend half elf en ik weet al niet meer hoe ik de dag moet door komen. Ik ben doodop van alleen het ontbijt. Ik ben nog niet eens gedoucht of aangekleed. Mijn man is naar zijn werk en komt pas om half zeven thuis. Ik zal het vandaag alleen moeten doen. De oma's zijn de afgelopen tijd al ruimschoots bijgesprongen.

Zal ik ze naar de buren sturen? Nee, die zien mijn kinderen alwéér aankomen. Moedeloos scan ik mijn hulplijnen. 'Wat ben ik eigenlijk voor moeder?' Ik lijk in niks op het ideaalplaatje van de liefhebbende, altijd-klaar-staande, van creativiteit overborrelende, onvermoeibare mama die ik had gehoopt te zijn.

In gedachten ga ik terug naar de tijd toen de kinderen twee en vier waren en ik anderhalf jaar lang rondliep met een vaag virus. Na uitzieken, doorzetten, aanrommelen en het gehele medische en alternatieve circuit doorlopen was 'me neerleggen bij de situatie' het hoogst haalbare. Daar lag ik dan als moeder. Met een peuter en een kleuter. 'Rekening houden met' stond niet in hun woordenboek en dat wilde ik ook niet van ze vragen. Ik scharrelde mij dus door de dag, sliep 's middags een uur op de bank om vervolgens te ontwaken in een chaos die me weer de moed in de schoenen deed zinken. Tussen de ene woede-uitbarsting en de andere huilbui door, kwelde me de vraag: 'Wat ben ik voor moeder die niet eens fatsoenlijk voor haar kinderen kan zorgen?'

Op een dag lag ik op de behandeltafel van de osteopaat. Of het nuttig was weet ik niet, maar ik voelde me er ontzettend verwend en dat kan alvast geen kwaad. Verdrietig vertelde ik over de scène eerder die week, toen het sneeuwde en ik niet met de kinderen naar buiten kon omdat ik te moe was. Hoe ik tranen met tuiten huilde en mijn kinderen geschrokken op een afstandje bleven staan omdat ze niet begrepen waarvan ik zo overstuur was. 'Maar je bent wel veel thuis voor ze. Ook al lig je op de bank, je *bent* er wel.' De osteopaat zei het zonder een spoor van ironie.

Een paar dagen later viel het kwartje. Er is niet slechts één plaatje van een Goede Moeder. De kunst was – en is nu weer – mijn ideaalbeeld bij te stellen totdat het klopt met mijn werkelijkheid. Er blijken plaatjes te bestaan waarvan ik geen weet had. Wanneer je niet kunt krijgen wat je wil, moet je willen wat je hebt. Inclusief ziek, zwak en misselijk.

Dan nog maar een off-day! Dat overleven we ook wel weer.

POLITIE-MOEDER

'Kom meisjes, aan tafel, we gaan boterhammen eten. Nee, écht stoppen met schommelen nu, dat was de afspraak.'
'Jawel, wél handen wassen: kijk maar eens hoe zwart ze zijn.'
'Hola, eerst een boterham met hartig, dan pas een met zoet.'
'Ga eens rechtzitten, knieën onder de tafel en met vier poten op de grond graag.'
'Nee, nee, niet twee boterhammen met chocopasta achter elkaar.'
'Niet je mes aflikken! Met je vinger of aan je boterham.'
'Aan tafel blijven: we wachten tot iedereen klaar is met eten.'

Zomaar een lunch op zomaar een dag. Reuze gezellig, al lees je dat niet af aan bovenstaande teksten. Tussen neus en lippen door handhaaf ik de regels, inmiddels vaak spelenderwijs. Ik heb het zelf niet eens in de gaten, alsof ik op de automatische piloot de orde bewaak. Maar soms heb ik er genoeg van om politie-moeder te spelen en vraag ik me wanhopig af: 'Waarom al die regels?' Waarom niet 'laat maar' denken en alle conflicten uit de weg gaan? Dat eeuwige geschipper en dagelijks gebakkelei kost zoveel energie en het houdt nooit eens op.

Dat was niet hoe ik mij het moederschap had voorgesteld. Hoe naïef is het om te denken dat je als ouder harmonieus de regie kunt voeren?

Ik dacht dat de gemiddelde ouder op een normale dag drie tot vier keer schermutselt over grenzen, en dat er maar twee soorten ouders zijn: de goeie die zelden aarzelen of twijfelen en de andere die in eindeloze onderhandelingsdoolhoven verzeild raken. Totdat ik een geruststellend bericht las uit de wereld van de wetenschap: *'Zelfs normale kinderen vertonen in de omgang met hun ouders gemiddeld om de vier minuten licht aversief gedrag en zijn om het kwartier duidelijk coërcief.'* En met hun vergrootglas op de werkelijkheid ontdekken de geleerden: *'Alleen al met een kind uit bed, aangekleed, ontbeten en op tijd naar school krijgen, zijn zesendertig grenzen en grensjes gemoeid. Is het kind humeurig, dan worden het er tweeënzeventig.'*

Ga er maar aan staan, want we hebben het niet over onhandelbare secreten maar over gewone doorsneedoorzonkinderen! Laten we ongehoorzaamheid niet langer als een obstakel beschouwen. Die kleine en grotere botsingen zijn onontbeerlijk om een kind zelfstandig te laten worden: nu in het klein en later in het groot. Dáár doen we het voor.

ZO ZIJN ONZE MANIEREN

Routineus vul ik tijdens het ontbijt de trommels met bruine boterhammen: één met kaas en bij wijze van concessie één met chocopasta. Dan nog de drinkbekers en een stuk fruit, en ze kunnen er weer een schooldag tegenaan. Tevreden sorteer ik de stapeltjes uit. Dat heeft deze moeder weer mooi voor elkaar. 'Mama, mag ik een koek mee?' (Waar komt dat opeens vandaan?) 'Iedereen heeft altijd een koek mee en wij nooit. Wij hebben altijd fruit, ik wil ook een koek mee naar school.'

'Iedereen' – 'altijd' – 'ik ook', galmt het na in mijn hoofd, en dat het aan mij is om dat te relativeren. Of ben ik te braaf? Grijpt de moderne ouder inderdaad een pakje sap en een voorverpakte koek uit de lang houdbare voorraad en is iedereen blij? De stilte duurt al te lang; ik moet nú antwoord geven. 'Nee schat, zo doen wij dat niet.'

Heeft het normen-en-waarden-virus mij nu te pakken met zijn 'zo zijn onze manieren' – of snijdt het hout wat ik zeg? Gister ook al toen we met zijn allen naar de film gingen en mijn oudste zei 'Ha, lekker popcorn kopen', want dat had ze laatst met een vriendje ook gedaan. Als vanzelf floepte 'nee meis, wij eten niet onder de film' eruit. 'Oh ja', zei ze en daarmee was de kous af.

Zeven en negen zijn ze nu, die meiden van mij. Ze zijn zindelijk geworden, kleden zich zelf aan, zeggen dankjewel en alsjeblieft, onthouden afspraken en regels (meestal) en zijn vertrouwd met het ritme van de dag, de week, het jaar. Dat is alvast gelukt. De discussies gaan nu over *waarom* we het doen zoals we het doen. 'Iedereen mag Nickelodeon kijken', 'iedereen gaat pas om negen uur naar bed', 'iedereen mag oorbellen', 'alle meisjes uit mijn klas zitten op paardrijden' en 'iedereen eet elke week patat'.

En, oh ja: 'iedereen heeft altijd een koek mee naar school.' Waarschijnlijk zijn wij het laatste huishouden op aarde dat geen koeken in huis heeft, dus het antwoord is vandaag eenvoudig. Maar daar gaat het natuurlijk niet om, mijn kind wil erbij horen, niet afwijken, én iets lekkers. Ik, daarentegen, wil haar gezond laten eten, niet buigen voor de groepsdruk en misschien wil ik ook nog wel het goede voorbeeld geven.

Maar ik ben de beroerdste niet en zij begrijpt best waarom fruit gezonder is. 'Elke vrijdag een koek mee' is het compromis waar we ons allebei in kunnen vinden.

Zo doen wij dat.

HERHALEN

De dag is amper twintig minuten oud of de dames vechten elkaar al de tent uit. Ondertussen probeer ik onverstoorbaar de boterhammen voor de broodtrommels te smeren, maar met mijn ochtendhumeur kan ik dat gekissebis niet aan. Ik zoek mijn heil in een andere maatregel: 'Als je niks aardigs tegen elkaar kunt zeggen, dan zeg je maar niks. Vanaf nu wil ik dat het stil is en je doet alleen je mond open om er een boterham in te stoppen.' Ik probeer niet boos te klinken, want dan gooi ik immers mijn eigen glazen in. En zowaar, het werkt. Het is een paar minuten stil en daarna is het ontbijtklimaat een stuk vriendelijker.

Hoe vaak heb ik deze zin al uitgesproken om vervolgens een tijdlang te scheidsrechteren over wat wel/niet aardig (bedoeld) was? Hoe vaak heb ik me afgevraagd of het überhaupt haalbare kaart was om twee van die haaibaaien op te voeden tot vriendelijke jongedames? Oefening baart kunst blijkt weer.

Ach, wat zou het heerlijk zijn als je als ouder alles maar één keer hoefde te zeggen en dat het dan meteen werkt! Dát zou een hoop tijd en ergernis schelen. Maar zo gaat het nooit. Helaas is een kenmerk van levend materiaal dat het al doende leert. Het spreekwoord mag dan luiden dat een ezel zich niet twee keer aan dezelfde steen stoot: voor het *omvormen* van een menselijke gewoonte staat een week of zes. Probeer het maar eens met zoiets eenvoudigs als het bestek in een andere la leggen.

Dat doet me denken aan de wanhoop tijdens rijles toen bepaalde handelingen maar niet wilden inslijten, terwijl de instructeur al zo vaak had gezegd dat... Maar zeggen en doen is twee. Het aanleren van nieuwe gewoontes kost tijd, veel tijd. Bij kinderen al gauw een jaar of zeven. Dus herhalen, herhalen, herhalen is wat we moeten doen om onze kinderen iets bij te brengen.

Niet versagen, hou vol!

VAN MUGGEN EN OLIFANTEN

'Auw!' Ik snij me aan de rand van een envelop. Vlak naast mijn nagel moet een minuscuul wondje zitten, maar ik zie niks. Negeren dan maar, en ik ga door met het bekijken van de post. De hele dag ergert dat papiersneetje me. Op de gekste momenten schrijnt het onzichtbare wondje wonderlijk fel. Ik vind mezelf een watje, een aansteller en geen haar op mijn hoofd die een pleister overweegt. Kom op, wat moeten mensen die echte pijn hebben niet van me denken. Maar lastig is het wel als voor de zoveelste keer die dag mijn gekwetste vinger protesteert omdat ik onnadenkend mijn handschoenen aandoe, waardoor het losgeraakte velletje opstroopt en een plaatselijke pijnscheut mij opnieuw herinnert aan het onhandig openmaken van de post die morgen. Wat een leed door zulk kleinzielig ongemak. Zucht.

Thuisgekomen raap ik geërgerd de troep van de trap en jaag mijn dochter de stuipen op het lijf door – nog vóór het 'hallo' zeggen – al die zooi in haar schoot te werpen met de monosyllabische instructie 'opruimen!' Verongelijkt kijkt ze me aan. Ik geef toe, ik zou het van haar niet pikken. Met een gemompeld 'wat is dat nou voor kleine moeite om die spullen mee te nemen als je toch naar boven loopt', probeer ik mijn buitenproportioneel-brute binnenkomst te vergoelijken. Maar ze trapt er niet in. 'Dat kun je toch ook gewoon vragen', echoën mijn eigen woorden uit de mond van de elfjarige. Jajaja, ze heeft gelijk natuurlijk. Wat loop ik me daar nou aan te stellen over een tas en een das op de trap. Kleine moeite immers om, als het míj zo stoort, dat zelf op te ruimen. 'Dat hoort niet!' 'Dan leren ze het nooit!' 'Ik loop hier de hele dag al voor jandoedel op te ruimen!' Is dat het? Ik geloof er niks van. Gewoonlijk heb niet zo'n last van die dooddoeners. De troep op de trap raakt me dieper, en ook al probeer ik het me niet aan te trekken, het voelt als een persoonlijke aanval. Belachelijk natuurlijk.

Het lijkt een beetje op dat stomme snijwondje waar ik nog steeds last van heb. Als ik dat wat serieuzer zou nemen, zoals wetenschappers[1] adviseren, zou ik er meteen een pleister op plakken. Dan zou ik er minder last van hebben en is het sneller genezen bovendien. Ik ga de komende dagen maar eens broeden op wat me precies zo stoort aan rommel op de trap. Als ik dat snap, kan ik het uitleggen en is de kans groter dat mijn gezinsleden meewerken. Kan die olifant weer een mug worden.

---

[1] *Uit de wetenschapsquiz van 2001: 'Er liggen zeer veel pijnzenuwen (noci-receptoren) vlak onder de huid. Net als bij een schaafwond veroorzaken die pijn. Veel mensen behandelen een papiersnee vaak niet als een echte wond. Toch is het beter om dat wel te doen. De wond kan namelijk gaan uitdrogen en openstaan, waardoor de zenuwuiteinden bloot liggen en dat is pijnlijk. Kortom ook een papiersnee vraagt om een pleister.'*

WORDEN ZE ÓÓIT GROOT?!

Een kind 'grootbrengen' betekent dat je het kindermanieren *af*-leert en een pakket 'grote' manieren *aan*leert. Twintig jaar staat daarvoor. Lang! Oók als het goed gaat.

KAN HET NIET EFFICIËNTER?

Als je bedenkt hoe vaak ouders met problemen zitten en hoe druk allerlei kinderdeskundigen het hebben, dan vraag je je af of het niet beter kan. Waarom al dat gepruts en gepuzzel! Waarom niet alle kinderen veel eerder naar school: daar waar orde heerst, een lesrooster, nu en dan een toets, en een leerkracht die niets anders te doen heeft dan het spul volgens afgesproken regels opvoeden!

Ja, waarom elke ouder opnieuw het wiel laten uitvinden?

Omdat ouders iets in huis hebben wat juist school en crèche *niet* kunnen: *low key* grootbrengen via 'ruis'.

HET UNIEKE VAN 'RUIS IN HUIS'

Een kruipende baby merkt al gauw dat ze niet alles mag pakken wat ze tegenkomt. Dus past ze haar kruiproute een beetje aan en kijkt ze eventjes op vóórdat ze iets pakt. De ouders sturen bij met hun baby-repertoire van 'uh-uh', 'mag niet!' en afleiden, of bijtijds oppakken en elders neerpoten. Met de kleintjes is er zodoende elke paar minuten *iets*, en gemiddeld om het kwartier even *echt* iets – zoals een vader van drie kleine jongens schrijft:

'...het is bijna nooit stil, maar af en toe valt er een gat van, zeg, een seconde of dertig'.[1] Dit soort 'ruis in huis' is dan ook gewoon.

Het is dé manier om je kind te leren kennen – terwijl zij of hij via ruismomenten ontdekt wat ouders allemaal wel en niet willen, en waarom. Dat is nogal veel – maar terwijl ouders met van alles en nog wat bezig zijn brengen ze toch beetje bij beetje (en vooral: langs hun neus weg) aan het kind over wat zij wel willen en niet willen en waarom precies.

Dát is die huis-ruis: een bijna volcontinue ouder-kinddialoog. Daar kan geen school of crèche tegenop, en daarom doen ouders het.

HOE HOUDEN WE HET BESCHAAFD!?

In feite is het een 'ongehoorzaamheidsdialoog': onafgebroken bepleiten beide partijen hun standpunt. Meestal geeft één van beiden iets toe – een soort wisselgeld – en héél geleidelijk verschuiven de compromissen in de richting van 'groot worden'. Natuurlijk is er een machtskloof tussen ouder en kind, maar bij ruis is die minder voelbaar: ruis bestaat uit mini-dialoogjes, met stilte, een snelle knuffel of geïrriteerde afstand tussendoor – tot het volgende dialoogje. Wéér over ongehoorzaamheid, dat wel, maar men is in gesprek!

Met grotere kinderen is de ruis niet meer volcontinu; wel lawaaiiger, en de impact ervan is minstens zo indringend. Het kind brengt overal vandaan nieuwe manieren mee naar huis, en passen die in ons manierenpatroon? Het is trots op wat het elders heeft geleerd en laat het zich niet afpakken – maar hoe vaak willen *wij* patat? Staan *wij* elk tv-programma toe? Hoeveel bier halen *wij* in huis voor een feestje? Tolereren *wij* 'fuck'?

Daarover *kun* je als ouder controle uitoefenen, maar wil je dat? Moet je het willen? Durf je het aan? Hoe snijd je zoiets aan? Jij of je partner? Alleen of samen? Vóór, tijdens of na het eten?

En met wie overlegt de ouder die er alleen voor staat?

Want intussen beheersen de kinderen, behalve verleidingstechnieken, een compleet alfabet aan onwilgedrag, van Aanstelleritis tot en met Zaniken, Zeiken, Zeuren en Zuchten. Als ouder zou je óók wel willen stampvoeten, maar dat leidt gauw tot échte herrie in huis, en dat is het laatste wat je wil.

Om energie te sparen, om niet uren met zijn allen in een mokkige sfeer te zitten – en omdat 'herrie' je eer te na is – uit zelfbehoud dus, ontwikkelen ouders geluidsarme, non-verbale boodschappen: negeren; schouderophalend wegkijken; de 'ik heb jou door'-knipoog; de tweetonige kuch: ùh-uh, het nadrukkelijk-onbewogen gezicht; snel of juist heel langzaam 'nee' schudden, en de zijdelingse hoofdknik die zegt: 'je kan me wat!'

En dan de echte machtsgebaren: dreigende vinger, bezwerend 'stop!'-gebaar, de meewarige duim die het kind naar zijn kamer bonjourt, een bemoedigende schouderklop of quasi-verzoenende aai over de bol.

HET CHAOS-ACHTIGE VAN ONGEHOORZAAMHEIDSDIALOGEN
Gewone discussies vallen niet onder 'ruis'. In de hier bedoelde 'ruis' zit immers geen lijn of vaste volgorde. 'Ruis' volgt geen

blauwdruk: het is een chaos-fenomeen, hopst van het ene onderwerp naar het andere, en van de ene toonaard in de andere. Het kind dat minutenlang ergens over heeft zitten zeuren, roept: 'Kijk, een spin!!' – en wég zeuronderwerp!

Het steeds variëren van onderwerp en toon is veilig en efficiënt. Er is weinig ruimte voor herrie; steeds passeren nieuwe 'oplossingen' de revue; ander gedrag levert andere reacties op, en elk volgend akkefietje verloopt vanzelf anders. Bovendien heb jij intussen andere dingen aan het hoofd.

Door alle ruis heen worden de ouderlijke opvoedscripts gestaag bijgewerkt en worden de posities van ouder en kind duidelijk. Het kind ervaart wat wel en niet haalbaar is met welke ouder, en hoe hij of zij het níet moet aanpakken. Het leert onderhandelen, en dat hoort bij 'groot'. De ouder die weifelde of hij iets wel of niet wilde, laat zich wel of niet over de streep trekken, weet nu waarom, en wat wel of nog niet haalbaar is bij dit kind.

En zo, via ruis, komt de gewenste beschaving thuis tot stand. Meestal.

Soms minder dan je hoopte.

---

[1]   *Ewoud Sanders (2001). Nooit meer slapen. Kleine kroniek van het moderne gezinsleven. Amsterdam, L.J. Veen.*

3

It takes a village to raise a child

Een goede buur is beter dan een verre vriend, ervaart Janneke en Alice bepleit een solidaire samenleving

LANG LEVE DE BUREN

'Mag ik jullie iets vragen?' staat de buurvrouw van twee huizen verderop met een rood hoofd aan de deur. 'Ik heb spontaan een weekendje weg georganiseerd, maar ben even helemaal vergeten oppas te regelen voor de poes en het konijn. Zijn jullie thuis en zou je ze eten willen geven?' Heerlijk herkenbaar, natuurlijk doen we dat graag, geen enkel probleem. Ik zie de buurvrouw zelden, we drinken geen koffie bij elkaar, maar met zulke praktische zaken helpen we elkaar regelmatig uit de brand. Dat is waar ook, ik moet nog regelen wie er morgen de oudste ophaalt van dansen. Want het is leuk om een intensief dansende dochter te hebben, maar je rijdt je suf en het komt logistiek niet altijd handig uit. Gelukkig zijn er nog een paar meiden in de buurt die heen en weer gaan en er is altijd wel een ouder die een plaatsje over heeft in de auto. Op de nieuwe school van de meisjes bood trouwens laatst een ouder spontaan aan om de jongste op vrijdag mee te nemen en bij hen te laten overbruggen, zodat ik niet om twaalf uur én om kwart voor drie op school hoef te staan om een kind op te halen. Fijn, dat maakt de dagindeling een stuk aangenamer. Nog fijner als straks ons huis verkocht is en we hopelijk weer om de hoek van school wonen. Zijn de meiden minder afhankelijk van ons en hebben wij onze handen weer wat meer vrij.

De ellende van verhuizen is wel dat je weer opnieuw

kunt beginnen met het opbouwen van zo'n praktisch dagelijks vangnet. En die handige tieneroppasmeisjes uit de buurt, daar heb je ook niks meer aan als je acht kilometer verderop woont. Het lijkt een afstandje van niks, maar voor zulke klusjes is het een cruciaal breekpunt. Sinds we kinderen hebben, ben ik 'beter een goede buur dan een verre vriend' pas echt gaan begrijpen. Het is de smeerolie van de dagelijkse gezinslogistiek om vlakbij een beroep te kunnen doen op de hand- en spandiensten van anderen. De ene keer gaat het om een ei te weinig, terwijl ik heb beloofd pannenkoeken te bakken, de andere keer heb ik even een achterwacht voor de kinderen nodig, soms kan een auto lenen enorme verlichting bieden of is het een geruststellend idee dat de buren de poezen in de gaten houden als we met vakantie zijn.

Ik offreer mijn nieuwe buren straks standaard burenhulp, maar het is afwachten of ze het aandurven. En wederzijdsheid is eigenlijk wel een voorwaarde om er gebruik van te maken. Misschien is dat nog wel het spannendste van het verhuizen: wie worden de buren? Goeie tip voor Funda: burendiensten beschikbaar ja/nee. Want als er geen kip is die even een oogje in het zeil wil houden, is het niet de wipkip die de buurt kindvriendelijk maakt.

KOM BINNEN...

'Kom binnen, ga zitten, wil je koffie? Thee?' Ik kom mijn
dochter ophalen en als altijd ontvangt de moeder van het
vriendinnetje me allerhartelijkst. Zelf vergeet ik dat vaak te
vragen, of het komt nét niet uit. Pas als zo'n moeder dan weg
is, bedenk ik 'ach ik had moeten vragen of ze een kopje thee
wilde' en dan voel ik me zo'n onvriendelijk mens, al bedoel
ik het niet kwaad... De lange keukentafel nodigt uit tot aan-
schuiven en waarom ook niet, ik heb best even tijd voor een
bakje. Terwijl we daar zo samen genoeglijk de dag doornemen kijk ik mijn ogen uit in de grote woonkeuken, het klop-
pend hart van dit gezin. Het aanrecht is nog wit van de vers
rondgestoven bloem, de appeltaart inmiddels in de oven.
Op het fornuis pruttelt een stoofpotje, naast wat sinaasap-
pelschillen staat een kan versgeperste jus, kopjes en glazen
wachten op een afwasbeurt. Op de tafel een stilleven van
knutselparafernalia, onder een stapel papier schuilt een mobieltje, lucifers, post, er staat een vaas met bloemen die hun
beste tijd gehad hebben, een bord met kruimels, een half ge-
slachte ananas, een speldenkussen en een verdwaalde kerst-
bal, en nóg is er plaats voor een theepot en de koektrommel.
De kinderen rennen in en uit, de poezen verblikken of ver-
blozen niet, moeder trouwens ook niet. Thuis zou ik me sta-
pelgek ergeren aan de zooi, maar hier niet. In deze gemoede-
lijke woonkeuken past het en deert het me niet.

Laatst raakte mijn schema hopeloos in de knoei en haalde ik dochterlief pas om half zeven op. Ik baalde want dat overkomt me niet vaak. Binnen de kortste keren zat ik echter met een glaasje wijn achter een bordje eten bij ze aan tafel en zakte mijn adrenalineniveau verbazend snel terug – tot ver onder het normale niveau. Heerlijk zo'n huishouden waar dat allemaal gewoon maar kan, waar tijd en ruimte in overvloed is. Niet mijn sterkste kant, geef ik onmiddellijk toe. Dus stiekem kijk ik de kunst af als ik aan die grote houten tafel van mijn gestolen momenten geniet.

'Mag ik je iets vragen?' zei de moeder van het vriendinnetje. Te midden van de chaos ontspon zich een mooi gesprek over de complexe vraag hoe je de relatie met de juf van je kind goed houdt, als je ziet dat het kind niet gedijt bij het regime dat juf aanhangt en zonder in de knoei te komen met de loyaliteit jegens je kind. Een bijltje waar ik helaas al vaker mee gehakt heb, dus fijn om ze daarbij te kunnen helpen. Een praktische uitwerking ook van het oude gezegde It takes a village to raise a child. Niet alleen het gemak van hand- en spandiensten, maar ook leren van elkaars kennis en ervaring hoort daar wat mij betreft bij. Samen weet en doe je meer dan alleen.

IK STOND ERBIJ EN IK KEEK ERNAAR

Dwars door de zoele zomerstilte hoor ik in de verte al het vrolijk geschater en gegil van de bosspeeltuin op een zonnige zondag. Zal ik er even neerstrijken voor een kopje koffie of is dat zonder kinderen iets waar ik spijt van ga krijgen? Als ik een vrije stoel gevonden heb, blijk ik pal naast een familiefeestje beland. Ik kan niet meteen onderscheiden wie er jarig is, iedereen lijkt wel een cadeau te krijgen. Misschien vieren ze de gezamenlijke zomerverjaardagen? Slim om dat te combineren en er een uitje van te maken, complimenteer ik mijn buren in gedachten. Het oudste kind, een beginnende puber, neemt een kleuter op sleeptouw en sjouwt met hem naar de pomp. 'Pas op dat ie niet nat wordt', roept oma er achteraan, 'hij heeft zijn nieuwe blouse aan!' Dan zal dat meisje daar verderop met die smetteloos witte jurk wel zijn grote zus zijn. Met twee andere meisjes, ik schat ze acht en tien, huppelt ze naar de konijnen. 'Moet er niet iemand mee?' vraagt een van de vaders terwijl hij onderuit zakt in zijn stoel. Volgens de bloemetjesjurkmoeder redden ze zich wel. De andere moeder staat met een verontschuldigende glimlach op en zegt toch even een oogje in het zeil te houden. Te groot voor de meisjes bij de konijnen, te klein voor het pubermeisje, kruipt een iets te dikke jongen tegen oma aan: 'Ik verveel me.' Met een 'Ga dat dan maar ergens anders doen', krijgt hij van opa de wind van voren. Mopperend maakt hij zich uit de voeten en slaat met een stok tegen al wat los en vast zit.

'Zo, rust', denk ik. Maar de kinderen zijn nog geen vijf tellen weg als oma iedereen weer bij elkaar gaat harken om iets te drinken. 'Nee, nee, nee, geen cola', zegt de ene moeder. 'Maar zij mogen dat wel!' protesteren de kinderen en wijzen naar de kinderen van de bloemetjesjurk. 'Nou dan mogen jullie slagroom op de appeltaart, hoe is dat?' doet oma een poging het leed te verzachten. Opa bromt dat het hem allemaal veel te lang duurt, hij gaat wel gewoon wat halen en dan zoeken ze maar uit wie wat krijgt, waarop de ene moeder snel haar man aanstoot dat hij mee moet gaan in de hoop dat er alsnog een acceptabele consumptie genuttigd kan worden. 'Maar wat willen we dan hebben?' zegt de man terwijl hij pathetisch de handen heft.

Mijn koffie is al lang op, maar ik blijf nog even zitten. Met de armen recht voor zich uit wankelt het kleine jongetje met zijn taart naar een tafeltje. Klassiek struikelt hij op het moment dat ie zijn schoteltje wil neerzetten en ja hoor, alles in het zand. Brullen. Oma snelt er meteen op af en neemt het geschrokken jongetje op schoot. De bloemetjesjurk reddert met servetjes, zijn vader geeft hem een aai en zegt dat het wel goed komt. 'Nou, dat heb je knap onhandig gedaan. Nu heb je dus niks meer', ruimt opa geagiteerd de rommel op. 'Kan hij die rommel niet zelf opruimen?' doet ook de puber een duit in het zakje. 'Ah geeft niks', zegt oma 'huil maar niet. Natuurlijk krijg je gewoon weer een nieuwe.' 'Echt niet!' bast opa en zijn blik spreekt boekdelen. Oma wisselt een blik met vader die verbaasd zijn wenkbrauwen optrekt. 'Wat is dat nou voor belachelijke manier van doen', snept de bloemetjesjurk tegen niemand in het bijzonder, waardoor het net zo goed voor haar zoontje als voor de opa bedoeld kan zijn. In totale verwarring laat opa het gezelschap achter als hij naar de vuilnisbak beent. De andere moeder snelt hem achterna. Ik zie haar op hem inpraten en vang op dat opa consequent wil zijn. 'Niemand doet dat hier, die kinderen moeten weten waar ze aan toe zijn', zegt hij. De moeder is blijkbaar goed in zoete broodjes bakken, want uiteindelijk gaat opa protesterend overstag. Lijmpoging geslaagd, feestje gered. Als ze teruglopen laat kind 2 zijn taartje vallen.

It takes a village to raise a child zeggen ze, maar als je ziet hoezeer we met goede bedoelingen elkaars gezag weten te ondermijnen, denk ik dat je soms beter op een eiland kunt zitten. Het bleef nog lang onrustig in de speeltuin...

KINDEREN GROOTBRENGEN GAAT NIET IN JE EENTJE

Al sta je nog zo stevig in de schoenen en heb je nog zulke mak-kelijke kinderen, wanneer de jongste even een gemene val maakt (jij was net uit de kamer om haar jasje te pakken en sa-men de oudste van school te halen), dan *moet* er iemand zijn die meteen te hulp schiet: ambulance bellen en oudste opha-len, terwijl jij naar de Eerste Hulp gaat. Iemand: buurvrouw, bekend of onbekend – wie ook. En liefst meer dan één!

GELUKKIG WAS DIE BUURVROUW THUIS
Ouderschap maakt de dagen vol en de agenda kwetsbaar. Een deel van de 7×24-uur opvoeddrukte laat zich delegeren, maar veel onderdelen van het programma voer je toch zelf uit. En hoe dan ook blijf jij eindverantwoordelijk voor het ge-heel.

Kan íemand dat waar maken? Nee, zoals bovenstaand voorbeeld laat zien. Het kan slechts ten dele, en dan nog: al-leen met helpende handen binnen bereik. Ook voor minder spectaculaire situaties heb je die trouwens al voortdurend nodig: eieren vergeten, pleisters zoek, heel eventjes oppas-sen, terwijl jij... noem maar iets. Niemand in ons soort maat-schappij is 100% 'self supporting' – en al helemaal niet met zoiets onvoorspelbaars in huis als een kind.

Het veiligst ben je met een van de oer-kringen dicht om je

heen: huiselijke kring, familiekring of vriendenkring – voor als iets je te machtig wordt. Bovenstaand gezin, echter, had een flat in een nieuwe buitenwijk: vader werkte een eind weg; vrienden en familie woonden elders in de stad. Gelukkig was die buurvrouw thuis...

SOLIDARITEIT DICHTBIJ
Met sommige kinderen is de spreekwoordelijke 'buurvrouw' een *must*.

Kinderen krijgen bijvoorbeeld eerder de diagnose ADHD en belanden eerder in de kinderpsychiatrie al naargelang ouders zich méér overbelast voelen.[1] De ernst van het ADHD-gedrag doet er in zekere zin niet toe. Ook niet of ouders dat gedrag snappen en hoe geduldig of evenwichtig ze zijn. De hoeveelheid praktische steun die zij krijgen – díe geeft de doorslag. Met voldoende steun kan bijna elke ouder bijna elke vorm van ADHD zelf aan.

Daarvoor is ook geen groot netwerk nodig. Eén buurvrouw, of een vitale grootouder: het is genoeg zolang die vlakbij woont en praktische hulp geeft. Daar gaat het om: feitelijke solidariteit op loopafstand!

En die blijkt vaker beschikbaar onder minder bedeelden dan in de zogenaamd 'betere' buurten. Daar woont men verder uit elkaar en alleen al daardoor is letterlijk 'inspringen' lastiger. Een goede relatie met buren is daar dus nog belangrijker.

PRAATPALEN, MEEDENKERS, LUISTERAARS – EN RODDELAARS

Buren, familie of vriendin: ze zijn natuurlijk onmisbaar in álle lagen van de maatschappij en niet alleen in praktische zin – als inspringers of oppassers – maar ook voor het niet-praktische. Voor een praatje over niks, voor even ontsnappen aan het praktische en afstand nemen van alle gedoe. Of wél voor een praatje over iets met de kinderen, maar dan zoals collega's over het werk praten: lekker zeuren over iets van die ochtend; stoom afblazen over iets wat helemaal fout ging en wat je nog steeds niet snapt: 'Heb jij dat nou ook?!' En dan nuchtere raad van iemand met ervaring. Of stommiteiten uitwisselen: wat lucht dat op! Die pauzes heeft elke ouder nodig: op straat of waar ook – elke dag een paar.

Maar er is een keerzijde. Niet elke ouder kán met buren overweg, niet elke ouder hééft prettige buren, niet elke buur, vriend of familielid, heeft geduld met verhalen over een ziek kind of probleemkind: 'Dat gejeremieer weer!' En op het schoolplein vinden vooral die ouders elkaar wier sores *niet* ernstig zijn; de ouder met *echte* problemen, daarentegen, wordt gemeden. 'Zij daar' bederft de sfeer van geinige oudergrappen. 'Zij' moet het dus doen zonder contact met lotgenoten – hoewel dat, letterlijk, niet kán.

CONTACT MET EEN DESKUNDIGE? – VRAAG DE BUURVROUW MEE!

De gemeenschap wil solidair zijn met ouders en biedt diensten aan via leerkrachten en artsen, consultatiebureau, kinderbeschermers en gedragsdeskundigen. Deze professionals staan niet om je heen, zoals een kring, maar vormen zogenaamde 'circuits'. Je meldt je aan, wordt cliënt of patiënt en voegt je naar de regels van het circuit. Elke ouder kent ze: de regels van consultatiebureau, school en ziekenhuis.

De professionals in die circuits zijn kinderdeskundigen en hun hoofd zit soms zo vol met wat ze over kinderen weten dat ze niet luisteren naar wat de ouders weten/vrezen/vermoeden/voelen/vragen. Op zo'n moment is er iemand nodig, zoals de buurvrouw, die dan zegt: 'Mijn buurvrouw kan u daar een ander boekje over open doen!' Of vraagt: 'Wat bedoelt u? Wat betekent dat woord?' Ze helpt je onthouden wat er is gezegd en samen kun je erover napraten.

Niet overal heeft men geduld met ouders. Met hulp van de kringen om je heen, kun je als ouder je daartegen wapenen. Ook daar dienen kringen immers voor – én om ook de collega-ouder tegemoet te komen die geen enkele kring heeft.

---

[1] Bussing, R.; Zima, B.T.; Gary, F.A.; Mason, D.M.; Leon, C.E.; Sinha, K. & C.W. Garvan (2003). *Social networks, caregiver strain, and utilization of mental health services among elementary school students at high risk for* ADHD. J. Am. Acad. Child Adolescent Psychiatry 42,7 (juli 2003): 842-850.

4

Vroeger of later

Waarin Janneke ontdekt hoe regelmaat
herinneringen kweekt en het volgens Alice nog maar
de vraag is hoe kinderen daar later op terugkijken

SAMEN AAN TAFEL

Woensdagmiddag, vriendje Jelmer komt mee uit school en we gaan eerst een boterham eten. 'Thuis mag ik nooit zelf mijn brood smeren. Mijn moeder vraagt gewoon wat ik er op wil hebben. Jullie eten altijd aan tafel hè?' zegt hij en door de manier waarop hij het zegt meen ik naast verbazing ook enige jaloezie te bespeuren. 'Waarom eigenlijk?' Goede vraag, daar heb ik al een tijdje niet meer over nagedacht. 'We eten aan tafel omdat ik het fijn vind om samen te eten en dan te horen hoe de dag is geweest. Of om alvast te bedenken wat we die dag gaan doen.' 'Ontbijten jullie dan ook aan tafel?!' zegt hij stomverbaasd. Dat schijnt een zeldzaamheid te zijn tegenwoordig, maar inderdaad, dat doen wij, al is het maar om mezelf wat opstarttijd te gunnen 's ochtends. Het is vaak heel genoeglijk, terwijl ik broodtrommeltjes klaarmaak en fruit in bakjes doe, eten de meiden en kletsen de oren van mijn hoofd. Er blijft op dat tijdstip weinig van hangen moet ik bekennen.

Samen eten geeft structuur en het schept een band. Idealiter. Want denk niet dat ik het leuk vind als iedereen zich in het hoogste tempo ongegeneerd zit vol te proppen en dan als een haas de tafel weer wil verlaten. En als de sfeer aan tafel te snijden is, wat ook hier heus regelmatig voorkomt, gooi ik liefst het bijltje erbij neer. Toch zijn de maaltijden misschien wel bij uitstek de momenten waaraan je kunt aflezen hoe de vlag van het gezinsleven erbij hangt. Is er tijd en aandacht voor elkaar, is het eten met zorg bereid (waarmee ik geen copieuze vijfgangendiners bedoel), komt iedereen aan bod, staat men open voor invloeden van buitenaf (wie eet er mee), is er ruimte voor variatie?

Vroeger bij ons thuis moesten we 's morgens, 's middags en 's avonds samen aan tafel, zeven dagen in de week, het jaar rond – ook als pubers na een avond stappen. Omdat de nadruk op 'moeten' lag, waren dat lang niet altijd gezellige seances. Bij mijn man thuis daarentegen, werd niet per se aan tafel gegeten en at iedereen als het hem of haar uitkwam. Volgens hem maakte zijn moeder gewoon een bordje voor wie wilde eten. Bij hem thuis was er weinig 'samen'.

Tussen alles samen en niks samen proberen we een midden te vinden. Samen aan tafel bevalt ons inmiddels allebei. En Jelmer mag altijd komen mee-eten.

HOU-VAST

Vaderlief ik ben zo blij
op dit grote feestgetij.
Daarom geef ik U
een kusje nu.
En fluister in uw oor:
héél oud worden hoor!

Is het echt veertig jaar geleden dat ik dit versje stond op te zeggen aan de rand van het ouderlijk bed? Ik ken het nog steeds, het zingt tegenwoordig vaak rond in mijn hoofd. Sinds ik zelf kinderen heb, is het bouwen aan gezamenlijke herinneringen een actueel thema. Helemaal nog niet eenvoudig hoe je dat doet. Want ik ben niet gelovig, leef een weinig traditioneel leven zonder vrije weekenden en aan verplichte familiebezoekjes heb ik een broertje dood. Dus samen bidden voor het eten (en dan stiekem gekke bekken trekken naar je zus), nieuwe kleren met Pasen (altijd bibberen in te dunne katoenen jurkjes met open sandalen) en de zondagmiddagbezoekjes aan opa en oma ('Ik mag het Groenland-lepeltje!') zullen voor mijn kinderen geen vanzelfsprekende jeugdherinneringen worden.

Ik heb me lange tijd afgezet tegen die terugkerende rituelen. Dan ging ik met kerst het plafond witten en met mijn verjaardag maakte ik me uit de voeten en hield me onbereikbaar. Weg met de tradities, ik ging het helemaal anders doen! Maar toen kreeg ik een kind. Haar eerste Sinterklaas en Kerst gingen nog gewoon voorbij en ook mijn verjaardag schoot er traditioneel bij in. Toen ze echter bijna één werd overviel mij plots de behoefte aan slingers, een verjaardagstaart, cadeautjes en een feestje bovendien. En zo slopen ze erin, de grote en kleine gezinsrituelen. Ik geniet als ik zie hoe mijn kinderen zich kunnen verheugen op wat komen gaat; cadeautjes op bed als je jarig bent, op zaterdagochtend net zolang badderen als je zin hebt, Sinterklaas binnenhalen op de Maas bij oma, voor het slapengaan de dag doornemen, aan het eind van de zomervakantie een nachtje in een hotel in Parijs, 'slaap lekker liefste ene dochter van de hele wereld, slaap lekker liefste andere dochter van de hele wereld, tot morgen', taartjes eten op de verjaardag van onze dode opa.

Wat ze zich gaan herinneren, ik heb geen idee. Of ze het ook zo gaan doen later in hun gezin, niet van belang. Ik denk ook niet dat deze rituelen voor eeuwig en altijd blijven bestaan, ze zullen meegroeien met het leven. Ze geven houvast, ze zijn van ons, het is het cement van dit gezin.

Het zijn de piketpaaltjes van het leven. Lang leve de rituelen!

FOTO'S VOOR LATER

'Kijk, dit is mijn oude school, of eigenlijk was dit juist het nieuwe gebouw. In de derde klas kwamen de jongens erbij op onze meisjesschool.' Mijn dochters kijken me ongelovig aan, 'zat jij op een school met alléén maar meisjes?' Op de volgende bladzijde springen we in de tijd en vier ik mijn tiende verjaardag op een camping in Drenthe. 'Oh ja, die verschrikkelijke vakantie, de enige keer dat we eerder terug naar huis gegaan zijn. En dat alleen omdat er geen water in de buurt was.' Elke foto roept herinneringen op aan sferen, anekdotes, verhalen die mij verteld zijn, en samen met mijn kinderen blader ik in grote stappen door mijn kinderjaren heen. Wat is dat een mooie laagdrempelige manier om het verleden te ontsluiten. Ik neem me voor spoedig weer eens het familiealbum bij te werken.

Groep 3 heeft een toneelstuk ingestudeerd. De afgelopen weken is er noeste arbeid verricht, want iedereen mocht alle rollen spelen en pas vorige week is de definitieve verdeling vastgesteld. Een hele klus lijkt me dat voor de juf, om een stuk te vinden voor 28 kinderen en iedereen tevreden te stellen met zijn rol. Maar het is gelukt. Thuis vertelt de oudste enthousiast over het doorpassen van de kleding met de toneelmoeders. Ze mag de bliksem zijn en ze is apetrots op haar mooie kostuum. 'Jullie komen toch ook kijken hè?' Natuurlijk komen wij opdraven, dat hoort erbij. Op die doordeweekse dinsdagmiddag om half zes 's middags schuiven we *en masse* de aula binnen. Verheugd zie ik dat bijna alle vaders ook aanwezig zijn, wat een warme betrokkenheid. Vervolgens verbaas ik me over de vele opa's en oma's die meegekomen zijn, ik bedoel, het is maar de afronding van een taalproject. Het is heus de afscheidsmusical nog niet. Maar het wordt nog gekker. Want we zitten amper, het zaallicht gaat uit, de spotlights aan, en dan op een of ander geheim teken staat de halve zaal op en trekt zijn camera tevoorschijn. Flitslicht verblindt de kinderen op het toneel, snorrende videocamera's overstemmen de zachte stemmetjes van de onwennige acteurs. Gemor in het publiek als de ene vader de andere oma een por met zijn elleboog geeft om vanuit een betere positie zijn jongste telg in het vizier te krijgen. Straks thuis gezellig met zijn allen rond de monitor om de voorstelling terug te kijken. Terug te kijken? Voor het eerst te bekijken bedoel je, maar dan op een klein scherm, vanaf grote afstand en met een beetje pech net niet scherp. En hoe hou je vol dat je kind de sterren van de hemel heeft gespeeld als het zichzelf ziet stuntelen op de genadeloze beeldbuis?

Ik zet mijn oogkleppen op en concentreer me op de jonge spelers. Ik geniet van de saamhorige klas die eendrachtig een heus toneelstuk over het voetlicht brengt. Het ziet er prachtig uit, wat ben ik trots op ze en wat leeft de bliksem zich goed in... Ik leef mee bij elke hapering, voel hoe de ondraaglijke spanning op het podium afneemt bij iedere gelukte scène, zie hoe de kinderen elkaar helpen met de choreografie. Als het is afgelopen krijgen ze van mij een oprecht applaus. Thuisgekomen belt oma om te vragen hoe was. Of ik even een foto mail. Heb ik die niet? Was ik mijn toestel vergeten dan? Niet meegenomen?! Hoezo maak je een plaatje in je hoofd? De toon van oma is verontwaardigd en vol onbegrip. Even vraag ik me af of ik echt zo'n ontaarde moeder ben, niet van deze aarde misschien?

Ik schiet zeven jaar terug in de tijd. De eerste dag dat er een kindje bij ons was waren we zo vervuld van al dat nieuwe, we dronken gulzig alle indrukken in. Het was die zomer van '99 dat de hittegolven zich aaneenregen culminerend in een lange *indian summer* die duurde tot eind oktober. Dampend lagen we gedrieën op het grote bed. Te kijken naar dat nieuwe mensje dat met grote ogen onderzocht bij wie ze terecht gekomen was. *FLITS* Weg magisch moment, bedankt oma. Maar ze begreep het niet, dat was toch leuk, voor later?

Jawel, ik hou van foto's voor later, maar meer nog hou ik van de momenten van nu. Momenten die verhalen voor later kunnen worden, al dan niet gemystificeerd, met plaatjes die zijn vastgelegd in de ziel.

GELUKKIGE JEUGD

'Weet je nog, daar speelden we altijd mee op Ameland. Wat was het daar leuk hè?' 'Oh jaa', slaakt de jongste een verzaligde zucht, 'en toen zat ik in zo'n bakje achter de fiets, met mijn poppen en jij had een aanhangfiets. Dat was echt heel erg leuk.' Ze spelen in bad met twee onooglijke plastic poppetjes die, in tegenstelling tot menig verantwoord aangeschaft speelgoed, verbazingwekkend lang populair blijven. Ameland, dat was toch... hè, dat is alweer vijf jaar geleden! Maar toen waren de meiden twee en vier, daar kunnen ze toch helemaal geen herinneringen aan hebben?

Het was eigenlijk helemaal niet zo'n leuke vakantie. Het was geen strandweer, de oudste was het steeds snel zat op de aanhangfiets, ze was überhaupt over van alles en nog wat dwars en onhandelbaar, en de jongste sliep nog twee keer per dag en deed dat bovendien alleen in haar eigen bed, dus de uitstapjes werden flink beperkt. Maar het klopt dat die twee poppetjes een grote hit waren. Ze gebruikten ze als poppenkastpoppen achter een muurtje van de nabij gelegen speeltuin, en ze speelden er talloze variaties op Hans en Grietje mee. Die Hans-en-Grietjepoppetjes hebben de afgelopen jaren hun herinnering aan die vakantie blijkbaar levend gehouden, daar hoefde ik niks voor te doen.

Wonderlijk hoe dat werkt. Toen we de eerste keer naar Parijs waren geweest, vroeg een vriend aan de jongste (toen vijf jaar) wat ze het mooiste had gevonden. We waren op de Eiffeltoren geweest, in een heel hoog reuzenrad, ze had genoten van de beelden in het Louvre en wat was haar antwoord op die vraag: het ontbijtbuffet in het hotel! Je maakt foto's, vertelt elkaar verhalen en haalt herinneringen op, maar wat ervan beklijft is uiteindelijk ongewis.

Nou ja, ongewis. Dat was natuurlijk de eerste verse reactie toen we net terug waren. Ik geloof toch dat het zinvol is om samen te praten over de leuke dingen die je hebt gedaan. De kracht van de herhaling doet op de lange termijn zijn werk. Niet alleen de speciale gelegenheden, maar juist ook de alledaagse zaken die goed gelukt zijn. Of het nou broodjes bakken is op zaterdagochtend of zingend door de regen naar school, een voorstelling met een ontroerend einde of een tante met een onuitputtelijke snoeptrommel. Koester die momenten samen. Als de heimweefabriek dan op volle toeren werkt, als de kinderen later oud zijn, komen wellicht de gelukkige herinneringen vanzelf bovendrijven. Hebben ze misschien zelfs, met terugwerkende kracht, een gelukkige jeugd gehad.

HEBBEN ONZE KINDEREN LATER 'EEN FIJNE JEUGD' GEHAD?

Vader is op een andere manier grootgebracht dan moeder, en tezamen vinden ze geleidelijk uit wat voor jeugd ze hun kinderen willen bezorgen. Ouders investeren elke dag in '*later*', want als de kinders het nu fijn hebben, is het algemeen aanvaarde idee, profiteren ze daar hun hele verdere leven van.

Wat ze zich precies van vroeger herinneren en óf ze er iets van overnemen is echter niet te voorspellen. Waarschijnlijk blijven er slierten herinnering hangen aan situaties die zich vaak voordeden. Die hebben ze verinnerlijkt, en die bepalen mee wat zij later met *hun* kinderen doen – of wat ze juist níet doen.

SAMEN ETEN BIJVOORBEELD

Is er íets wat ouders en kinderen vaker doen dan samen eten?

Niet voor niets doen ouders dat wereldwijd al eeuwenlang: het is efficiënter – minder tijd en rommel – dan wanneer iedereen apart eet, het kost minder geld, en het kán bovendien gezellig zijn.

Eten is natuurlijk de hoofdzaak: er wordt immers op*gevoed*. Zolang de kinderen goed eten, weegt dat dus ruimschoots op tegen alle gedoe vóór, tijdens en na de maaltijd. Want als ouders het eten al niet zelf hebben verbouwd of gekweekt, dan hebben ze in ieder geval hard gewerkt om het te kunnen kopen, en heeft een van hen staan schillen, snijden, roeren, kloppen, hakken, bakken en wokken.

Beseffen de kleintjes dat nog niet, oké, maar het kwetst wanneer de groten een rotopmerking maken over wat jij hebt klaargemaakt. Laat je dat merken – bijvoorbeeld als ze iets 'smerig' noemen? Zei mijn vader daarom na elke maaltijd: 'Wat was het weer lekker, Bets'? Oftewel: géén kritiek op wat je moeder voor ons heeft gekookt!

Ook het gedoe aan tafel is waarschijnlijk van alle tijden, en toch heet samen eten 'zo gezellig' en hechten ouders eraan. Omdat je dan een goed gezin bent en de kinderen daar later aan terugdenken? Nee, er gebeurt veel méér tijdens 'samen aan tafel'.

DE GEZAMENLIJKE MAALTIJD ALS LESPAKKET

Aan tafel leren kinderen onnadrukkelijk, bijna achteloos, van alles wat hun later van pas komt. Het is een compleet lespakket, al wordt het nooit zo benoemd. Niet alleen de techniek van met stokjes eten (of mes en vork) en de lokale tafelmanieren krijgt het kind geleidelijk onder de knie. Al worstelend met eetgerei, oefent het ook dat zo veeleisende stil zitten. En je mond houden. Letterlijk jaren duurt het voordat het zover is, en natuurlijk is voortdurend bekrachtiging nodig van de gezaghebbers rond de tafel. En zo lukt het (bijna) elke ouder om (bijna) elk kind zover te krijgen dat het (bijna) altijd mee-eet zonder knoeiboel of herrie.

Intussen hoort een kleintje, op schoot bij een van de groteren, *en passant* taal. Het brabbelt klanken en woorden na, en kijkt de ogen uit naar ieders reacties. Het leert deugden als eerlijk delen – juist aan tafel – zelfs het toetje dat ieder liefst voor zich wil. (Maar David krijgt vandaag een schep extra omdat hij op zijn knie is gevallen.) Later leert het kind de regels van luisteren, iets vertellen en in gesprek zijn. En hoe meningsverschillen binnen bepaalde grenzen te houden. Dat iemand woedend wegloopt is gezichtsverlies voor iedereen, dus zegt vader even: 'Wie wil er nog wat appelmoes?' en smoort zo een potentiële ruzie. Je mag je vervelen en geeuwen, maar 'Breng jij dit even naar de keuken?' zegt moeder alert – en voorkomt dat lamlendigheid overgaat in actief klieren.

Wat zijn ze kwetsbaar, die vader en moeder: niet alleen is het aan hen om ze te *voeden*, maar ook nog om ze *op* te voeden! Vervelende maaltijden voelen dus al gauw als *jouw* schuld: jij had lekkerder moeten koken, beter opletten, de orde handhaven en wat al niet – alsof zoiets ingewikkelds als het leerproces van 'samen eten' altijd leuk zou kúnnen zijn.

En er is nog iets.

Niet alleen 'verinnerlijkt' het kind netjes eten en samenleefmores in bredere zin: dat ieder de juiste portie eten krijgt en aandacht om óók een (stuntelig of stotterend) verhaal te vertellen – elk kind doet daar iets anders mee. Vraag volwassenen uit hetzelfde gezin hoe zij zich vroeger aan tafel handhaafden, en voor de één was het gewoon om de leiding te nemen, de ander hield zich gedeisd, weer een ander werd 'observator' omdat hij zelden de kans kreeg zich in het gesprek te mengen. Ieders manier van doen tussen andere mensen weerspiegelt een heel eigen 'verinnerlijking' van die paar duizend maaltijden.

HERINNERINGEN DOORGEVEN

Wie goede herinneringen heeft aan de gezamenlijke maaltijden vroeger thuis, wil zijn kinderen datzelfde laten ervaren. Niet voor niets spelen heel wat films en toneelstukken aan tafel; het maaltijdscript verbindt naties en generaties. Je ziet oma glunderen wanneer zij de kleinkinderen iets voorschotelt wat papa of mama vroeger het allerliefst at – en als ook zij er wéér van zitten te smikkelen.

Werd er vroeger thuis echter níet samen gegeten, maar zag je het bij anderen, dan werd 'samen eten' misschien een ideaal en probeer je het nu uit met jullie kinderen... Waren de maaltijden vroeger beklemmend, dan vermijd je het hele ritueel – maar opeens komt er eentje thuis met dat ze bij Gijsje altijd samen eten en 'waarom doen wij dat nooit, mam?!' – Je twijfelt. Tóch maar proberen?

Of zijn 'een fijne jeugd' en leren converseren en gezinssamenhang ook haalbaar zonder de gezinsmaaltijd? Want 'vroeger' heeft zoveel vormen. Sommige heel fijne momenten uit mijn jeugd waren juist van alleen zijn: op de zolder met houten balken en fantaserend dat ik op een schip was. En dan de onnozele kaartspelletjes alleen met moeder en de lange wandelingen op zaterdagmiddag: vader en ik. De fietstochten met mijn jongste broer naar plekken waar ik nog nooit geweest was. En alle gedoe in de keuken elke dag. Ook dat soort 'vroeger' laat zich doorgeven: vertel erover. Alle kinderen smullen – ja, bijna letterlijk – van het vroeger van hun ouders en van wat zij toen fijn vonden. Ze herinneren het zich later vast en zeker.

5

Druk-druk-druk

Janneke poogt de almaar groeiende drukte die een gezin met zich meebrengt in te dammen en Alice gooit er juist een schepje bovenop

CHAOS

'Het is toch dinsdag, dan moeten we toch om drie uur op de fiets?' roept mijn oudste naar boven waar ik de was sta te vouwen. 'Oh jee, is de muziekles al om tien vóór half vier! Ik dacht om tien óver.' We rennen en vliegen en halen het nog net. Elk nieuw schooljaar is het blijkbaar nodig dat alle clubjes hun tijden wijzigen. Het duurt een tijdje voor dat in mijn systeem zit. Gelukkig verandert er nog iets. Mijn dochter heeft nu zelf in de gaten welke dag het is en wat haar te doen staat. En ze herinnert me daaraan (al is het aan de late kant). Voor mij een kans om te proberen of ik de agendabewaking bij haar een beetje los kan laten. Dat is wel even wennen.

Toen mijn man en ik een paar jaar geleden in een paar maanden tijd een ander huis kochten om de stad te verlaten, allebei van baan veranderden en een tweede kind kregen, waren we een tijdlang flink instabiel met zijn allen. 'Voortaan doen we nog maar één grote verandering per jaar' namen we ons voor. Dat lukt niet helemaal. Vaak zijn het de kinderen die veranderingen in gang zetten, groot én klein. Alleen al door op te groeien doen ze een continu beroep op onze flexibiliteit en ons aanpassingsvermogen. Van een gezin in balans is eigenlijk zelden sprake. Op het moment dat je denkt 'nu heb ik het door' is de verandering nabij. Zoals je kleine kinderen eerst nog hup-hup snel aankleedt, die het op een dag 'zelluf' willen doen, en als ze het eenmaal onder de knie hebben weten ze weer niet wat ze aan zullen doen, en is het de vraag of ze uiteindelijk verantwoord omgaan met hun kleedgeld.

Als je al een tijdje bezig bent met afstemmen, aanpassen, uitvinden, bestendigen, loslaten en weer opnieuw beginnen, besluipt je wel eens het gevoel de touwtjes in handen te hebben. Maar dan kondigt school een extra studiedag aan, neemt je partner een tijdrovend project aan, zijn alle schoenen plots te klein, ligt je vader opeens in het ziekenhuis, kondigt je oudste aan uit huis te gaan omdat die ene kamer een buitenkansje is en/of voel je een griepje opkomen...

'In het licht van de chaostheorie is het gezin een permanent instabiel dynamisch systeem', las ik laatst (maar ik weet niet meer waar). Als je er zo naar kijkt is dat best een stabiele situatie.

ALLES TEGELIJK?

'Mama, jij had toch een eigen school waar je kinderen leerde naaien?

'Jazeker en ik had ook meisjes die ik opleidde tot naailerares. Dat was erg leuk om te doen.' 'Maar mam, waarom ben je daar dan mee gestopt?' Ik weet nog precies waar ik stond toen ik het mijn moeder vroeg. Ik was een jaar of veertien en begreep er niks van: 'Hoe kon je zoiets nou opgeven? Een zelf opgebouwde school, een eigen bedrijf!' 'Tja, daar dacht ik eigenlijk niet over na. Dat deed je gewoon als je trouwde.' Ik vond het onbegrijpelijk en ontzettend ongeëmancipeerd. Echt belachelijk. Later vertelde mijn schoonmoeder dat ze als schooljuffrouw werd ontslagen toen ze trouwde. Normale gang van zaken in de jaren zestig. Totaal achterhaald beleid. Toch?

Tien jaar later ga ik na mijn studie werken en ben reuze druk in de televisiewereld. Daar is het gebruikelijk om alles wat je een week van tevoren hebt geregeld voor een uitzending, de dag voor de opnames overhoop te gooien opdat je dan met zijn allen in een gezamenlijke megaflow kunt stressen om alsnog drie nieuwe gasten, een olifantenkoppel en een roze helikopter te produceren voor een item van drie minuten. Daarnaast hang ik dagelijks in de kroeg om met vrienden bij te kletsen, zie elke nieuwe film, volg cursussen her en der, ga op reis (iets heel anders dan een vakantie), knap mijn eerste zelf gekochte huisje op en onderzoek uitgebreid welke liefde bij mijn leven hoort. Helemaal naar de tijdgeest krijg ik mijn eerste kind op mijn drieëndertigste. Ik ga dan één dag minder werken en de rest blijft zo ongeveer staan. En weet je wat nou zo gek is? Dat werkt helemaal niet.

De AVRO maakte een tv-avond[1] over dertigersdilemma's en in het persbericht staat dat het de dertigers van nu zo zwaar valt om kinderen te hebben. Nienke Wijnants promoveerde aan de UVA met een onderzoek waaruit blijkt dat ruim veertig procent van de dertigers vindt dat kinderen hun carrière in de weg staan, de helft ervaart kinderen als belemmering voor zijn/haar relatie en zo'n dertig procent heeft zorgen of het financieel wel haalbaar is om kinderen te krijgen. De klaagzang gaat nog even door (het is ook maar net welke vragen je in zo'n onderzoek stelt natuurlijk):

50% ziet zijn vrienden te weinig en komt niet toe aan ontspanning en uitgaan

60% komt niet toe aan regelmatig schoonmaken

40% heeft te weinig seks

Dat allemaal samen zorgt ervoor dat een kwart zijn lier een tijdje aan de wilgen hangt en tijdelijk stopt met werken. Nog eens 25% denkt over een andere baan omdat men het gevoel heeft gemangeld te worden tussen werk en privé.

En-en-en maakt dat je alles maar half kunt doen. En dat is weinig bevredigend. Daar had mijn moeder dan weer helemaal geen last van toen zij dertig was. Ze had dan weliswaar schrikbarend weinig te kiezen, maar ik kan daar wel iets van leren. Misschien is het helemaal niet zo'n achterlijk idee om het leven serieel in te richten, in plaats van de parallelle manier waarop we nu geacht worden het leven te leven. Moet ik alleen nog even leren prioriteiten stellen.

------

[1] Zoo030!
     http://avro.nl/zoo030

LUISTER JE?

'Ma-ham, luister je wel?' klinkt het doordringend naast me. 'Jazeker, ik hoor je luid en duidelijk', zeg ik monter terwijl ik ons met de auto door het drukke spitsverkeer loods. 'Nou dus toen zei Marieke...' Naast me babbelt dochter van acht over de gebruikelijke schoolpleinperikelen. Met een half oor hoor ik het aan, ondertussen kijk ik in gedachten de keukenkast door en broed op het gesprek dat ik vanochtend op mijn werk voerde. Multitasken is een tweede natuur geworden. Oeps, bijna een fietser over het hoofd gezien, even de aandacht erbij houden. 'Dat is toch niet normaal?!' klinkt er verontwaardigd naast me. Vragend kijkt ze me aan, of ik daar mijn gefundeerde mening maar even over wil geven. 'Tja, dat hangt ervan af' probeer ik laf. Maar ik val genadeloos door de mand: 'Je hebt helemaal niet zitten luisteren! Nou ik zal je nog 's wat vertellen!' Boos keert ze zich van me af. Ze heeft natuurlijk wel een beetje gelijk.

Bij de thee probeer ik het goed te maken. 'Wat was er nou precies gebeurd met Marieke?' Ze heeft weinig aansporing nodig om het verhaal opnieuw te vertellen, het zit haar blijkbaar hoog. Ik dwaal al snel af. Het is alsof ik mijn eigen worsteling als kind terug hoor. Lastig hoor als je behept bent met een groot rechtvaardigheidsgevoel, ik zou niet weten hoe ik goede raad kan geven. Zelf is ze trouwens ook een pittige tante dus laten we haar eigen aandeel in het geruzie niet onderschatten, denk ik nog als 'Dat is toch niet normaal?!' het einde van haar verhaal aankondigt. 'Tja, of het normaal is of niet, dat is moeilijk te zeggen, ik was er natuurlijk niet bij.' Boos loopt ze weg. 'Daar gaat het toch helemaal niet over!' roept ze, terwijl ze de trap op stampt.

Als ik haar 's avonds instop ga ik nog even bij haar liggen. Zwijgend hou ik haar in mijn armen als ze zachtjes begint te huilen. Zwijgend hoor ik haar aan als ze vertelt hoe ze haar oude vriendinnen mist op haar nieuwe school. En ik snap dat ze daar boos en opstandig van wordt, al kan ik er verder niks aan doen. Behalve luisteren: écht luisteren, en haar laten voelen dat ik blij ben dat ze zo dapper was om mij tot drie keer toe die kans te geven.

UITHOUDEN

'L - i - e - f - e - o - m - a', haar vinger zweeft boven het toetsenbord en zoekt alle letters af naar de volgende. 'Mam, wil jij het niet even voor me doen, het duurt zo lang.' Maar ik laat haar lekker zelf ploeteren op haar eerste mailtje aan oma. Als het met veel zuchten en steunen eindelijk klaar is, vraagt ze intens tevreden: 'Hoe laat krijg ik dan antwoord?' Ik schiet in de lach, denk terug aan de enorme hoeveelheid brieven die ik als jong meisje in de brievenbus heb gegooid. Hoe heerlijk het was om elke dag de post te halen in de hoop dat er ook voor mij iets bij zou zitten. Die broze contactlijntjes die waren uitgezet, het verlangen naar antwoord, dat warme gevoel van verheugen dat als een zijdezacht laagje over de dag lag. Niet uit te leggen aan een kind dat denkt dat telefooncellen er zijn voor als je je mobiel vergeten bent.

Uit de groentetas haal ik de groene kool en selderij. Met de winter breekt het wortel- en koolseizoen aan, mikpunt van spot voor de EKO-haters. Je kunt het ook zien als een oefening om de soms saaie realiteit van het dagelijkse bestaan te verslaan met je eigen creativiteit. Terwijl ik de groente was, snijd en zachtjes gaar laat koken, realiseer ik me dat hele gangpaden in de supermarkt niet aan ons huishouden besteed zijn. Wonderlijke ontwikkeling. Als DINKY's (double income no kids) waren stoommaaltijden en pizza's ons standaardvoer en nu er kinderen zijn keren we terug naar de basis van het voedsel. Een moestuin vind ik teveel gedoe, maar worteltjes schrappen vind ik een rustgevend klusje. Ook al is het leven drukker dan ooit, van de kinderen leer ik steeds beter langzamer te leven.

Dat vraagt wel oefening. Een baby van drie maanden die 'nog' niet doorslaapt, een klas die niet meteen lekker loopt als er een nieuwe juf voor staat, een peuterverkoudheid die langer dan een week duurt, een carrière die stokt omdat je deeltijd gaat werken, een puber die dagelijks chagrijnig opstaat, boterhamtrommeltjes die elke dag weer gevuld moeten worden met iets gezonds, de laatste drie films gemist in de bioscoop, luiers die meteen vol gepoept worden als ze net verschoond zijn, een bevalling die niet opschiet, zitten wachten met het eten omdat ze na de voetbaltraining blijven nakletsen – kinderen grootbrengen vergt uithoudingsvermogen. En uithouden gaat ook over verduren, dragen, dulden, doorstaan en uitzingen. Doorademen en aanvaarden dat een proces tijd kost hoort daar ook bij. Zoals prachtig geïllustreerd in de film *March of the Penguins*. Uithouding oefenen is enigszins in onbruik geraakt, omdat het niet nodig lijkt in een snelle omgeving als de onze.

Zonder terug te willen naar de postkoets of het zelfvoorzienende leven kan ik het je van harte aanbevelen de rek van je elastiek te trainen. Vandaag beginnen? Misschien eerst oefenen op een bos worteltjes?

BREIEN OP DE WERKVLOER

'Waarom gaan ze niet even iets voor zichzelf doen?' Als ik een tijdje veel gewerkt heb, voelt het gek genoeg zwaarder om tijd met de kinderen door te brengen. Alsof het mechaniek wat roestig geworden is. Ik vind het wel leuk om ze dan weer te zien, maar het lukt me niet 'als vanzelf' het opvoeden erbij te nemen. Ik kom er niet in, dus kost het meer energie en die is moeilijker op te brengen als elders al intensief beroep is gedaan op mijn soepele geest. Zou ouderschap ook in je spiergeheugen kunnen gaan zitten? Dat je dusdanig veel routine opbouwt dat er ruimte ontstaat om het plezier te ervaren van kinderen grootbrengen? Ikzelf merk dat het een precaire evenwichtstoer is om mijn moederconditie op peil te houden.

Misschien lijkt kinderen grootbrengen wel een beetje op breien. Je verleert het niet, maar de souplesse verdwijnt snel. Als ik lange tijd geen breipen onder de arm heb gehad moet ik diep nadenken over hoe je dat ook alweer doet; steken opzetten en een richeltje breien. Laat me dan vooral met rust want elke afleiding laat me steken vallen en daar word ik, zacht uitgedrukt, niet blij van. Heb ik de slag weer te pakken dan tik ik rustig een pennetje weg onder een genoeglijk praatje. Potje thee erbij en het wordt zelfs gezellig.

'Kom maar, ik breng ze wel even naar bed.' Het andere uiterste ken ik ook. Zodra ik een periode intensief in mijn eentje voor het gezin zorg, raak ik verkokerd. Dan heb ik het idee dat mijn manier de beste is en dat de kinderen aan de wolven overgeleverd zijn zodra ik mijn hielen licht. Zoiets als het breiwerk dat af moet de dag voor de deadline. Als ik dan monomaan aan het werk sla, bestaat de rest van de wereld niet meer en lijkt alleen nog van levensbelang dat ik een waar meesterwerk aflever. Hulp is ondenkbaar, want dan wordt het natuurlijk een broddellap met al die verschillende breistijlen. Heel vermoeiend, dus dan is loslaten weer de opgave.

Het gaat over evenwicht, maar ook over de verbinding die je voelt, de vaardigheden en kennis die je al doende onderhoudt, en daarnaast de bevrediging van de mate waarin je invloed hebt. Dat lijkt eigenlijk verdacht veel op de afwegingen die mensen maken bij het bepalen van het ideale aantal uren voor hun baan. Waar voor de één twee dagen net kan (ik ben er even uit), is voor de ander drie dagen precies goed (dan hoor ik er echt bij), en zweert weer een ander bij full-time werken (anders kom ik niet vooruit). Thuis is het waarschijnlijk niet anders.

DE DRUKTE-MAKER BIJ UITSTEK: HET KIND

'Druk-druk-druk' klinkt eigentijds, maar is het niet al eeuwen een klus om zorg voor huis, tuin en keuken én de kost verdienen te combineren met kinderen? Het is gewoon véél! De welgestelden huurden dus baker en voedster in voor de baby, een *nanny* voor de kleintjes, en voor de groteren waren er kostscholen. De minder bedeelden losten het op zoals nu heel wat oma's in heel wat arme landen: zij brengen de gezamenlijke kleinkinderen groot terwijl hun volwassen kinderen elders geld verdienen.

Wat de combinatie in alle tijden zwaar maakt, is dat kinderen zich niet aan schema's houden. Ze hebben een andere agenda en verstoren de gewone gang van zaken. Ze struikelen over stofzuigers, lopen meubels omver, kletsen overal doorheen, treuzelen wanneer ouders haast hebben, en laten bij thuiskomst hun spullen ergens op de vloer neervallen.

'Naar school' vanaf vier jaar was dus een uitstekende westerse oplossing! Het kind leert er allerlei nuttigs en ouders hebben overdag de handen vrij.

SCHOOLS LEREN – EN HOE DAT THUIS GAAT
Het gaat daar ook heel anders toe dan thuis. Treuzelen is er niet bij; ze komen binnen wanneer school begint en rennen weg na de laatste bel; ze hebben vaste plaatsen, een vaste dagorde, het rooster ligt voor acht jaar vast, en leerkrachten,

anders dan ouders, zijn er helemaal voor de kinderen. Zíj zijn vrijgesteld van andere klussen – maar uitsluitend op werkdagen, van 8.00 tot 16.00, en met royale vakanties. Hun 'er helemaal zijn' is dan ook een baan en volgend jaar staat er een andere juf voor de klas.

Ouderschap is écht *forever*, en heeft bovendien een andere inhoud. Dat ook kinderen dat beseffen, zie je wanneer zij thuis schooltje spelen, of vader-en-moeder.

Bij 'schooltje' is de 'leerkracht' steevast een alweter die kennis toetst en de domme 'leerling' in de hoek zet. Vader-en-moederspelletjes hebben meestal zorg als thema: baby toedekken, broertje 'valt' en krijgt grote 'pleister' op zijn knie, pap koken of samen thee drinken. Bezigheden die zijn afgekeken van volwassenen worden uitgeprobeerd en geoefend. 'Spelenderwijs', zeggen wij, volwassenen, maar zij zijn bezig met een leerplan dat minstens zo belangrijk is als rekenen en taal: babyzorg, wondzorg, voedselbereiding, sociale vaardigheden – en het is hun menens!

Zo wordt er thuis dus geleerd: geen lesrooster, weinig expliciete instructie, veel toekijken en honderd keer na-apen en 'speels' oefenen met andere kinderen. Ouders hebben wel andere dingen te doen dan les geven, en eigenlijk hebben kinderen een hekel aan instructie en toezicht. Ook als er expliciet wordt opgepast, doen ouders intussen dus liefst iets nuttigs. Breien, opruimen en wortels schrappen zijn van alle tijden. (Morgen spelen de kinderen 'worteltje schrappen'.) En omgekeerd: terwijl zij breien, opruimen of schrappen, boekhouden of bellen houden ouders toch met gespitste oren en een schuin oog bij wat 'ze' uitspoken. Ook al worteltjes schrappend heb je geen vrijaf als ouder.

Het meeste thuis leren begint met een ongeprogrammeerde ervaring. Er is zoveel te zien, horen, voelen en ruiken, terwijl ouders bezig zijn in huis, tuin en keuken! En onwillekeurig babbelen ze mee, doen ze iets na, helpen ze – en merken of het wordt gewaardeerd, of niet, en proberen het nog eens, of niet.

Zo bepaalt het kind zelf mee wat het leert en wanneer. De aard van het beestje bepaalt nu eenmaal hoe het op de omgeving reageert, en dat bepaalt weer hoe de ouders dit kind aanpakken. Welk opvoed-ideaal men ook aanhangt, het ene kind moet geregeld worden opgepord, het andere moet worden afgeremd.

GOKKEN EN NOG EENS GOKKEN

Alles bij elkaar is er rond kinderen voldoende werk voor twee vaste krachten, een stel flexibele invallers en enkele uren management & coördinatie.

Huis, tuin en keuken vragen regelmatig onderhoud (helemaal met kinderen in huis), er moet meer geld worden verdiend (want kinderen kosten geld), dan is er ook nog het eigenlijke werk met en voor de kinderen: aan- en uitkleden, koken enzovoort, en er is de achterwachtfunctie die verschilt per leeftijd en soort kind. In principe hebben 'de kinderen' voorrang op alle andere bezigheden, maar bij heikele huis-en verkeerssituaties wordt hun toch echt even drastisch de mond gesnoerd. Plots *moet* er iets worden beslist. Snel kiezen dus. Gokken vaak. Dat leidt tot bijna-foutjes, even een BOEM-botsing, soms hele dialogen, dan weer kibbelgedoe, of een complete ruzie dwars overal doorheen – en dan maar hopen dat je goed gokt.

Wie weet is driekwart van de gokjes geen succes, maar verloopt het vierde kwart beter dan vorige week. En omdat het over zo véél voorvallen gaat, behelst dat vierde kwart nog altijd tientallen goed gegokte reacties. Daarover kun je vanavond vertellen, stiekem jezelf positief vergelijkend met vorige week, met de buurvrouw, met je eigen moeder of 'de meeste ouders', om je níet te hoeven generen. Want dat is erger dan de drukste drukte – gêne. Eén moment van voldaanheid, daarentegen, houdt weer dagenlang de moed erin.

En de andere driekwart? De miskleunen? Druk-druk-druk helpt om ze te vergeven en te vergeten.

6

Spitsroeden lopen

Waarin Janneke balanceert op het slappe koord van 'alles goed willen doen' en Alice zich afvraagt of daar geen leuke app voor is

OPGERUIMD

Waar zijn mijn sleutels nou weer? We moeten gaan anders zijn we te laat op school. Ik zoek me een ongeluk. In de la, in mijn jas, in mijn tas, op de tafel: niks. 'Ik word gek van jullie!' krijs ik harder dan ik wil. 'Ik blíjf opruimen en jullie maken er steeds weer een troep van. Doe ook 's wat!' Ik ontplof ogenschijnlijk uit het niets. De meisjes schrikken zich een hoedje. Mijn lief is een week weg en tot nu toe vlogen we als eendrachtig driemanschap door de dagen, maar plotseling ben ik er helemaal klaar mee. Ik weet het: talloze ouders moeten het altijd in hun eentje doen, maar het voelt ontzettend kwetsbaar om zo verschrikkelijk verantwoordelijk voor alles te zijn. En dan ook nog die eindeloos aangroeiende rommel die maar niet opgeruimd komt. De afwas op het aanrecht, de stapels ongevouwen was, het rondslingerend speelgoed, de neergesmeten schooltassen, de kranten en de post, de eettafel die afgeruimd moet worden – het komt telkens weer terug, het houdt maar niet op. Natuurlijk helpen de kinderen mee en natuurlijk leren ze hun eigen spullen opruimen, maar juist met dat onderdeel van het huishouden kan ik zelf minder goed uit de voeten. Ik voel me als de vrouw in het sprookje met die almaar uitdijende rijstebrijpot, die smeekt of het op mag houden. En hoe hard ik er ook van eet, de pot stroomt over en hij blijft overstromen tot het hele huis, de hele straat, het hele dorp onder de rijstebrij zit.

Sinds ik moeder ben, ben ik gevoeliger voor rommel. Tegelijk is er meer rommel sinds ik moeder ben. In mijn éénpersoonshuisje wist ik feilloos de weg in de stapels die her en der verspreid lagen. Ik kon altijd mijn schaar vinden en greep nooit mis als ik een pen nodig had. 'Ik vind het belangrijk dat ik niet hoef te zoeken, daarom hou ik de boel graag op orde', zei ik tegen mijn vriend met de neiging om alles op te ruimen zodra hij binnen was. Hij schoof onder tafel van het lachen. Ik begreep er niks van, want mijn systeem werkte uitstekend. Het hoeft van mij niet 'opgeruimd' te zijn, als ik alles maar kan vinden. Met eindeloos veel geduld heeft hij systemen ontwikkeld die mijn behoefte aan orde – gecombineerd met de wens om niet te veel te hoeven opruimen – ondersteunen. Hij maakt het systeem, ik hou het bij. Dat is de verdeling. Maar kinderen doorkruisen dat. Daar zijn het kinderen voor. En ik wil ze niet neurotisch nadragen dat ze alles moeten opruimen. Daar heb ik immers zelf ook een hekel aan.

Maar o wee de heftige golf die me overspoelt als ik wéér mijn sleutels niet kan vinden. Dan is de redelijkheid ver te zoeken.

Sorry lieve kinderen, straks maak ik het weer goed, oké? Nu eerst mijn sleutels vinden.

KIEZEN

Sta ik daar weer ongewassen en in mijn kloffie van gister op het schoolplein. Om me heen fris en fruitig opgemaakte moeders en een enkele vader strak in het pak. De pas geborstelde haren van mijn jongste dochter slierten alweer slordig om haar o zo lieve snoetje. Wéér geen vlechtjes, staartjes, haarband in gedaan. Het is dat ik weet dat ze niks te kort komt, maar de klerencombinatie die ze deze ochtend heeft uitgezocht is hemeltergend beroerd. Als je haar naast haar hartsvriendin – vers gestreken jurk, merkvestje, bijpassende maillot, gepoetste schoenen, ingenieus vlechtwerk op het hoofd afgewerkt met gelijkgekleurde knijpertjes en elastiekjes – ziet staan zou je denken dat ze vannacht onder een brug heeft geslapen. Maar we zijn wél op tijd en we hebben zonder stress met zijn allen rond de ontbijttafel gezeten. En ze is haar schooltas niet vergeten. Mét de trommel vol gezonde bruine boterhammen, sinaasappelsap en ook nog een takje druiven. Zelfs het formulier met noodgegevens dat vandaag ingeleverd moet worden is ingevuld en meegenomen. Dat dan weer wel.

Als ik thuiskom koekeloert het onkruid in de voortuin me aan. Ik kijk brutaal terug en baan me een weg naar de voordeur. Er zou een stofzuiger door het huis kunnen en op het quasischone aanrecht staat de ochtendvaat nog opgestapeld. Ik weet het wel, de auto is al maanden ongewassen, de ramen van de bovenverdieping hebben in geen jaar een zeemlap gezien en het buitenspeelgoed slingert voor de deur. De buurvrouw zou nu dus echt de krant niet gaan zitten lezen. Het lijkt nergens naar. Maar alle buurtkinderen mogen altijd mee-eten. En ik mopper niet als de dekens en kussens het huis uitgesleept worden om een hut te bouwen. Dan krijgen ze bovendien een picknickmand toe met stukjes appel, biscuitjes, aanmaaklimonade en gekleurde rietjes. De foto's die ze van elkaar maken in hun gekke verkleedkleren zet ik met liefde op een cd-rommetje. Dat dan weer wel.

Nu nog vrede sluiten met het nieuwe plaatje in mijn hoofd van de ideale moeder & vrouw. Het plaatje van de vrouw die er bewust voor kiest om niet alle ballen tegelijk in de lucht te houden. Ik wil me niet gek laten maken door die enorme hoeveelheid moeten die altijd op de loer ligt, die ogen in de rug, de aannames waarmee ik groot gegroeid ben. Dus probeer ik of het anders kan. Maak ik nieuwe keuzes waar ik me niet voor wil verdedigen. Ik hoef trouwens ook geen navolgers want wat voor mij werkt, werkt niet voor een ander. Daar ging het nou juist om. Vol goede moed sla ik een nieuwe weg in. De hobbels blijven. Dat dan weer wel.

ROZIJNEN

'Wat zullen we eten vanavond?' Ik heb even geen inspiratie en het voordeel van groter wordende kinderen is dat je ze mee verantwoordelijk kunt maken voor huishoudelijke dilemma's. 'Spinazietaart?' luidt de verrassende suggestie. Ik hoef de pannenkoeken en de tosti's dus niet eens uit te sluiten. 'Goed idee dames, dat doen we!' en hopla daar liggen de plakjes bladerdeeg al te ontdooien op het aanrecht. Spinazie uit de vriezer, rozijnen erbij. Rozijnen? Oeps, op. Die kleine zoete verrassinkjes in de taart maken 'm nou juist zo favoriet bij mijn dochters. En ik heb echt geen zin om alleen daarvoor nu nog naar de supermarkt heen en weer te racen. 'Sorry meiden, het wordt zonder rozijnen', roep ik vanuit de keuken en begin de eieren te klutsen.

'Ma-am', en de toonhoogte in dat ene woordje verraadt al dat de oudste iets van me wil. 'Mam, zullen wíj die rozijnen gaan halen bij de super?' Blij verrast draai ik me om, want eerder deze week vroeg ik haar nog of ze dat zou durven en toen lachte ze me vierkant uit. Ik neig naar 'ja' zeggen en onmiddellijk steekt de twijfel de kop op. In de J/M staat dan wel dat een achtjarige zelfstandig een boodschap kan doen, maar moeten ze daarbij ook een drukke weg over? Is de Rijssenburgselaan wel zo'n drukke weg trouwens, maak ik me nu niet teveel zorgen? Maar haar zusje is pas zes en ze heeft net een nieuwe iets te hoge fiets. En als ze nu lelijk valt, wat zouden ze dan doen? Dan moet ik ze maar mijn mobieltje meegeven zodat ze me kunnen bellen en ze instrueren dat ze bij elkaar blijven. En kunnen die twee prachtige en toch ook best wel naïeve meisjes wel veilig samen over straat of worden ze dan door enge mannen van hun fietsjes gerukt? Onzin, daar kan ik me nog lang genoeg zorgen over maken. Beter het vertrouwen uitstralen dat ze dat natúúrlijk samen klaren, toch? Dan hoor ik mezelf zeggen: 'Het hoeft niet hoor, het wordt vast ook lekker zonder, maar het mag wel als je dat echt durft.'

Ongeduldig staan ze voor me: alle vragen beantwoord, duidelijke instructies mee en nu één-twee-drie in godsnaam, laten gaan. Opgetogen kwetteren ze naar buiten, daar gaan ze, de zusjes, eensgezind fietsen ze naast elkaar de straat uit. Ik kijk ze na totdat ik ze niet meer zie. Is onze straat zo lang, gaan mijn ogen zo achteruit of zijn het die gekke tranen die het zicht vertroebelen? Weer een mijlpaal.

MACHT

'Mama', gilt mijn jongste dochter naar beneden (de buren zijn hopelijk al wakker), 'mama, wat past er bij mijn roze rok?' Tegenwoordig passen alle kleuren bij elkaar, zeggen ze, maar ik ben nog grootgebracht met het idee dat rood en oranje vloeken. Ik roep behulpzaam terug: 'Rood, blauw, paars, wit kan ook, eigenlijk passen alle t-shirts die je hebt er wel bij.' Hadden we niet afgesproken dat we niet naar elkaar schreeuwen in huis? Nou ja, laat maar even zo. Ondertussen probeert de oudste mij duidelijk te maken dat 'iedereen' uit haar klas een koek mee naar school krijgt in plaats van een boterham. Dat wil zij ook. Ik verwijs naar onze elke-vrijdag-koek-mee-afspraak en vraag me ondertussen vertwijfeld af hoe het is voor mijn dochter om als enige af te wijken? Hoewel het nog de vraag is of het waar is, dat *iedereen* een koek meekrijgt. Dat moet ik eens navragen op het schoolplein.

De jongste schuift in een oranje shirt aan de ontbijttafel met 'Kan ik vanmiddag spelen?' Ook goedemorgen meisjelief. Vandaag geen vioolles of dansen, dus dat zou wel kunnen. Maar is een dagje niks misschien een beter idee? Het ligt er ook aan met wie ze wil gaan spelen, en waar. Het lijkt mij eigenlijk ook wel lekker om samen een beetje te klooien, ik heb haar al een paar dagen nauwelijks gezien. Of redeneer ik dan vanuit mezelf en niet in het belang van mijn kind? 'Ma-ham, kan ik vanmiddag spelen, vroeg ik', geduld is niet haar sterkste kant. Uitstel van executie proberen? 'Ja lieve schat, ik hoorde je wel, maar ik moest even nadenken. Ik denk dat het wel kan, maar dat zien we vanmiddag wel uit school, goed? Even kijken of je fit genoeg bent.' Ze protesteert meteen dat ze heus wel fit genoeg is en dat ze al zóóóólang niet meer met Annemijn gespeeld heeft, dat kan niet meer wachten. Vooruit dan maar, dan rijden we nog een keer extra en knuffel ik haar morgen wel weer.

'Kom op dames, aan de slag: haren kammen, tanden poetsen, schoenen aan en dan kunnen we naar school.' Dat is tenminste helder, daar hoef ik niet meer over na te denken, die beslissingen heb ik lang geleden al gemaakt. Toen ik kinderen kreeg, heb ik me niet gerealiseerd hoeveel keuzes je voor ze moet maken. In het groot, bij het uitzetten van de lange lijnen, en continu in het klein, zoals bij de dagelijkse routines. Niet dat ik slecht ben in knopen doorhakken, maar het is iets anders dat me daarin dwars zit. In een grijs verleden brak ik mijn studie inrichtingswerk af. Ik vroeg me af hoe ik het voor mezelf kon verantwoorden dat ik als groepsleider zo bepalend zou zijn voor hoe andere mensen moesten leven. Nu ik moeder ben, begin ik langzaamaan te begrijpen hoe het misschien werkt. Dat je extra moeite moet doen om je in te leven in de andere partij, om vervolgens te wikken en te wegen wiens belangen gediend worden met de beslissing die je neemt. Want alleen de sterkste, hij die de macht heeft, is in staat om ruimte te maken voor de ander.

Misschien is dat wel de zwaarste verantwoordelijkheid in de scheve machtsverhouding die inherent is aan ouderschap.

HOOGSTE TIJD VOOR DE OPVOED-APP?

Hij komt er vast en zeker aan: een virtuele Dr. P. Goog, die ouders feilloos door hun opvoedpuzzels tomtomt. Hij vertelt precies *wat* wel/niet te doen, *hoe* precies je iets moet zeggen en *wanneer* precies. Dag en nacht te raadplegen!

Neem bijvoorbeeld het rozijnen-verhaal: moeder weet even niet wat ze zal koken en vraagt de kinderen wat zíj willen eten. Kan dat? Mag dat? Straks raadpleegt ze de opvoed-app – en ja, het kan en mag!

GEWIK EN GEWEEG BIJ OPVOEDKUNDIGE KRUISPUNTEN

Moeder heeft het de kinderen trouwens al gevraagd en ze riepen meteen: 'Spinazietaart!' – maar o jee, de rozijnen zijn op… Hoe pakt men dát nou weer aan? Wat is de beste keuze: iets anders eten dan spinazietaart, wel spinazietaart maar zonder rozijnen, je fietst zelf even naar de supermarkt, je laat de kinderen naar de supermarkt fietsen. Moeder kiest voor het laatste, maar alweer: kan dat? Is het verantwoord?

Raadpleegt ze de opvoed-app, dan vraagt Dokter P. Goog naar leeftijd en sekse, fietservaring en of het ver is en druk? Veilige buurt? Kunnen ze met elkaar overweg? En willen ze het zelf? Durven ze het? Eigenlijk weet zij op al die vragen het antwoord al: het is ja én nee. 'Ja' omdat 'ze' groot genoeg zijn en best de weg weten en durven enzovoorts, en 'nee' omdat je het toch maar nooit weet met twee jonge, leuke meisjes alleen op de fiets... Ofwel: stel ik het leven van onze kinderen in de waagschaal ten behoeve van lekkerder spinazietaart? Ook al vindt Dokter Goog het goed, het *blijft* een gok.

(Daar gaan ze al, de meisjes!)

Ingewikkelde overwegingen zijn het, met vaak belangrijke zaken als inzet. Weegt de gezelligheid van het avondmaal echt op tegen een heikel fietsavontuur? Of maken zelf gehaalde rozijnen de avond extra feestelijk? Het is een van de miljarden gokken en gokjes die de gezamenlijke ouders ter wereld dagelijks nemen. Ze zeggen 'Huppetee, op kamers wonen jij!' als ze inschatten dat hun kind eraan toe is; of juist: 'Nee-nee, jij nog niet op kamers!' En nooit weten ze of ze misschien te eisend zijn met een aansporing, of dat ze met hun verbod een kans op groei laten schieten.

TUSSEN 'ALLES VOOR ZE DOEN' EN 'ALLES OVERLATEN'

Het grootbrengen van een kind begint met alles doen en eindigt met alles overlaten. Daartussenin leert het zelf lopen en praten, zelf veilig fietsen, tot en met zelf de kost verdienen. Dat is de grote lijn. Maar ook de allerkleinste vaardigheid leert het kind volgens precies diezelfde lijn in het klein: van 'alles voor het kind doen' via 'samen doen' en 'toezicht' naar 'alles overlaten'. Om iets te leren wordt het betreffende kunstje – lopen, veters strikken, fietsen, de trein nemen – eerst samen met de ouders geoefend en daarna onder toezicht uitgevoerd. Dan pas opereert het kind zelfstandig.

Al dat groot worden verloopt dus via zeshonderdvierendertig verschillende leerprocesjes met stuk voor stuk diezelfde vier stadia. Zelden gaat het rechtdoor van fase 1 naar fase 4. Kinderen doen nu eens een sprong vooruit, dan gauw een stap terug, of twee, en pauzeren even, of iets langer, voordat er weer een stap vooruit wordt gewaagd. Of die vooruitgang, c.q. terugval de ouders goed uitkomt of niet, ouders voegen zich met hun aanpak naar het heen-en-weer van peuter of tiener. Al doende merken ze wel of ze in de goede versnelling zitten...

Nog iets: groeien en leren gebeuren op diverse 'fronten' tegelijk. Met twee jaar is het: samen delen, zindelijk worden, praten; met twaalf jaar: nieuwe school, seks, sport, alcohol, de toekomst. Bij ziekte of tegenslag echter, staat *alle* leren even stil. En is één leerpunt opeens erg belangrijk, dan krijgt dat tijdelijk prioriteit boven alle andere.

Deze warrige gang van zaken beslaat zo'n twintig jaar. Al die tijd bewegen ouders mee met de groeispurt van de week en de stagnatie van de dag, en laten ze zich leiden door wat zich voordoet in een van de zevenduizendzeshonderdvierendertig leerprocesjes. In zekere zin is het eindeloos méér van hetzelfde; tegelijk vraagt ook het kleinste procesje nieuwe ouderlijke keuzes.

Als de mededeling over spinazietaart *zonder* rozijnen een verontwaardigd 'Ma-am' oproept, dan heeft moeder dus diverse keuzemogelijkheden met bijbehorende valkuilen. Er moet iets. Nu. Meteen. Precies het goede voor allemaal. Geen ruzie maar ook geen risico's. Niet meteen toegeven, maar ook niet alles goed vinden.

En wen er maar aan, 'precies het goede' bestaat niet, dus: mobieltje meegeven, laatste instructies, één twee drie in godsnaam – en dan de twijfel. Zonder 'Ma-am' hadden twee kinderen echter de kans gemist om – zomaar hup! – de laatste stap te zetten naar 'alleen op de fiets naar de supermarkt'. En het liep goed af. Gelukkig.

7

Herprogrammeren

Als Janneke met veel moeite oud zeer overwint
bombardeert Alice dat tot gouden oudermomenten

HERSTEL

Week in week uit ploeter ik bij de handwerkles. De naald
stroef van het zweet in mijn handen, de draad verfomfaaid
van het steeds uithalen en opnieuw beginnen. Jaloers kijk
ik naar buiten, naar de jongens die mogen houtbewerken
en die bezig zijn spijkers in hun plankjes te slaan. Dat zou ik
ook wel willen. Maar ik ben tien en heb geen keus; ik ben een
meisje en dus heb ik handwerkles. Wanneer ik na maanden
het resultaat trots mee naar huis neem zegt mijn moeder:
'Wat is dat voor broddelwerk, haal maar uit, dat kan veel net-
ter.' Vanaf die dag krijg ik op de vrije woensdagmiddag thuis
naailes. Tegensputteren helpt niet. Pas als ik perfecte naden
stik, een schortje heb geborduurd en een patroon tot nacht-
japon weet om te toveren, mag ik stoppen. Ik besluit nooit
van mijn leven meer een naaimachine aan te raken. Sterker
nog, ik heb voor het leven een zelfmaak-allergie.

Dan komen de kinderen en blijkt het soms toch wat onhandig om zo principieel anti-naald-en-draad te zijn. Niet
dat ik ze in mijn eigen creaties wil hijsen (een ander jeugd-
trauma), maar af en toe een tailleband kunnen innemen
of een naadje omzomen zou wel praktisch zijn. Wanneer
dochterlief naar de peuterspeelzaal gaat en de Sinterklaas-
tijd aanbreekt, schrik ik me dus een hoedje als blijkt dat de
ouders een voorgeschreven, zelfgemaakt cadeau dienen aan
te leveren. Dat jaar pareer ik de knutselverplichting door die

aan mijn man te delegeren. Hij figuurzaagt braaf een waxinelichtjeshouder. Het jaar daarop ontkom ik er niet meer aan: er moet een kabouter gebreid worden. Liefst zou ik obstinaat weigeren. Ik weet niet meer hoe je steken moet opzetten, sterker ik heb niet eens breinaalden. Maar dan zie ik voor me hoe al die hummels hun kneuterige kabouters uitpakken en dat die van mij een plastic tuinkabouter in haar papier vindt. Mijn knieën worden week en ik ga om.

Natuurlijk ga ik mijn moeder niet bellen. Ik pluis op internet zelf de brei-instructies wel uit. Avondenlang doe ik dapper naald na naald. En als ik mijn kabouter dan eindelijk met wol vul, een belletje aan zijn puntmuts naai – naalden gekocht, garen gehaald – en een pluizige baard fabriceer, dan moet ik eerlijk bekennen dat ik het niet eens zo heel erg vond om te doen. Bovendien is mijn eer gered – ook al zijn die andere kabouters een stuk vernuftiger gemaakt.

Inmiddels heb ik menig Sinterklaascadeau in het geniep in elkaar zitten klooien en het zal mijn hobby niet worden, maar het doet me goed als ik mezelf over die drempel schop en het me weer lukt om tot een bevredigend eindresultaat te komen.

MOEDERS OP HET DROGE

Ze vechten er nog net niet om, maar de schermutselingen om een stoel op de eerste rij te bemachtigen lijken er verdacht veel op. Gaan deze vrouwen naar een popconcert? Welnee, met hun neus tegen het raam geplakt volgen ze de verrichtingen van hun nageslacht in het zwembad. Het commentaar is niet van de lucht en ook met grote gebaren denken ze hun kinderen bij te staan. Hun monden mimen 'd o o r z w e m m e n' en ze maaien met hun armen door de lucht. Als een moeder het al heeft gewaagd even naar de wc te gaan, wordt ze meteen door de anderen bijgepraat over wat er in de tussentijd allemaal gebeurd is.

Ik raak niet uitgekeken. Op de moeders. Hun grote gebaren staan natuurlijk voor een grote betrokkenheid, maar draagt het iets bij aan het leerproces? Om een kind te stimuleren zou ik kiezen voor positieve feedback – maar ook op dat punt ben ik een vreemde eend in de bijt. Want of het is niet goed of het deugt niet: 'l u i s t e r e n!' – 'niet zoveel onder water zitten!' – 'Hóge armen!' Ze tikken zelfs op het raam om de aandacht van hun kroost te vangen. Op het eerste gezicht lijkt het een typisch geval van de beste stuurlui die aan wal staan. Of hebben ze vooral weinig vertrouwen in hun kind? Of in de juf?

Ik zie mijn kleine meisje ploeteren. Wat een klus om te leren drijven en vooruit te komen in het water. Ach gossie wat moet ze hard werken en wat krijgt ze veel water binnen. Het is een wonder als zij ooit haar A-diploma haalt. Toch denk ik dat het haar op een dag gaat lukken. De zwemjuf weet van wanten, mijn meisje is gemotiveerd en ik ben bereid er een smak geld voor neer te tellen. Meer dan erop vertrouwen dat het dus goed komt, kan ik niet. Ik pak de krant en sla 'm open. Haar uitdaging is te leren zwemmen. De mijne is om mijn kind toe te vertrouwen aan andermans handen. Ik kan haar nu eenmaal niet álles zelf leren.

ZO MOEDER, ZO DOCHTER?

Mijn meisje hikt op de zwemles al wekenlang aan tegen het onder water zwemmen. Ze ging als een speer totdat 'het gat' haar hindernis werd. Ik snap het wel. Ook ik heb alleen een A-diploma omdat ik niet onder water durfde zwemmen. (Dat hoefde destijds pas met het B-diploma.) Misschien leert ze het wel nooit. Het ís ook verschrikkelijk eng. Ik ga nog steeds niet met mijn hoofd onder water. Net als mijn moeder trouwens. Die riep bij het zwemmen in de Maas altijd panisch dat haar kapsel niet nat mocht worden, maar dat was natuurlijk omdat ze niet onder water durfde! Het zit bij ons in de genen, ben ik bang. Ik wil het al bijna opgeven, overweeg zelfs om de zwemles te stoppen. Maar is zij daarmee geholpen?

'Precies haar moeder!' zegt een tante vertederd over mijn dochter. 'En die daar', ze wijst de andere dochter aan 'dat is echt helemaal je zus.' Als mijn kleine, blonde springding net zoveel kattenkwaad gaat uithalen als mijn zus, staat me nog wat te wachten... Moet ik de deuren alvast op slot doen?

Niet alleen tantes en oma's vergelijken de nakomelingen graag met eerdere generaties. Vaders en moeders neigen er ook zelf toe om samen te vallen met hun kroost. 'Net zo verlegen als zijn moeder', vergoelijkt moeder het gedrag van haar zoontje als hij even de kat uit de boom kijkt. Maar misschien past zijn terughoudendheid bij zijn leeftijd of is de situatie onoverzichtelijk. Of is het de aarzelende start van een verder succesvolle middag? Heeft zij ook gezien hoe gemakkelijk hij zich aansloot bij het groepje in de zandbak? 'Helemaal niet erg joh, ik vind rekenen ook veel leuker dan taal', zegt een vader tegen de zoon die worstelt met een opstel. Goed bedoeld waarschijnlijk, maar heeft hij zijn zoon gevraagd of dát het probleem is, of gaat hij er automatisch van uit dat hun belangstelling gelijk is? Wil de jongen gerustgesteld worden, of is hij meer geholpen met een brainstorm over het onderwerp en gaat het schrijven daarna vanzelf?

Ik kijk nog eens goed naar mijn eigen dochters, haal oude foto's voor de geest, maar hoe ik ook mijn best doe – zelfs als ik mijn ogen een beetje dichtknijp – ik zie niet wat mijn tante bedoelde. Ik bedoel: zo precies hetzelfde als mijn zus en ik kunnen mijn dochters toch niet zijn? Op zijn minst zit er de helft van mijn man bij gemixt. Ik wil dus proberen om zonder (voor)oordeel naar mijn kinderen te kijken, maar dat is helemaal niet gemakkelijk. Ik moet erg mijn best doen om los te laten wat ikzelf heb meegemaakt en om open te staan voor de leerweg van een nieuw kind. Dat stippelt met vallen en opstaan zijn eigen route uit. Al mag ik hier en daar natuurlijk een handje helpen, laat ik er niet van uitgaan dat het bij haar net zo zal gaan als bij mezelf.

'Hé meisjelief, ik zie dat je het spannend vindt om door het gat te zwemmen, maar ik weet zeker dat het op een dag gaat lukken en dan ben ik zó blij voor je. Dan gaan we het meteen vieren!' 'Echt waar? Krijg ik dan ook een cadeautje?' – 'Zou dat helpen denk je?' Haar hele snoetje licht op, stralend knikt ze zo hard ze kan. 'Dan doen we dat, afgesproken!' En de week erop zwemt ze door het gat. Blijkbaar zit er toch geen existentiële angst voor onder water zwemmen in de genen.

ERFELIJK?

Het is elf uur 's avonds als ik met bonzend hart begin aan de IQ-test van Mensa voor hoogbegaafden. Nooit eerder heb ik die test gedaan. Ik durfde niet. Bang om door de mand te vallen. Wat moet ik, MAVO-meisje, trouwens met die test? Maar nu schop ik mijzelf over de drempel, haal diep adem en druk op START. Over twintig minuten weet ik meer.

In het dorp waar ik groot groeide was ik het eerste protestantse kind dat bij de nonnen naar de meisjesschool ging. Dat voelde vooral stoer omdat mijn vader ervoor uit de kerkenraad moest. Dus toen ik mij niet zo op mijn gemak voelde tussen mijn klasgenoten gaf ik het cultuurverschil tussen protestanten en katholieken de schuld en droeg dapper mijn kruis. Dat ik op mijn tiende de jeugdafdeling van de bibliotheek uit had, had er vast ook mee te maken. Katholieken werden immers niet gestimuleerd tot lezen omdat de pastoor ze dom wilde houden, leerde ik op de protestante zondagschool.

'Ook 130', meldt mijn man droog door de telefoon, nadat hij de test van de jongste dochter heeft besproken met de psycholoog. En zo komt het dat ik, uren surfen later, oog in oog zit met een serieuze IQ-thuistest. Want wanneer allebei mijn dochters 130 scoren, wil ik weten wat dat met mij te maken heeft. Sinds ik mijn jongste zo zie ploeteren om aansluiting te vinden in haar klas, beginnen voor mij de puzzelstukjes van vroeger in elkaar te schuiven en vermoed ik dat het anders-voelen misschien een andere basis had dan de dorpse godsdienststrijd.

'U wordt van harte uitgenodigd voor de vervolgtest in Utrecht. Naar alle waarschijnlijkheid scoort u in het 98e of 99e percentiel.' Oef, dat is hoog. Mijn wangen kleuren rood. In de centrifuge van mijn gemoed zwiepen schrik, opluchting, verdriet en ongeloof om elkaar heen. Hoef ik mij als moeder misschien toch niet zo onzeker te voelen naast twee van die slimmeriken. Kan ik dat oude gevoel van eenzaamheid eindelijk plaatsen en kom ik door mijn kinderen wéér een stukje dichter bij mezelf.

ZIEK EN GEZOND

In de tijd dat duidelijk werd dat het oude kinkhoestvaccin niet werkte en het nieuwe nog niet beschikbaar was, moest de oudste haar eerste prikken krijgen. Toen ik de huisarts vroeg wat wijsheid was, informeerde hij me uitgebreid en sloot af met woorden die nog altijd naklinken in mijn oren: 'Kinkhoest wordt ook wel de 100-dagen-hoest genoemd. Bij kinderen ouder dan een jaar is het niet meer levensbedreigend en gaat het erom of je bereid en in staat bent om er honderd nachten voor je kind te zijn.' Wie wil er nou niet voor zijn kind zijn, dacht ik toen, maar nu ik wat langer als moeder meedraai, begrijp ik dat het erover gaat of je het aankunt en aandurft om 'er voor ze te zijn'. Om het uit te houden óók als je het probleem niet meteen kunt oplossen. En of je, wanneer je probeert uit te vinden wat je kind nodig heeft, je eigen behoeftes en angsten in de ijskast kunt zetten.

Mijn moeder deed traumatische ervaringen op bij een zware kaakoperatie die ze als twintiger onderging. Ik begin te begrijpen waarom ik in mijn jonge jeugd om de haverklap bij de KNO-arts zat en waarom keer op keer mijn kaken werden gespoeld. Waarschijnlijk niet omdat die slijmvliezen dramatisch slecht waren, maar omdat mijn moeder koste wat kost wilde voorkomen dat een kaakontsteking zo uit de hand zou lopen als haar was overkomen.

Bij ons geen kinkhoest maar pseudokroep. De beste behandeling is 'rustig afwachten en niets doen' en ze zeggen er-bij dat huilen en opwinding de ademhalingsmoeilijkheden verergeren. Wat vond ik dat moeilijk! Zo'n klein hummeltje in ademnood, grote paniekogen die smeken 'DOE iets!' en dat ik dan de rust en het vertrouwen moet uitstralen dat het over gaat en goed komt. Met mijn verstand wist ik dat het genoeg was om er te 'zijn', maar mijn gevoel schreeuwde om 'een oplossing, nu!' Dus sleepte ik de waterverstuiver van zolder en joeg er liters hoestdrank doorheen, ook al was al snel duidelijk dat het niets hielp. Eigenlijk was het één groot gevecht met mijn eigen machteloosheid. Sindsdien snap ik dus waarom de Ritalin, de pijnstillers en de puf-apparaatjes niet aan te slepen zijn: het lijkt de kortste weg naar een op-lossing.

Het is bijzonder dat het mijn dochter is, die me uiteinde-lijk leert om de signalen van het lijf serieus te nemen. Om stil te staan als dat nodig is. Om te vertrouwen op de genezende krachten van het lijf zelf. En dat een simpele verkoudheid weliswaar lastig is, maar niet noodzakelijkerwijs uitloopt op een chronische kaakontsteking. Ik ben haar daarvoor eeu-wig dankbaar.

VOOR WAT, HOORT WAT?

Mijn jongste rent zich de benen uit het lijf om me van sapjes, kusjes en tekeningen te voorzien, terwijl de oudste zich al twee dagen niet laat zien aan mijn griepbed. Nu de koorts wat zakt, vraag ik mijn man om haar naar boven te sturen. Gereserveerd staat ze aan het voeteneinde. Als ik mijn hand uitsteek komt ze aarzelend dichterbij en gaat op de rand van het bed zitten. 'Ik moest komen. Wat is er?' vraagt ze nurks. Want ze houdt niet van zieke mensen. 'Gewoon, ik wou je even zien, ik had je al zolang niet meer gezien, dat is alles.' 'Oh?' klinkt het verbaasd en ze ontdooit een beetje. Zodra ze haar kans schoon ziet, maakt ze zich uit de voeten, maar het lijntje is weer gelegd en daar was het me om te doen.

De dagen erna verandert er weinig in dit patroon: de een komt regelmatig verslag doen en informeren of ik nog 'wensen' heb en de ander komt alleen wanneer ze gestuurd wordt. De tijd dat men kinderen kreeg als levensverzekering ligt ver achter ons, maar daar in dat bed vroeg ik me plotseling af of je eigenlijk wel iets mag terugverwachten van je kinderen?

Alsof ze mijn gedachten wil illustreren, hoor ik door het open raam mijn buurvrouw uit haar slof schieten: 'Ik werk me hier de hele dag uit de naad voor jou en jij bent nog te beroerd om even de tafel dekken voor mij.' Als je in één huis leeft is het natuurlijk alleszins redelijk om de taken te verdelen, maar moet dat door de ander een schuldgevoel aan te praten? Emotionele chantage lijkt me ook niet houdbaar op de lange termijn. Bovendien krijg je dan later taferelen waarin de moeder – oud, krakkemikkig en der dagen zat – zit te turven hoe vaak en hoe lang haar kroost haar bezoekt. Maar hoe vaak ze ook langskomen, het is nooit genoeg want de rente op de oude schulden is zo hoog opgelopen dat die nooit meer af te lossen zijn.

Dat voorland is een schrikbeeld. Zo'n moeder wil ik later niet zijn en daarom moet ik nú de balans in evenwicht zien te houden. Maar vanaf welke leeftijd mag je iets terugverwachten van je kind? Van een baby vraag je geen inlevingsvermogen. En hoe meet je eigenlijk of het 'return on investment' in verhouding is? Maar dat is al meteen een fout uitgangspunt, want de verhouding tussen ouder en kind is nu eenmaal scheef. Zij – de kinderen – hebben er niet om gevraagd om in mijn leven te komen (geloofsovertuigingen daargelaten). Ik heb het me geheel vrijwillig op de hals gehaald om een gezin te stichten.

Na vier dagen griep wiebel ik 's ochtends voor het eerst weer naar beneden, zodat mijn man kan uitslapen en een beetje bijkomen van het eenzaam trekken van de kar. Bij het dekken van de ontbijttafel vraag ik de oudste om mee te helpen en stuit op een verontwaardigd: 'Waarom?' Door mijn hoofd schiet: 'Ja hallo, alsof jij zoveel voor mij hebt gedaan toen ik ziek was!' Maar tot mijn verbazing antwoord ik: 'Omdat jij ook wil ontbijten, toch?' Zonder gemor dekt ze de tafel en ik begrijp dat mijn denkexercitie in bed nu al zijn vruchten afwerpt.

HOEVEEL WEGCIJFER-GEDRAG
VERWACHTEN WE VAN OUDERS?

Denk niet meteen aan de heroïek van een nier afstaan voor je kind. Ook niet aan zonder ooit te morren dagelijks de troep en het afval opruimen. Ik doel op díe dingen voor of met de kinderen doen waaraan je zelf een hartgrondige hekel hebt. Al jaren! Als kind al.

Denk dus aan het breien dat nooit lukte – en dan nu iets gaan breien omdat de peuterspeelzaal dat verwacht voor Sinterklaas! Aan je kind aansporen om onder water te zwemmen, terwijl jij dat vroeger ook niet durfde en nog steeds siddert bij alleen al de geur van zwembadwater! Maar ouders verwachten van zichzelf vaak méér dan het strengste opvoedboek: dat ze als vanzelfsprekend óók dingen doen waaraan ze een pesthekel hebben: 'Voor je kind!'

Ook kinderen verwachten dat. Ze weten niet anders. En let op: als jij *nu* níet, zoals alle andere mama's en papa's, bij zwembad of sportveld staat te juichen, dan wordt je dat *later* nagedragen: 'Jij was er nooit als ik moest oefenen!'

WAAR PRECIES LIGT DE GRENS EN HOE TREK JE DIE?
Iedereen zegt vanzelf 'Hoera!' wanneer een kind voor het eerst zelf loopt, en 'Ho!' als ze vervolgens ook de trap op wil – voor haar veiligheid. Er wordt natuurlijk 'hoera' geroepen bij de eerste hoop op het potje, en na de derde keer neemt het

gejuich af. Het kind moet daar maar aan wennen – en doet dat ook. Dus waarom moet er elke week wéér worden gejuicht bij sportveld of zwembad?

Zijn het, zoals sommigen suggereren, ouders die allemaal hun kind al kampioen zien worden? Kinderen die o zo graag worden toegejuicht? Of de druk van 'alle-andere-ouders-in-de-klas-komen-kijken-dus-ik-moet-wel'?

Maar dan: *hoe* zeg je 'nee' zonder je kind pijn te doen / haar aanzien in de klas te schaden / je eigen aanzien onder de ouders te ondermijnen / je zelfrespect als ouder te verliezen? Hoe zeggen ouders überhaupt 'nee' op het juiste moment en op de juiste toon?

En nog lastiger dan 'nee' zeggen is het om te eisen dat een kind 'ja' zegt op iets wat het zelf niet wil – en alweer op het juiste moment en op de juiste toon!

In dit hoofdstuk staan voorbeelden van wondertjes die soms gebeuren wanneer dat lukt. De moeder die nooit durfde zwemmen en bij haar dochter dezelfde angst-voor-het-diepe ziet, geeft haar slim permissie om het op te geven en tegelijk moedigt ze haar aan met het vooruitzicht van moeders trots plus een cadeautje – en de week daarop duikt datzelfde kind zomaar het diepe in! De moeder die haar dochter vraagt om mee de ontbijttafel te dekken en een bot 'Waarom!?' als antwoord krijgt, die dan zelf een minstens zo botte

reactie al voelt opkomen, maar niettemin reageert met zo'n

elegante, quasi-onverschillige correctie – en die meid dekt zonder morren de tafel! Zomaar – nadat moeder boven haar eigen ergernis uitsteeg.

Gouden oudermomenten zijn het – maar ze gebeuren bepaald niet 'zomaar'. Ze veronderstellen dat de ouder het opbrengt om een onaangename emotie opzij te zetten en ruimte te maken voor een verantwoorde reactie: een die hoort bij jou *als ouder*'. Het verwijst naar zoiets als uitstijgen boven je emoties – opdat je weer rationeel kunt reageren. Je cijfert jezelf weg – en krijgt er iets moois voor terug!

OUDERS VAN NU: DE TIENERS VAN TOEN

Bedenk intussen dat de ouders van nu de tieners van toen zijn: de jongeren van tien of vijftien jaar geleden die toen alles deden wat tieners nu eenmaal doen en van wie men zich niet kon voorstellen dat ze ooit in de pas zouden lopen als werknemer, partner en ouder. Zij op hun beurt, de tieners, waren ervan overtuigd dat zij bepaalde dingen nooit zouden kunnen, willen of snappen.

Diezelfde knullen en meiden, echter, zijn de ouders van nu, terwijl geen enkele app ze kan vertellen hoe je een kind grootbrengt. Hun hele interne programma verandert als vanzelf, zeggen sommige ontwikkelingswetenschappers: zodra er een kind op komst is, gaat de aanstaande vader focussen op beschermgedrag en de kost verdienen, en krijgt de aanstaande moeder nestbouwneigingen. Zij koopt babykleren en fantaseert al wat haar baby straks doet en wat voor moeder zij zal zijn. Zulke oeroude (en nog steeds sekse-specifie-ke) mechanismen bestaan, inderdaad, maar ze schieten te-kort wanneer het kind er eenmaal is en de werkelijkheid van nee moeten zeggen, of ja eisen, zich aandient.

GOUDEN OUDERMOMENTEN

Mogen wij van ouders verwachten dat ze zichzelf wegcijferen, overstijgen en niet impulsief reageren? *Kunnen* ze dat? Altijd?

Alle jonge ouders moeten het leren; een klein aantal leert het nooit; de meerderheid is jarenlang bezig met leren om fatsoenlijk nee te zeggen en ja te eisen. Elk gouden ouder-moment – als het lukt om welbewust of toevallig boven een onaangename emotie uit te stijgen – leert je hoe zoiets werkt tussen jou en je kind en het voelt dan niet meer aan als wegcij-fer-gedrag.

Gouden oudermomenten houden bovendien de moed erin.

8

Samenwerken

*Janneke zoekt een plek in het gezin en Alice ontrafelt
waarom gezinsrelaties zo ingewikkeld zijn*

MOEDERS WIL IS WET?

'Oh nee hè, kijk nou wat er gebeurt, dat gaat niet goed, het kleintje wordt verstoten!' roept mijn dochter verschrikt als ze ziet hoe de moederijsbeer haar jong op de grond laat stuiteren. Ik sus dat het zo'n vaart niet zal lopen, dat het voor de moeder ook allemaal nieuw is en ze het nog moet leren en dat ijsbeerbaby's daar op gebouwd zijn.

Acht jaar geleden stond ik zelf te stuntelen met mijn eersteling en vreesde ik de dag dat 't kindje in een onbewaakt ogenblik van de commode zou vallen. Wat voelde ik me onhandig en onzeker, en ik kon haar ook niet vragen of ik het allemaal wel goed deed. Ik prutste met kleertjes aantrekken, aarzelde over wel of niet troosten bij het huilen en wist me geen raad als ze niet wilde slapen volgens het schema van de kraamzuster. Maar elke dag keerden dezelfde handelingen terug, als rituelen, en gaandeweg raakte ik vertrouwd met het verzorgen van ons hummeltje. Door praktisch bezig te zijn groeide het vertrouwen in mijn moeder-kunnen.

Gelukkig werd mijn commode-nachtmerrie geen bewaarheid, maar als kersverse moeder heb ook ik mijn lessen wel gekregen. Die keer dat ik in haar vinger knipte en het bloed eruit spoot, dat ik vergeten was de babyfoon aan te zetten en ze urenlang (?) had liggen huilen, dat haar prakje te warm was en ze haar tong brandde. En toen ik dacht het bij de tweede allemaal wel te weten, bleek het een heel ander kind... en begon het leren van voor af aan.

Mijn lief was in het begin net zo onzeker als ik over hoe het allemaal moest en sterk geneigd het aan mij over te laten. In die tijd was ik echter kostwinner, dus na mijn zwangerschapsverlof zou hij het merendeel van de zorg op zich nemen. Dapper moedigde ik hem aan het op zijn eigen manier uit te vinden. Al dacht ik diep in mijn hart dat mijn manier natuurlijk de beste was. De luiers zaten aan de losse kant en hij gebruikte de plasgootjes niet, hij vouwde de was heel anders dan ik, sloeg geen voorverwarmd handdoekje om het blote kind als hij het meenam naar de douche, gaf het potje eten koud uit de koelkast en maalde niet om bij elkaar passende broekjes en truitjes. Maar ze voer er wel bij en ik zag de band die zij opbouwden met de dag sterker worden.

Om me heen zie ik hoe veel mannen hoofdschuddend ter verantwoording worden geroepen door hun vrouw, of erger nog, gecorrigeerd waar de kinderen bij staan. Sommige vrouwen doen het stiekem over zodra manlief de hielen heeft gelicht, om vervolgens te klagen dat alle zorg uiteindelijk toch op hun schouders neerkomt. Dat is natuurlijk niet zo gek, als hij de kans niet krijgt het op zijn eigen manier uit te vinden en succeservaringen op te doen.

De enige manier om vertrouwd te raken met het kind dat je in de schoot geworpen krijgt, is doen-doen-doen, te beginnen met de basale verzorging. Voor een eerlijke zorgverdeling is zelf meer buitenshuis werken dus niet genoeg. Het garandeert niet automatisch dat je man de ruimte krijgt.

Daarvoor is iets anders nodig: de moed om naast je eigen maatstaf die van een ander te accepteren. Anders verstoot je voor je het weet niet je kind, maar wél je man en ben je nog verder van huis.

ROEIEN

De jongste wil na de zomer graag gaan dansen, even op de website kijken welke lestijden er zijn en oh ja we moeten nog een speelafspraak voor haar regelen, morgen, omdat we anders logistiek in de knoop komen met de afspraak die de oudste heeft. Hadden we nou al een oppas voor volgende week? Trouwens, wat is dat water wisselend van temperatuur... de combiketel moet ook weer eens nagekeken denk ik. Dat doet me trouwens denken aan de APK keuring voor de auto, slik, dat moet vóór 13 juli en dat is het alweer bijna. Ik ben benieuwd wanneer de poes gaat jongen, zou ze nog een vlooienprik mogen nu ze zwanger is? Als ik nou dadelijk eerst de BTW even regel, dan kan de administratie naar de accountant. Heeft mijn man eigenlijk zijn nieuwe contract al geregeld bij het conservatorium? Op welke dagen gaat ie dan werken, dat is toch wel handig om te weten zodat we de buitenschoolse opvang ook kunnen plannen. Of zou de BSO niet nodig zijn komend jaar? Ze heeft het er niet meer zo naar haar zin, maar ja, geef je daaraan toe?

Zo meanderen mijn gedachten van privé naar zakelijk en weer terug en intussen klettert de douche op mijn denkhoofd. Tegen de tijd dat ik me sta af te drogen weet ik niet meer waar ik eerst mee zal beginnen. Zoveel heb ik alweer op mijn doe-lijstje bijgeschreven. Beneden gekomen zit manlief met de laptop op de bank, in totale onwetendheid van de chaos die mij omgeeft, te werken aan een nieuw arrangement voor zijn vocal group. Hij wil ook wel een vers bakje koffie, als ik toch ga zetten... Bijzonder toch hoe verschillend ons beider zzp-bestaan is. Hij focust volledig op zijn werk zodra de kinderen naar school zijn en als ze weer thuiskomen grijpt hij iedere kans om tussendoor ook nog 'eventjes' iets te doen. Terwijl ik tussen het mailen, bellen, schrijven door de was in de machine gooi, ga werk-douchen, de afwasmachine leegruim en na een afspraak in de stad nog even nieuwe sokken voor de kinderen koop omdat de oude van ellende uit elkaar vallen.

Hoe komt mijn nieuwe bedrijf ooit van de grond? En wie pakt de handschoen op in huis als ik 'm laat liggen?

Scenario 1

Man: 'Als je toch koffie gaat zetten, ik wil ook nog wel een vers bakje, lekker!'

Vrouw: Zet stil-grommend koffie, terwijl ze zich afvraagt waarom zíj altijd alle ballen in de lucht moet houden terwijl híj zijn eigen gang gaat. Concludeert dat ze er dus eigenlijk alleen voor staat. Gaat zuchtend aan de slag. Vergeet dat ze koffie aan het zetten was.

Scenario 2

Man: 'Als je toch koffie gaat zetten, ik wil ook nog wel een vers bakje, lekker!'

Vrouw: 'Dan maken we meteen even samen een lijstje

van wat er allemaal moet gebeuren deze week, want mijn hoofd loopt om.'

Man: 'Laat ik eerst even dit afmaken, ik zit er net lekker in. Dan maken we straks samen dat lijstje. Maar het valt wel mee toch?'

Vrouw: 'OK, over een half uur?' Dan lucht zij haar hart zonder aan te vallen en maakt duidelijk wat er allemaal moet gebeuren. Ze scheiden hoofd- van bijzaken, wegen ieders draagkracht en verdelen de taken.

Vandaag ga ik voor scenario 2, ook al ben ik het wel eens zat om altijd de regie te hebben. We zitten toch samen in deze roeiboot die gezin heet. Dan kunnen we maar beter samenwerken om 'in de stroom' te blijven. Als we ieder onze eigen roeispaan riemen, tollen we in no-time rondjes. Oké, als hij nou peddelt, dan ben ik wel de stuurman.

INVOEGEN

Voorzichtig trek ik mijn kleren aan, langzaam, maar dat geeft niet. Ik ben eigenlijk alweer te moe tegen de tijd dat ik aangekleed ben. Dat hakt erin, zo'n buikgriep. Maar ik wil nu eindelijk wel weer eens beneden zijn, en desnoods na het eten meteen weer terug naar bed. Mijn maag knaagt, zin in eten, dat is lang geleden. Voetje voor voetje scharrel ik twee trappen naar beneden. 'Hé mama, je bent weer beter!' roepen de kinderen verheugd. Ik krijg een dikke knuffel, mijn man ziet het glimlachend aan, want hij weet dat ik nog wel een paar dagen nodig heb om op krachten te komen. We kunnen meteen aan tafel, alles staat al klaar. Wat een luxe!

'Hebben de poezen al eten?' 'Hoho, eerst hartig dan zoet.' 'Hè nou liggen die brieven hier nog. Waarom zijn die niet op de post?' 'Hebben jullie er wel aan gedacht om te oefenen voor muziekles?' 'Kan het ietsje zachter, wat een kabaal maken jullie zeg.' 'Kom op, aan tafel blijven zitten! Je bent al acht, dat weet je onderhand toch wel?' Al snel is er niets meer over van de aangename opwinding om weer samen aan tafel te zitten. Er is zo veel te corrigeren dat het me gewoon niet lukt om mijn mond te houden en bovendien is het de hoogste tijd om weer orde op zaken te stellen. Ik kan blijkbaar niet eens een paar dagen fatsoenlijk ziek zijn. Pff, ik weet niet of ik die verantwoordelijkheid nu al meteen weer aan kan. Ik ben bekaf. Mismoedig druip ik af en kruip mijn warme veilige bed weer in. Het ligt een stuk minder lekker. Nu voel ik me niet alleen fysiek ellendig, maar ben ik ook nog boos omdat ik beneden zo aan het mopperen was.

Na een tijdje kruipt het schaamrood me over de kaken. Mijn lief heeft zo hard gewerkt deze week en ik kan niet heel eventjes mijn grote mond houden? Wat is dat toch wat het zo moeilijk maakt om terug in te voegen als je er even uit geweest bent? Blij zijn om de kinderen weer te zien, verlangen naar gezellig samenzijn en dan zo allergisch reageren op het gewone gedoe.

Is het de confrontatie met de onoverzienbare opvoedberg als ik even 'vrijaf' heb gehad. Of het gebrek aan routine dat me onmiddellijk opbreekt als ik er weer plompverloren instap? En omdat ik me niet fit voel ontbreekt het me bovendien aan moed om mijn irritatie daarover te onderdrukken. Met als gevolg extra hommeles.

Dom, dom, dom, voortaan ga ik de héle invoegstrook gebruiken in plaats van meteen *BAF* ertussen en vol gas mee willen rijden. (Ook een goede tip trouwens voor als je terugkeert uit de echte file en na een lange werkdag aanschuift aan tafel.)

LIEFDEVOLLE VERWAARLOZING

'Papa, wil je met me spelen?' Met haar allerliefste stemmetje probeert de jongste hem te verleiden. Ik zie mijn man kort opkijken om te zien waar ze mee bezig is. Waarschijnlijk heeft ze een maatje nodig bij de theevisite van haar poppenharem. Ze kent het antwoord eigenlijk al. Toch probeert ze het. 'Nee lieve schat, met poppen kun je zelf spelen. Ik ga even door met opruimen. Straks wil ik je wel voorlezen of zullen we samen een kruiswoordraadsel doen?' Ik hoor alleen het eerste deel van zijn gedecideerde antwoord en woest kolkt de woede door mijn aderen: hij wijst mijn kind af! Au, dat doet pijn. Hoe vaak heb ik niet de taart aangesneden voor de poppen en eindeloos chirurgje en patiënt gespeeld – alsof dat míjn grootste hobby is zeg! Ik weet ook wel leukere dingen te doen. 'Blijf rustig', spreek ik mezelf toe, 'nu niet op haar afsnellen om het goed te maken. Dat is ondermijnend voor alles en iedereen. En nee, ook niet gauw wat drinken en een koekje klaarmaken.'

Ik weet dat we het eigenlijk eens zijn, al brengt hij het wat botter dan ik. Allebei hangen we in volle overtuiging de liefdevolle verwaarlozing aan als het over spelen gaat. Spelen doen ze zelf of met vriendjes. Zodra ze het geleerd hebben natuurlijk, want van een tweejarige kun je niet verwachten dat hij zichzelf urenlang bezighoudt. Maar een zevenjarige hoeven we dus niet de hele dag te entertainen.

Die moet – eventueel met wat hulp – zelf haar draai leren vinden.

Kinderen zijn nestblijvers – net als muizen en poezen. We beschermen en voeden ze jarenlang en ze hebben veel tijd nodig om ons na te bootsen, mee te doen en het zelf te leren. Het is aan ons om ze groot te brengen. Dus nu de oudste negen is gaan we samen gezellig shoppen, zodat ze en passant leert hoe je dat doet, en dat shoppen geld kost, en dat je je geld maar één keer kunt uitgeven. Weer later doet ze dat met haar vriendinnen.

Voordoen, samendoen, toekijken, zelf laten proberen, loslaten. Telkens weer een stukje zelfstandiger. Telkens weer wat losser. Mijn man op zijn manier en ik op de mijne. Zodat die nestblijvers op een dag toch het nest verlaten.

MOEDER-INSTINCT

'Volgens mij krijgt de poes jongen.' Mijn man gelooft er niks van: 'Ze is toch aan de pil, dat gaat heus wel goed.' Maar ik heb mijn twijfels: ze is zo dichtbij-ig, ze ligt steeds languit en volslagen voor pampus op de bank, en bovendien voel ik haar tepels plotseling, terwijl me die nooit eerder waren opgevallen. Als twee weken later de dierenarts mijn vermoeden bevestigt barst de plaatsvervangende nesteldrang bij mij in alle hevigheid los. Ik lees poezenboeken, denk over nestkisten en loop met poezenogen door het huis op zoek naar een geschikt plekje om te bevallen. Ook al is het nog lang niet zo ver, echt ver weg is het niet, want poezen – hoorden we tot onze schrik – dragen maar negen weken.

Als manlief een doos prepareert die uit de supermarkt is meegekomen scheld ik hem de huid vol: 'Die is niet goed! Ik had toch gezegd dat het een bananendoos moest zijn?!' De heftigheid waarmee ik reageer verbaast me, maar het komt van diep: verdorie, iemand moet toch voor onze Mobje opkomen. Ze is amper 15 maanden. Dat is toch geen leeftijd voor een moeder. Zou ze wel weten wat er aan de hand is? Zou ze straks snappen wat er van haar verwacht wordt?

Het is een wonderlijk soort verantwoordelijkheidsgevoel dat me bevangt. Tegelijkertijd is het overduidelijk dat poeslief zelf voor het kroost gaat zorgen. Maar ik wil zo graag dat het haar goed gaat, dat ze niets te kort komt, dat het allemaal een beetje soepel gaat.

Zou ik dat later, als oma, weer precies zo gaan ervaren? Ik begin een heel klein beetje te begrijpen welke vreugde en zorgen bij het grootouderschap horen. Hoe ik dan met argusogen en een rugzak vol ervaring toekijk hoe mijn dochters zelf het wiel aan het uitvinden zijn. Zal ik dan mijn mond kunnen houden of is het juist goed om de opgedane ervaring te delen?

SAMENWERKEN – ANDERS EN MÉÉR
DAN SAMEN WERKEN

De bekendste opvoedregel voor ouders luidt: 'Gij zult één lijn trekken!' Is dat waarom vaak één van hen zich op de vlakte houdt als er thuis eisen of grenzen worden gesteld? Zoiets als de volkswijsheid dat een schip geen twee kapiteins verdraagt? Er blijkt ook een wetenschappelijk bewezen reden te zijn: kinderen groot brengen leer je het snelst door het vaak te *doen*, zelf en zelfstandig. Twee Amerikaanse psychologen[1] volgden namelijk een groep prille ouders wekelijks totdat hun kind drie jaar was en zagen de grootste klunzen – man of vrouw – uitgroeiden tot redelijk bekwame ouders mits zij zich dagelijks met de kinderen bezig hielden. Gééf dus een van beiden die kans! Haar of hem? Maakt niet uit. Niet de sekse telt, maar de ervaring.

Werkt de formule van één centrale ouder-met-ervaring en één aan de zijlijn dus beter dan twee actief-betrokken maar minder ervaren ouders? En maakt taakverdeling alle geharrewar over de enig-juiste lijn overbodig? Het is, helaas, een stuk ingewikkelder, maar ook veel eenvoudiger.

INGEWIKKELD: 2 OUDERS + 1 KIND = 4 RELATIES

Wanneer we spreken over 'ouders en kind' verliezen we gemakkelijk uit het oog dat ouders doorgaans twee relaties hebben: als partners én als ouders. Behalve man & vrouw, zijn

ze vader & moeder, en elk van die relaties heeft eigen prioriteiten en een eigen agenda. Voor vader & moeder heeft 'het
kind' altijd prioriteit; voor man & vrouw geniet 'de partner'
prioriteit – totdat er iets met 'het kind' is. Dan gaat de ouder-
relatie vóór op die met de partner. Samen naar de film als het
kind ziek is? Natuurlijk niet. De agenda's van echt-paar en ou-
der-paar overlappen ook maar ten dele. Film, sport, seks en
de tuin staan niet op de agenda van het ouderpaar, en sommige vrienden komen echt niet voor de kinderen. Die moeten hun heil dus even ergens anders zoeken en zich schikken
naar 'het bezoek'.

Maar er zijn nóg twee relaties: elke ouder heeft een eigen
relatie met het kind – gewoon omdat het kind anders reageert op de een dan op de ander. Vader is een ander mens dan
moeder, praat anders, doet anders – en natuurlijk reageert
het kind anders op hem dan op haar! Het weet heel precies
hoe het mama dan wel papa moet aanpakken om iets gedaan
te krijgen, hoe hen tegen elkaar uit te spelen, en wat het effect is van een grijnsje naar de ene ouder wanneer de andere
ergens over snibt.

Om het nog ingewikkelder te maken is er andere inter-
actie van bijvoorbeeld de vrouw-als-moeder met man-als-
vader dan met man-als-partner. Denk aan de vrouw die vertederd toekijkt als haar aarts-onhandige partner zich ontpopt
tot knutselpapa – en die zich vervolgens ergert als manlief
weer eens iets kapot laat vallen. Meneer adoreert zijn vrouw
om haar inzet als moeder – maar als vader ergert hij zich aan

haar toegeeflijkheid. En dus zijn er evenzovele grote en klei-ne botsingen als er relaties zijn tussen ouders.

Als we dan bedenken dat het aantal relaties nog moet worden vermenigvuldigd met het aantal kinderen – en mis-schien stiefouders – dan wordt ook duidelijk dat helemaal 'aan de zijlijn staan' eenvoudigweg niet bestaat. Beide ouders zijn niet los te maken uit het partner-ouder-kinder-netwerk. En samenwerken moet!

Maar houd ouderrelatie en partnerrelatie intussen wel goed uit elkaar!

EENVOUDIG: DE ANDER VERTROUWEN ALS OUDER VAN JOUW KIND

'Stop jij haar in bed? Dan ruim ik de keuken op' werkt efficiën-ter dan samen een kind naar bed brengen. Dat is erg gezellig, maar duurt langer en intussen staat de keuken vol rommel. Dus wordt er gedelegeerd al naar gelang ieders handigheid met luiers dan wel de vaat. Zo ontstaan die patronen: moeder doet bij ons altijd x en vader doet bij ons y.

Maar hoe vanzelfsprekend de taken ook zijn verdeeld en hoe lang dat al goed gaat, het centrale punt blijft toch het vertrouwen dat de partner oprecht het beste voorheeft met jouw kind. Wanneer hij kortaf bedankt voor de uitnodiging om mee te doen aan een theevisite met poppenservies, dan voelt zij spontane woede – maar ze houdt zich in en blijft rus-tig: omdat ze weet dat hij en zij het in wezen eens zijn. Een voorbeeld uit mijn jeugd als nakomertje met vijf veel oudere broers en zussen: als ma vroeger streng iets opschepte wat ik haatte maar 'moest leren eten', en pa at het vervolgens quasi-stiekem van mijn bord, dan siste zij quasi-fel dat hij me weer verwende. Het was een gespeelde opvoedruzie van ouders die al twintig jaar samenwerking achter de rug hadden en daar inmiddels grapjes over konden maken.

Er is altijd wel iets wat de mede-ouder doet dat jij niet snapt, wat anders en beter had gekund, en waarover jullie het al zo vaak hebben gehad en waarom gaat dat dan nog steeds zo enz. enz. – en blijf dan maar eens rustig! Dat lukt alleen als je het 'in wezen eens bent' *als ouders* en je dus blind vertrouwt op de ander om dat te doen wat goed is voor 'het kind'.

OOK BIJ PARTNERPROBLEMEN EN ECHTSCHEIDING?
Vertrouwen in de ander als mede-ouder – ook als de partner-relatie rammelt – voorkomt dat relatiegedoe de ouderlijke in-teractie stoort, maar alleen wanneer partnerrelatie en ouder-relatie uit elkaar worden gehouden. Gaan partners scheiden en gunnen ze elkaar eigenlijk niks meer, juist dan is het zaak om erop te letten dat partnerproblemen niet óók de ouder-relatie gaan besmetten. De verstandige mediator of relatie-therapeut brengt dan ook eerst de ouderrelatie op orde – nog vóórdat het partnerdomein wordt bewerkt. Dit voorkomt rechtszaken naar aanleiding van conflict-aanjagers zoals: 'Bij papa mag het wél!' – waarvoor gescheiden ouders zo gevoe-lig zijn.

MOEDER EN ZOON

Zoon

'Ze blijft maar aan mijn kop zeuren met je moet dit doen, je moet dat doen en heb je daar wel aan gedacht. Dan heb ik al geen zin meer om het te doen. Ik doe het heus wel, maar dan moet ze d'r mond houden.' Jesse, onze 17-jarige oppas-buurjongen, lucht zijn hart. Beschaamd hoor ik het aan, dit stiekeme inkijkje in de opvoedkeuken van de buurvrouw. Toch kan ik een grijns over deze klassieke puberscène niet onderdrukken. 'Ik weet heus wel dat ik mijn schoolwerk moet doen, maar zij zanikt zoveel aan mijn hoofd, dat ik liever het huis uitga om bij mijn vrienden te zijn. Ja, en dan komt er weer niks van en dan is zij weer boos en denkt ze dat ze gelijk heeft. Maar ik ga echt mijn best wel doen, want ik wil dat examen natuurlijk gewoon halen. Waarom gelooft ze me nou niet als ik dat zeg!'

De litanie houdt nog even aan. Als hij uitgeraasd is suggereer ik voorzichtig om zijn moeder wat meer te vertellen over zijn planning. Dan is ze gerust. Zo had ie er nog niet naar gekeken. Misschien wel een idee. Zijn lange lijf strekt zich behaaglijk uit op de bank en hij knoopt nog een klets-praatje aan. Het is na twaalven. Moet ie niet naar bed, zegt mijn moederhart. Maar hij kan beter bij ons mopperen dan thuis.

Moeder

'Ik word gek van die jongen. Zijn tentamens beginnen volgende week en hij loopt maar buiten te fluiten. Dan zeg ik voordat ie weggaat dat ik wil weten wanneer hij zijn huiswerk gaat doen en krijg ik een grauw en een snauw en is-ie er weer vandoor. Ik snap het niet. En hoe harder ik hem probeer te helpen, hoe moeilijker ik 'm bereik.' De buurvrouw leunt verslagen tegen de deurpost. De machteloosheid knaagt harder aan haar dan ze wil toegeven. Alweer zo'n klassieker uit het Ouders & Pubers Repertoire. Zit je er middenin, dan herken je ze blijkbaar niet. 'Hoe anders was dat met onze Mirjam! Die had verantwoordelijkheidsgevoel. Die zorgde dat ze op tijd klaar was. Ze heeft er hard voor moeten werken en bij hem, pff, het lijkt 'm allemaal aan te komen waaien. Ik geloof alleen nooit dat ie daarmee weg komt.' De lofzang op de dochter gaat nog even door, terwijl zo te horen het vertrouwen in de zoon zoek is. Ik vertel haar verbaasd hoe goed hij op onze kinderen past, dat ik altijd met een gerust gevoel wegga, dat hij de enige van alle oppassen is die ze op tijd in bed krijgt, hoe gek ze op hem zijn en hoe streng en rechtvaardig hij voor ze is. Ze kan het nauwelijks geloven, maar luistert aandachtig. 'Het is een doerak, maar, inderdaad, hij is héél sociaal en hij gaat zo gemakkelijk met allerlei mensen om. Dat is wel echt zijn kracht hè.'

De vlag kan uit: Jesse is geslaagd. Huilend staat buuf aan de deur: wat een opluchting, wat heerlijk voor ons allemaal!

's Avonds geef ik hem een enorme hangmat cadeau. Waarop zijn moeder plagend zegt: 'Daar ga ik deze zomer eens lekker in liggen uitrusten om bij te komen van alle stress door jou!'

GEZELLIG

'Maar zo wil ik het niet. Ik had het me heel anders voorgesteld!' Met moeite slik ik mijn tranen weg, want o wat is het herkenbaar. Ze wil helemaal niks geks, maar spelletjes doen, kletsen, knutselen, kneuteren en het gezellig hebben op een vrije dag. Maar telkens draait het uit op ruzie, op gedoe, wil de een niet wat de ander wil en voor ze het weet is ze aan het schipperen en politieagent spelen, en is de knusheid ver te zoeken. Nu hoopt ze dat ik, als ervaren moeder, de gouden tips heb die haar kinderen gezellig doen samenspelen. 'Kun je het anders organiseren?' Haar gezicht is één groot vraagteken, want ze kan zich niets anders voorstellen dan zoals het nu gaat. 'Dat je man iets met Jikke gaat doen en jij met de meiden? Of andersom?' opper ik voorzichtig. En dan ziet ze plots met welke verwachtingen ze leeft: het ideaalplaatje van het altijd-samen-gezellig-Libelle-gezin.

Hoe lang blijven we vechten om aan dat ideaal te voldoen? Hoeveel energie kost het om het onhaalbare na te streven? Het is gemakkelijker gezegd dan gedaan dat je je verwachtingen moet bijstellen – en zolang dat voelt als capituleren gaat het dus niet lukken. 'Het is niet eerlijk!' briest ze: 'Ik doe zó mijn best om het gezellig te maken en binnen tien minuten hebben we alweer ruzie. En dan moeten we nog de hele dag.'

'Gij zult gezellig doen!' bas ik namens de maatschappij.

'Tja, als je het zo bekijkt', zegt ze, en door haar tranen heen schiet ze in de lach. Het werd een mooi gesprek in de late avondzon...

OPSTAAN!

'Ze is met geen tien stokken uit bed te krijgen. Of ik haar vijf keer of tien keer roep, het maakt niet uit. Pas op de laatste nipper staat ze op. En ja, dan is het haast-haast en een hoop gemopper. Van haar, van mij – nou, lekker begin van de dag. Ook goedemorgen!' Haar ogen spuwen vuur, haar mond is een dunne streep: ik herken de goedmoedige vrouw bijna niet die altijd klaarstaat als klassenouder.

'Echt, ik heb alles geprobeerd, maar niks werkt.' Inmiddels is de toon verongelijkt. Ze staat nog net niet te stampvoeten bij de fietsenstalling op het station. Dan valt ze stil. Zeg jij het maar, zegt haar lichaamstaal. Ik aarzel, de trukendoos is zó opengetrokken, maar daarin zit zelden de oplossing voor het probleem waar een andere ouder mee worstelt.

Ik waag het er toch op en vraag: 'En als je man het doet? (hetzelfde) Hoeveel tijd hebben jullie 's ochtends? (genoeg) Komen de andere kinderen wél makkelijk uit bed? (geen probleem) Hoe gaat het op school? (goed) Wanneer werkt ze wel mee? (nooit, of eigenlijk alleen in het weekend)' (Hé, een aanknopingspunt.) 'Waarom dan wél?' 'Ja, dan mag ze zelf bepalen wanneer ze opstaat.' En dan: 'Je bedoelt...' Het is ontroerend om te zien hoe de moeder opeens weer iets ziet waarmee ze uit de voeten kan.

'Nog één vraag', zeg ik als ze een plan van aanpak geformuleerd heeft. 'Wat maakt je toch zo verschrikkelijk boos als ze zo eigengereid is?' De buitenproportionele woede aan het begin van het gesprek houdt me namelijk nog bezig. Gegeneerd kijkt ze me aan. 'Mijn coach op het werk vroeg dat laatst ook al. Blijkbaar een thema van me, in mijn P.O.P. ga ik eraan werken. Je komt jezelf ook overal weer tegen hè?'

ZEUR-OUDERS EN WRING-KINDEREN

De wanhopig mopperende moeders van meisjes die niet op tijd opstaan en jongens die hun huiswerk niet maken – ze staan niet op zichzelf. En diep onder hun gefoeter zit klassieke twijfel over hun competentie als ouder. Kan ik het? Pak ik het goed aan? Snap ik dit kind wel?

Zo gaat dat met ouders: wringt er ook maar íets met een kind, dan twijfelen ze aan zichzelf. Dan wankelt hun zelfvertrouwen, proberen ze nog harder om het gewring met het kind ongedaan te maken, wordt hun zelfvertrouwen nog wankeler – totdat ze iemand in vertrouwen nemen en weer weten dat het kind best oké is en zijzelf best een goede ouder.

Denk dus niet dat zeurende oma's en moeders, of vaders, alleen maar zeuren.

DE ONTWIKKELING VAN LIEVE PEUTER TOT WARE TIRAN

Kinderen zijn goed in gewring met ouders. Niet allemaal, maar menig kind ontwikkelt zich tot een ware wring-specialist. Met ultra-fijne antennes tast het gevoelige plekken af, om vervolgens precies dat te doen of te zeggen wat vader of moeder onzeker maakt. Niet bewust en ook niet expres, maar het gaat ongeveer als volgt. Het kind merkt: 'Als ik gil bij "nu naar bed" raakt ze geprikkeld, en als ik dan "bang" zeg, wordt ze onzeker, en daarna krijg ik mijn zin.' Datzelfde de volgende avond wéér, en nog een keer, en dan wordt mama tien minuten vóór bedtijd al onzeker en denkt: wat betekent dit allemaal? Moeder weet het niet meer. Als ook vader zich erin mengt, heeft het kind bijna vrij spel, want óf hij trekt partij voor het kind als moeder flink probeert te zijn; óf hij doet flink en moeder voelt zich niet begrepen. In het eerste geval heeft het kind een medestander en werpt het papa smartelijke blikken toe om hem nog meer aan zijn/haar kant te krijgen. In het tweede geval gaan die blikken richting mama – opdat die zich tenminste door hem/haar begrepen voelt.

Het kan heel ingewikkeld worden thuis als dit nog een tijdje doorgaat. Wie vormen een bondje? Wie is tegen wie? Zodra vader en moeder het eens lijken te worden, zet het kind zwaardere middelen in: smartelijk snikken, iets wat op een paniekaanval lijkt, 'buikpijn'. Een collega vertelde over een verhuizing toen hun dochtertje drie jaar was: van een flatje naar een huis met tuin. Wát een feest – totdat het meisje naar de nieuwe crèche ging met een andere juf en allemaal andere kinderen, en ze thuis met de dag nukkiger werd. Haar ouders begrepen het. Ze reageerden toegeeflijk. En dochtertje dacht dat ze 'dus' zich zo ongeveer alles kon permitteren. Het ontging de ouders niet dat hun lieve meid veranderde in een ware tiran, en op een avond staken ze aarzelend de koppen bij elkaar: wat is er aan de hand? De eindconclusie was: 'We moeten maar weer eens gaan opvoeden!'

HET KAN ZOMAAR GEBEUREN!

Vastlopen in gewring met een kind kan zomaar gebeuren – in elk gezin, met elk kind en bij elke ouder. Functioneren ouders dan niet goed? Welnee, er ontgaat hun iets, maar wát?

Kunnen bezorgde ouders dus zelf uitpuzzelen wat er schort? Ze doen niet anders! Maar het 'werkt' alleen wanneer ze een bepaald soort vaste grond onder de voeten hebben – net zoals bij de moeder, hierboven, die gek werd van haar zoon die een potje maakte van zijn schoolwerk. Pas als ze van de buurvrouw hoort dat hij de enige oppas is die hun kinderen op tijd in bed krijgt, hoe gek ze op hem zijn, en hoe streng en rechtvaardig hij voor ze is – *pas dan* weet ze het weer: dat hij behalve 'een doerak' ook héél sociaal is. 'Hij gaat zo gemakkelijk met allerlei mensen om', constateert ze zelf opeens. Dat wil zeggen: ze weet het weer nadat ze de boodschap heeft gekregen dat hij een aardige vent is – en zij *dus* een goede moeder.

10

Zoveel manieren

Volgens Janneke zijn er talloze manieren om een kind
groot te brengen en Alice laat zien hoe geraffineerd
ouders hun eisen en grenzen doseren

ZES MANIEREN OM JE KIND UIT HET WATER TE KRIJGEN

'Mam, mogen we chips?' 'Ja hoor schatjes, met hoeveel vriendjes ben je? Nog wat drinken erbij?' Op het ligbedden-landschap naast mij is het een komen en gaan van kinderen en volwassenen. Ik krijg maar niet helder wie bij wie hoort. De onuitputtelijke tas van deze *madre di famiglia* komt recht-streeks uit het bijbelverhaal van de twee vissen en de drie broden. Al drie keer heb ik haar horen zeggen dat ze zo da-delijk weggaan bij het zwembad maar 'zo dadelijk' blijkt een rekbaar begrip.

Heel anders dan bij mijn buren aan de andere kant. 'Sha-ron, Michael kom! Nee, NU het water uit. We gaan naar huis.' Zonder pardon het water uit gecommandeerd, maar zonder dat de vader kwaad is. Dat niet. De kinderen zitten gedwee op te drogen in de zon, terwijl hij rustig de spullen inpakt. Ik kijk even de andere kant op (er is zoveel te kijken) en een tel later zijn ze al vertrokken.

Fantastische plek om ouders te observeren. Ik kijk mijn ogen uit op deze zonnige middag bij het campingzwembad.

'Thomas, hoe komt het nou dat je niet op de tijd gelet hebt?' De moeder zit gehurkt naast het bad en neemt de tijd om uit te vinden waarom hij niet op de afgesproken tijd is komen lunchen. 'Je weet dat ik het goed vind dat je alleen gaat zwemmen, maar dan moet ik er wel op kunnen rekenen dat je de tijd in de gaten houdt, zoals we dat hebben afgesproken. Was je te druk of had je geen zin in eten? Dat heb je soms met de warmte. Kom je er even uit? Dan praten we erover.'

'Als we de parasol nou daar zetten, want de zon draait zo, dan kunnen we hier ongeveer anderhalf uur blijven.' Weer nieuwe buren installeren zich. De identieke handdoeken passen perfect op het zonnebed en hebben hetzelfde motiefje als de strandtas. De kinderen zijn thuis al waterproof ingesmeerd en krijgen de laatste instructies mee: 'Kijk even goed waar we zitten en zoek een oriëntatiepunt zodat je ons niet kwijt raakt. Als je ons toch niet meer kunt vinden, dan meld je je daar bij de ijsverkoper en laat je je armbandje zien waar ons 06-nummer op staat.' De achtjarige zoon knikt verveeld. 'Ja-ha, dat weet ik nou wel', zegt-ie. Om zijn vader voor te zijn vervolgt hij met: 'En als we een pakje drinken krijgen, blijven we daarna uit het water om op te drogen en gaan we naar huis.'

'Van wie is deze korte broek?' Naast mij onderneemt *la mamma* de zoveelste poging om het spul zover te krijgen dat ze teruggaan naar de tent. De jongste plonst nog maar eens het water in. 'Ah nee Rikkie, nee, nou ben je weer helemaal nat en je was net opgedroogd. Nou ja, eventjes dan nog, dan verzamel ik alvast onze spullen.'

Aan de overkant ligt een stel te lezen in de schaduw: hij met opgespaarde zaterdagse krantbijlages en zij verzonken in verantwoorde literatuur. Tegen een uur of vier hoor ik hem zeggen: 'De kinderen zijn nu al twee uur onafgebroken in de zon, ik geloof nooit dat factor 30 daarvoor bedoeld is.' 'Volgens de gebruiksaanwijzing is het wel toegestaan', zegt zij. 'Ik weet het niet, ik vind het toch een fijner idee als ze nu het water uitkomen en iets aantrekken.' Hij roept de kinderen bij zich en houdt ze een T-shirt voor. 'Ooooow, jij ook altijd met je anti-huidkanker', hoor ik ze verzuchten. Ik schat ze een jaar of tien, twaalf, maar ze doen wel wat hij zegt.

Achter mij wordt intussen druk onderhandeld tussen een moeder en haar kleuters: 'Ik wil eigenlijk wel naar huis. Ik moet nog eten koken straks en ik heb het ook wel gehad hier.' 'Maar wij willen nog blijven, het is veel te leuk. Ah toe, mogen wij nog blijven?' 'Nou, niet alleen. Daar zijn jullie nog te jong voor. Maar ik snap wel dat jullie het zo fijn hebben. Weet je wat, dan ga je nog één keer van de glijbaan en nog één keer in het diepe bad en daarna gaan we naar huis.' 'Twee keer van de glijbaan!' 'Oké, twee keer van de glijbaan. Maar daarna geen gezeur meer. Dan gaan we echt meteen.' 'Oké!' en zoefff, weg zijn ze.

De moeder naast mij heeft intussen geregeld dat een andere volwassene haar kinderen in de gaten houdt zodat zij naar huis kan om het eten voor te bereiden. Iedereen is van harte uitgenodigd om mee te komen eten.

Kom, het is ook voor mij ook 's tijd om op te stappen. Eerst mijn kinderen nog het water uit zien te krijgen. Uit welk vaatje tap ik vandaag om dat voor elkaar te krijgen?

HELIKOPTERVIEW

'Ik weet me geen raad, het meiske slaapt twintig minuten en is dan alweer wakker. Thuis slaapt ze met gemak twee uur achter elkaar. En ze wil niet in de box, ze huilt alleen maar. Ik kan mijn dochter toch niet bellen om haar de borst te geven?' Eergisteren vertelde ze me stralend dat haar kleindochter een dagje zou komen. Het bedje stond al klaar, ze had een box geleend en haar dochter had een uitgebreide instructie gemaild, dat moest goedkomen. En nu, gedesillusioneerd leunt ze tegen het tuinhek. Ze had het zich zo anders voorgesteld. Ze voelt zich mislukt als oma, nu al. Ik zou mijn arm om haar heen willen slaan, maar zo'n relatie hebben we niet. Stilletjes hoor ik haar aan.

Intussen zie ik in mijn hoofd dat mensje van amper tien weken oud dat nog nooit zonder haar moeder buiten de deur is geweest. Opeens is ze in een ander huis, met ander licht, andere temperatuur, een vreemd bedje, handen die haar anders vasthouden en het is er vast doodstil zonder het kabaal van haar drie broers. Dat moet heel onwennig zijn. Maar hoe zeg ik dat tegen een vrouw met zoveel meer levens- en moederervaring dan ik?

Ik waag het erop. 'Ze is vandaag toch pas voor de tweede keer bij je? Misschien moet je haar, en ook jezelf, het voordeel van de twijfel gunnen. Neem wat meer tijd om aan elkaar te wennen. Je hoeft het niet precies hetzelfde te doen als haar moeder, als ze maar merkt dat ze kan vertrouwen op jouw goede zorgen. En dat doet ze het snelst wanneer jij niet te veel twijfelt of je het wel goed doet.' Het voelt onwennig om dit zomaar te zeggen, maar het rolt er pardoes uit.

'Verdikkeme, daar heb je waarschijnlijk gelijk in!' ('Gelukkig, ze vindt me geen wijsneuzerige bemoeial', denk ik opgelucht.) 'Ik probeer en probeer maar en ik vergeet dat ze mij en mijn huis nog helemaal moet leren kennen. Dom dat ik dat niet zelf bedacht heb, ik ben soms zo ongeduldig. Dank je wel. Ik ga gewoon dapper verder!' en ze kijkt een stuk opgewekter als ze over het tuinpad terugloopt naar haar voordeur.

Soms is het nog zo gek niet om even vanaf de maan te kijken naar wat je aan het doen bent. Leuk om dat met iemand samen te doen, gewoon op de stoep voor je huis.

VRIENDEN

'Ze huilt best veel en overdag slaapt ze maar drie kwartier, dat had ik me toch anders voorgesteld.' Het kostte me negen jaar geleden moeite om dat over mijn lippen te krijgen, maar mijn vriendin antwoordde allerliefst; 'Joh, dat is een fase waar ze weer overheen groeien. Alles bij kinderen gaat in fases. Als je dat maar voor ogen houdt, is het wel uit te houden.' Dat hielp. Een beetje. Maar waar ik écht mee zat was dat ik me schuldig voelde dat ik het niet stralend kon doorstaan, zo'n huilfase. Ik was bang dat ik als moeder niet genoeg over had voor mijn kinderen. Mijn vriendin opende demonstratief de koektrommel: 'Hier tast toe, chocoladekoekjes zijn het ideale troostvoer.' Daar zijn vriendinnen voor. Die steken je een hart onder de riem als je dat nodig hebt.

En nu zie ik al geruime tijd een van onze beste vrienden modderen met een weerspannige zoon. De jongen luistert slecht, raakt zoek op onmogelijke plaatsen, timmert in de speeltuin de kinderen op hun kop als ze niet doen wat hij zegt en haalt zijn vader het bloed onder de nagels vandaan. Wanneer we een dagje met zijn allen op stap zijn, jeuken mijn handen om in te grijpen. Uit alles blijkt dat het joch schreeuwt om grenzen, maar dat is niet de sterkste kant van die gezellige vriend. Hij waarschuwt wel, maar vergeet er consequenties aan te verbinden, en bij de zoveelste keer schiet hij uit zijn slof. De jongen krimpt ineen, pa voelt zich schuldig over zijn buitenproportionele reactie en we zijn terug bij af. Zucht. 'Wat moet ik toch met 'm aan. Ik word er gek van. Ik heb 'm tig keer gewaarschuwd en je weet wat voor hekel ik er aan heb om politieagent te spelen. Nou, dan *doe* ik dat en dan luistert ie niet. Kan ik het dan nooit goed doen?'

Gewetensvraag! Als vriendin wil ik zeggen dat hij natuurlijk zijn best doet (al doet ie het anders dan ik het zou doen) en dat ik zie hoe moeilijk hij het heeft. Ik wil hem graag troosten en een goed gevoel bezorgen, maar ik vrees dat zijn opvoedstijl dramatisch ontoereikend is voor dit specifieke jongetje, dat toevallig wel zijn zoon is. Ik wéét dat mijn vriend slecht tegen kritiek kan, zich kwetsbaar voelt als vader, continu al de kous op zijn kop krijgt van zijn baas die meer initiatief van hem verwacht en van zijn vrouw die het altijd beter lijkt te weten. Als ik écht zeg wat ik denk, zet dat onze verstandhouding zwaar onder druk. Kies ik ervoor om de vriendschap in stand te houden of kies ik voor het kind? Ik vind het zo gezellig met hem als de kinderen er niet bij zijn.

Misschien voortaan maar afspreken zonder kinderen? Dan is die heikele kwestie tenminste van tafel.

NODIG?

'Ik vind het best dat ze groot worden, maar ze moeten wel bij mij blijven!' Voor een grapje komt het ongemeen fel uit haar mond. Binnenkort gaat haar oudste op kamers en ze kijkt er niet naar uit. Wat een vreemde taak hebben we toch als ouders: je stopt ontzettend veel energie in je kind met als belangrijkste doel dat je niet meer nodig bent.

Ik weet nog hoe dol onze oudste was op glijbanen. Amper een jaar oud was ze al verslingerd aan die prachtige rode en gele roetsjbanen in speeltuintjes. Talloze keren zette ik haar bovenaan neer en trok dan gauw een sprintje om haar beneden weer op te vangen. Heen en weer en heen en weer, telkens weer. In het begin had ze nog aanmoediging nodig om zich te laten gaan, maar niet lang. Misschien dat we eerst samen van de glijbaan gingen, maar dat weet ik niet meer. Natuurlijk liet ik haar ook proberen of ze zelf het trapje op kon klimmen. Een tijdje hield ik haar vast bij haar middel. Daarna stond ik als levend vangnet om haar heen gevouwen, terwijl ze haar Mount Glijbaan beklom, en op een dag riep iemand bezorgd: 'Mevrouw, is dat kleintje van u, ze klimt op de glijbaan!' Toen was ze anderhalf en apetrots dat het haar lukte om zelf de glijbaan te bedwingen. Bewonderend applaus van mama natuurlijk, maar eigenlijk had ze dat al niet meer nodig. De eigen voldoening over het overwinnen van de hindernis was groot genoeg. Ze was los voordat ik haar losliet.

En zo leren onze kinderen lopen, eten, fietsen, huiswerk maken, geld uitgeven en uitgaan. Ondertussen leren de ouders voordoen, samen doen, toekijken en loslaten. Voordoen en samen doen gaat de meesten nog wel goed af. Moeilijker wordt de overgang naar toekijken en uiteindelijk loslaten. Niet omdat we geen vertrouwen in onze kinderen hebben, al wordt die smoes vaak gebruikt. De hindernis is dat het kind op zichzelf komt te staan. Dát is de grote stap, voor ouders welteverstaan. Voor de één is dat gemakkelijker dan voor de ander. Daarom houden zoveel ouders hun kinderen liever nog even vast op de glijbaan, bij het oversteken, bij het fietsen, bij de besteding van het kleedgeld – of als ze op het punt staan om op kamers te gaan.

HOE WERKEN OUDERLIJKE VERKOOPTRUCS?

Nee zeggen tegen wat je kind zo graag wil, en eisen wat het niet wil: dat is de kale kern van een kind grootbrengen. Maar hoe verkoop je 'NEE' als ze nog één baantje willen zwemmen, en hoe zeg je 'NU het water uit!' als jij vindt dat het tijd is om te gaan. Met alle kleine mensen moet dat nu eenmaal gedurende enkele decennia: de ene keer nee zeggen en dan weer ja eisen. In- en in-vervelend is het. Voor beide partijen.

Toch speelt menige ouder het klaar zonder dat er van minuut tot minuut herrie is, en zonder dat kinderen wrokkig worden of akelig gedwee. Kennelijk kán het. Je *ziet* het gebeuren – zoals op het strand of bij een zwembad. Je kunt het ook *horen* – zoals in de trein, wanneer ouders bellen met een kind. Dan 'hoor' je hoe oud dat kind ongeveer is, en wat voor tiepje. Hoe jonger het kind, hoe hoger de ouderlijke stem en hoe 'liever' het gesprekje klinkt. Bij oudere kinderen gaat het zakelijker, en bij een moeilijk kind hoor je het nadrukkelijke geduld, de extra uitleg en een quasi-opgewekte toon. Ook *ongeduld* aan de andere kant van de lijn kun je horen: ouders doen hun uiterste best om het gesprek netjes te houden.

Ook thuis is de toon anders met kleintjes dan met de groten. Met een baby klinkt het als vogeltjes onder elkaar, en altijd proberen ouders hun emoties in de hand te houden óók als het beestje dwars doet – al was het maar omdat het anders thuis niet uit te houden is. Uit zelfbehoud voegen zij zich (idealiter) naar de leeftijd en de stemming en de mogelijkheden of tekorten, kortom naar de aard van het beestje – en dan voegt het kind zich (idealiter) naar de ouder. En zo ongeveer ontstaan die eindeloos gevarieerde manieren van ouders om hun eisen en grenzen aan kinderen te 'verkopen'.

Het komt allemaal neer op nee zeggen tegen iets wat het kind wil, en zorgen dat het ja zegt tegen wat jij wilt. Met grove middelen verspeel je het ouderlijk overwicht, maar verder is er veel gepermitteerd en mogelijk. Wat je ouders dan ook ziet en hoort doen is een eindeloos laveren tussen 'niet te vroeg en niet te laat' iets weigeren of eisen, en 'niet te veel en niet te weinig'.

HET TIMEN EN DOSEREN VAN GRENZEN EN EISEN

Er zijn ambitieuze of roekeloze kinderen die *moeten* worden afgeremd, terwijl de bedachtzame juist een duwtje nodig hebben om aan iets nieuws te beginnen. Bij de eerste denk je ongerust 'wat spookt ze nou weer uit...' Bij de tweede ongeduldig 'wanneer leert hij ein-de-lijk fietsen!' Een paar jaar later is het respectievelijk: 'Nee, níet alleen oversteken' en: 'Jawél, jij gaat voortaan alléén naar school'.

Maar op welk moment moet er afgeremd of juist geduwd? En hoe hard? Niemand weet het. Laten wij dus duizend bloemen bloeien, zoals Mao proclameerde, of houden we het gras kort en wordt onkruid bijtijds gewied, volgens de tien geboden van de tuinman? Is grenzen stellen zoiets als 'politieagent spelen', of voelen kinderen zich daar veilig bij omdat het 'consequent' is en 'structuur' biedt, zoals dat opvoedkundig heet?

Geen enkel ideaal past precies op de vraag wat hier en nu haalbaar is met dit kind en voor deze ouder. Dus: *mag* ik nee zeggen? Eisen dat zij als het ware ja zegt tegen mijn nee? Of *moet* ik ja zeggen tegen haar nee? Geen idee!

Elke ouder vindt het met elk kind elke dag keer op keer opnieuw uit: *wat* haalbaar is, *hoeveel* en *wanneer*. Heel soms krijgen kinderen een grens door de strot geduwd, zoals toen mijn broer tegen zijn zoon zei: 'Je haalt dat tentamen of je gaat maar een baan zoeken!' Meestal echter wordt de bittere pil van eisen en grenzen in poedervorm toegediend: kleine doses door de dag heen. Een mini-dosis 'nee' langs de neus weg als het kind iets raars wil: vader zegt heel terloops 'Hoe kom je erbij!' terwijl hij zijn fietssleutel zoekt. Of moeder zegt na het eten tegen niemand in het bijzonder: 'Wie brengt de spullen even naar de keuken asjeblieft – dankjewel!' en pakt de krant. De boodschap is glashelder: er mag iets niet of er moet iets. Maar juist de achteloze manier van overbrengen laat het kind weten dat het menens is – zonder dat het gezichtsverlies lijdt wanneer het toegeeft.

NÒG EEN MANIER: ACHTELOOSHEID

Kinderen ruiken het wanneer hun ouders niet goed raad weten met de situatie. Zit er maar een kiertje in hun zelfvertrouwen, dan zeurt een kind dus nog even door – zeker als de andere ouder aarzelt of een zusje grijnzend toekijkt. Waarom? Omdat ouders herrie graag uit de weg gaan – en omdat kinderen dat weten als geen ander.

Wat doen dus de vader met de fietssleutel en de moeder met de krant eigenlijk? Zij doen iets wat kinderen nog niet kunnen: zich aan de discussie onttrekken. Is dat autoritair? Moeten ze niet gewoon nog eens uitleggen wat de bedoeling is? Nee, want het kind weet heel goed wat de bedoeling is, en nog eens uitleggen verleidt tot protest en voor je het weet tot ruzie. Zeggen dat je begrijpt dat ze het vervelend vindt? Nee, want ze *mag* de pest in hebben. Ze *hoeft* niet in te stemmen met, of begrip te hebben voor, zoiets vervelends als eisen en grenzen. Op een bepaald moment is praten dan ook geen optie. Er *moet* gewoon iets: eis = eis en grens = grens, en begrip voor elkaar doet er niet toe. Het kind vindt het niet leuk; de ouder evenmin, maar die neemt verantwoordelijkheid voor de gestelde eis of grens, en accepteert dat het kind boos is en/of teleurgesteld.

Héél vervelend – die diepe teleurstelling of verbeten drift bij jouw lieverdje – maar ze horen erbij. En ouders tonen respect daarvoor – onuitgesproken – door naar fietssleutels te blijven zoeken of de krant te lezen.

Intussen houdt die ouder wel degelijk met een schuin oog in de gaten óf de gestelde grens wordt gerespecteerd en óf aan de eis wordt voldaan. (Zo nodig wordt er bij het wegfietsen of van achter de krant nog even aan herinnerd.) Dit soort achteloos is namelijk niet letterlijk onachtzaam, maar een opvoedmanier die energie spaart bij de klus van twintig jaar een mensenjong begeleiden van 'zelluf!' naar zelf doen. Denk weer even aan die 3 tot 15 conflicten per uur bij de kleintjes. En aan de basisschooljongens die de halve tijd niet doen wat hun wordt gezegd. Ouderschap gaat gepaard met *on*-aangename emoties in velerlei kleuren en gradaties, en juist dan is overschakelen naar 'achteloos' dé manier om jezelf te hervinden.

Het achteloze geeft je een adempauze. (Het kind ook, trouwens.) En je weet weer waar het eigenlijk over ging.

11

Denken

Niet alles is wat het lijkt te zijn, ontdekt Janneke,
waarop Alice overpeinst hoe verstandig het is aan
kinderen te beginnen

VEILIGHEID VÓÓR ALLES

'Mama, zag je dat? Die mevrouw deed heel boos omdat haar kindje op het klimrek ging. Ze pakte het meteen weg terwijl ze nog helemaal niet hoog was.' De jongste is naar me toe gerend en kijkt me vragend aan. Ik zag het gebeuren en het verbaasde mij ook, maar hoe leg je een kind van zes uit dat je als ouder altijd schippert tussen 'laten gaan' en 'ingrijpen'. De ene keer lukt dat beter dan de andere. Het ge-pas-op en -kijk-uit is niet van de lucht in een speeltuin, en vaak al voordat er sprake is van gevaar. Je moet als ouder ongelukken zien te voorkomen, dat spreekt, maar de truc is om waarschuwingen op precies het goede moment te laten klinken, niet te pas en te onpas. Dan verliezen ze hun functie.

Deze moeder lijkt me al te voorzichtig met haar kleintje. Een kind moet ook de kans krijgen om te leren en dat gaat nu eenmaal met vallen en opstaan. Of zit ik ernaast en heeft ze een goede reden om resoluut het spel van haar kind te onderbreken? Van de buitenkant kan ik dat eigenlijk niet zeggen. Het is te gemakkelijk om zomaar te oordelen over andermans aanpak.

'Tja lieverd, misschien was ze bang dat haar kindje zou vallen', zeg ik tegen mijn dochter. 'Maar ze stond pas op de tweede stang! Zo leert ze het toch nooit? En waarom was die moeder dan zo kwaad? Ze ging schreeuwen en pakte dat kindje echt zo hop-hop onder de arm en sleurde het naar de kant.' Ze is oprecht verontwaardigd over zoveel onrecht. Ik geniet stiekem van haar observatievermogen. 'Ik weet het niet. Het is nog wel een heel klein kindje. En misschien is het nog niet zo handig en valt het vaak. Misschien had ze al een paar keer gewaarschuwd dat het kindje het klimrek niet op mocht. Maar dat zou ze natuurlijk beter niet zo boos kunnen zeggen. Je kan het kindje ook rustig oppakken, zeggen dat het niet mag en daarna het bij iets te spelen zetten dat wél veilig is.'

'Of ze zou haar kindje kunnen leren hoe je *goed* het rek in klimt', oppert mijn jongste.

DENKEN

'Kijk eens wat ik voor je heb meegebracht', zeg ik enthousiast als ik terugkom uit de stad. Verwachtingsvol graait mijn dochter in de tas. 'Oh, is dat alles, wat moet ik daar nou mee?' Ze draait zich om en druipt teleurgesteld af. 'Dat is toch handig, een map om al je muziekspullen in te doen? Ik dacht, dan heb je tenminste alles bij elkaar. Ik dacht dat je dat fijn zou vinden.' 'Heb ik dat gezegd dan?' 'Nee, maar ik zag je zo hannesen met al die losse papieren dus toen dacht ik...' 'Ja, toen dacht je dat ik dat handig zou vinden, maar dat vind ik dus niet', zegt ze. 'Jammer van het geld', voegt ze er droog aan toe.

Wat een ondankbaar wicht! En nog bijdehand doen ook. Denk je haar te helpen, overwéégt niet eens om er gebruik van te maken. Ik loop me hier het vuur uit de sloffen om overal aan te denken, problemen op te lossen vóórdat ze zichtbaar worden en mevrouw haalt haar schouders op. Dit is toch te gek voor woorden. Mijn moeder zou me genadeloos mijn plek hebben gewezen en ik open mijn mond al om haar een standje te geven...

Net op het nippertje slik ik mijn woorden in, want ze heeft wel een punt. Als ik ga denken aan wat zij denkt, omdat ik denk dat ik beter voor haar kan denken, omdat ze zelf nooit ergens aan denkt – ze denkt ook nooit aan mij, denk ik – dan kan je lang blijven denken. En je boos maken omdat het niet wordt gewaardeerd, kost ook nog eens veel energie. Dat moet ik dus anders doen.

Iemand nog een map nodig?

LANGZAAM LUISTEREN

'Mama, hoe komt het dat Ineke altijd alleen maar snapt wat ze zelf heeft meegemaakt?' Ik ben even beduusd want ze slaat de spijker op zijn kop voor deze oppas. 'Ze zegt dat ik mijn ijs niet zo snel moet opeten, omdat je dan hoofdpijn krijgt, maar dat heb ik helemaal niet.' Verontwaardigd doet ze er nog een schepje bovenop: 'Als zij dat krijgt, wil dat toch niet zeggen dat ik daar ook last van heb!' Het is me duidelijk lieve meid, ik begrijp wat je bedoelt. Denk ik.

Als ik het koud heb, maan ik ook mijn puberdochter een vestje aan te doen over haar dunne blousje. Terwijl, zo weet ik inmiddels, haar warmtehuishouding een stuk beter geregeld is dan de mijne, zodat zij dat vest binnen tien minuten zwetend wegwerpt.

Ik ben niet de enige die van zichzelf uitgaat bij het zorgen voor een ander. Bij noodsituaties is dat misschien praktisch, maar op andere momenten loont het de moeite om te onderzoeken op wiens wens of probleem ik denk te reageren. Als ik denk aan een half woord genoeg te hebben, probeer ik nu langzamer te luisteren. Niet meteen denken dat ik al begrijp wat de ander bedoelt. Vragen stellen, nieuwsgierig zijn, mijn inzichten delen, maar niet opleggen. Daar komen mooie gesprekken van en soms steek ik er ook zelf nog wat van op. Win-win dus.

OUDERS ZIJN NET MENSEN?

'Overbezorgde moeders maken kinderen onzeker', kopten de kranten laatst. 'Afwezige vaders doen jongetjes vervreemden van hun mannelijkheid' en: 'Sociale status ouders van invloed op geluksgevoel kinderen'. Steeds gaat het over het effect van een bepaald soort opvoeding op het kind, maar zelden lees je iets over het effect van een kind op de ouder.

Even tot je door laten dringen: hoe beïnvloedt mijn kind mij? In een gezin ontkom je immers niet aan wederzijdse invloed. Mijn oudste dochter, bijvoorbeeld, gedijt het beste bij duidelijke regels. In de vakantie maak ik daarom voor haar een dagprogramma, hoewel ik zelf meer hou van 'we zien wel'. Dat matcht dus niet. Misschien zal het wel nooit helemaal matchen – en daar baal ik wel eens van.

Het 'maakbare kind' is nog niet geboren. Er zijn kinderen die voorzichtig van aard zijn en onbesuisde exemplaren. Niet om een bepaalde reden, gewoon een kwestie van temperament. Stel jij bent een hartstochtelijk bergbeklimmer, maar voor je kind is het eenvoudigste klimrek een onneembare vesting. Hoe ga je daarmee om in het dagelijks leven? Wat betekent het voor deze ouder om de hoop op spannende gezinsvakanties in de Alpen te laten varen?

Zonder dat kinderen beïnvloed zijn, heb je nu eenmaal stoere meisjes en meisje-meisjes, net zoals je kwajongens en watjes hebt. Hoe ga je als zachtaardige vader om met een oorlogszuchtige zoon? Hoe begeleid je de jongen die zich heel anders ontwikkelt dan jij je had voorgesteld? Voel je je op je gemak bij een zoon met een voorkeur voor roze, als jij beroepsmilitair bent?

Hoeveel kun je houden van een kind waarin je jezelf niet herkent?

Het ene kind is bewerkelijker dan het andere. Ook de beste opvoeding verhelpt dat niet. En het ouderstel dat het allemaal zo goed voor elkaar had, moet toch de carrièreplanning bijstellen als een kind chronisch ziek is. Welk effect heeft het op het geluksgevoel van de ouders als kinderen niet volgens het boekje grootgroeien? Als je structureel meer voor je kinderen doet dan je ooit terugkrijgt?

Of mag je je dat niet afvragen?

KINDEREN: EEN VERSTANDIG IDEE?

ONVEILIGHEID TROEF

Als ze zwangerschap en bevalling hebben overleefd, dan begint het pas. Dan word je geacht ervoor te zorgen dat ze in leven *blijven* en *niet* onder auto's komen of van het klimrek vallen. Die opdracht geeft ouders zelfs het recht, zo niet de plicht, om soms rauw tekeer te gaan – zoals ik eens kort na elkaar hoorde in onze nette buurt.

> *Een vrouw met twee kleintjes ziet de jongste opeens de weg op hollen terwijl er een auto aankomt. Een oerschreeuw doet hem ter plekke verstijven, en van schrik begint hij te huilen. Broertje slaat beide armen om hem heen en moeder legt uit: 'Er kwam een auto aan en toen moest ik even heel hard schreeuwen. Gaat het weer?' waarna ze hand-in-hand oversteken.*

De tweede moeder zag het gevaar niet aankomen.

> *Een heel klein meisje staat alleen in een lege straat. Ik loop naar haar toe: 'Waar is mama?' Ze wijst naar een auto: 'Auto mama!' – 'Waar is mama?' – Ze kijkt achter zich. Ik zie een open voordeur met daarachter een steile trap, bel aan en er verschijnt een jonge vrouw bovenaan de trap. Ik zeg dat er een klein meisje op straat loopt...*

voordat ik mijn zin kan afmaken roetsjt ze de trap af!
Terwijl ze het kind toekrijst grist ze haar mee de trap
op. Woest is ze! Van schrik en van schaamte: haar kind
had van de trap kunnen vallen, op slag dood! Had door
iemand meegenomen worden! Kunnen verdrinken in de
beek! Of dat mens (ik) belt de kinderbescherming...

De moeders hadden het zichzelf nooit vergeven als er iets was gebeurd. Veiligheid bieden is je basisplicht als ouder en gaat er ook maar íets mis, dan blijft dat je bij. Baby ooit van de aankleedtafel gevallen? Jaren later behandelen ouders dat kind nog steeds omzichtiger dan de andere kinderen. En hij gedraagt zich daarnaar. Kleuter ooit ongelukkig gevallen? Tien jaar later, als moeder er weer aan denkt, pakt ze haar even heel stevig vast: 'Ik héb je nog!' Alsof het gevaar nooit helemaal weg is.

'EIGEN BOONTJES DOPPEN!' OF 'ZEVEN SLOTEN DEMPEN'

Vroeger waren kinderen een verzekering voor de oude dag, dus hoe méér, hoe beter. Grootmoeder van vaderszijde was dertien keer zwanger, maar slechts twee kinderen werden gezond groot en mijn vader was de enige die haar overleefde. Grootmoeder van moederszijde zette elf kinderen op de wereld en verloor er vier aan ziekte of ongeval. Vier ongehuwde dochters 'brachten haar aan haar eind', maar de zorg was duur betaald!

In de jaren tussen onbezonnen kleintjes en zorgzame

volwassen 'kinderen' heb je groei-kinderen, en uiteraard zijn ze allemaal anders en zien ze 'gevaar' anders.

De roekelozen voor wie elk risico een uitdaging is.

De dwarsliggers voor wie regels er zijn om te overtreden.

De klunzigen die in zeven sloten tegelijk lopen.

De koppigen die het tóch en allemaal zelluf proberen.

De warhoofdigen die niet snappen wat wel/niet gevaarlijk is.

De goedgelovigen die denken dat alle grote mensen rekening met ze houden.

De niet zo slimmen die nu eenmaal bij de hand genomen moeten worden.

De optimisten die denken dat het wel meevalt.

De bangeriken die liever thuis blijven.

De behoedzamen die plannen en rustig hun weg zoeken.

Aan ouders de uitdaging om al die kinderen door het leven te loodsen, door het verkeer en door wat al niet voor onveiligs. Maar uiteraard zijn ook de ouders allemaal anders. Ik weet niet wat ingewikkelder is: een behoedzame ouder met een klunzig kind, of een klunzige ouder met een behoedzaam kind? Of is het juist ingewikkeld als je allebei hetzelfde bent: verlegen ouder met verlegen kind? Koppige ouder met koppig kind?

ELKE TIJD, ELK KIND, ELK OUDERPAAR: ALTIJD ANDERS

Alle ouders hebben bovendien wel iets overgehouden uit hun jeugd dat beslist niet mag of absoluut moet. Mag je kind een dood vogeltje oprapen? 'Nee-nee, daar kun je heel ziek van worden!' (mijn moeder) – 'Natuurlijk', zegt de andere ouder, 'en dan gaan we het samen mooi begraven' (mijn vader). Aan de kinderen de schone taak om daar wijs uit te worden. En wanneer zij straks zelf kinderen hebben, begint dit hele boek van voor af aan: dan krijgen ze hun tweede kans en dan bepalen zij wat passend is voor hún kinderen.

Alle ouders vinden nu eenmaal in hun tijd uit hoe ze hun kinderen leren omgaan met gevaren van nu, met hun eigen vrezen daarvoor en die van de partner – of ze vinden het níet uit. Er is nu eenmaal ouderlijk huiswerk dat nooit af komt. Vraag het maar aan je grootouders.

12

Genieten

*Soms is het supersimpel om het goed te doen en Alice
legt uit hoe belangrijk die 'goede ouder'-ervaringen
zijn*

MOEDERGEDULD

'Mama, ik vind dit niet leuk.' Een sneu hoopje mens ligt tegen me aan te gloeien. Mijn oudste is geveld door de griep. In de krant staat dat er zo veel mensen ziek zijn dat je van een epidemie kunt spreken. Maar als je dat leest is het toch anders dan wanneer het zich in je huis afspeelt. Mijn meisje hangt verlept in de kussens en meer dan gekreun, gesteun en onnavolgbaar ge-ijl komt er niet uit. Echt ziek dus. Niet schoolziek of een dagje aanklooien met een extra DVD, maar de vinger aan de pols houden of de temperatuur niet te ver oploopt en kijken of er af en toe een slokje in wil.

Ik nestel me op de bank met boek en koffie. Diep van binnen welt een enorm geduld in mij op. Ik word volslagen rustig. Er zijn. Dichtbij blijven om het angstige ijlen te dempen, om te laten voelen dat ik er ben als ze me nodig heeft. Moeder zijn is dan opeens zo simpel.

LIEF

'Ik vind je lief', zegt ze en onze achtjarige vlijt zich genoeglijk tegen me aan. We zoeven over de snelweg, het schemert, de lantaarnpalen zijn net aangefloept en we moeten nog een dik half uur rijden voor we thuis zijn. Gezellig zo samen in de auto. 'Ik vind jou ook lief.' Het komt uit mijn tenen. Ik doe mijn best om dit soort woorden niet op de automatische piloot uit mijn mond te laten rollen, maar deze keer is het echt helemaal echt. Konden we nog maar uren zo doorrijden, weg van alle dagdagelijkse gedoe. Waarom vind ik haar eigenlijk zo lief? Laat me dat eens hardop uitspreken, al ben ik dat van huis uit niet gewend. Aarzelend zoek ik woorden die haar recht doen en die tegelijkertijd geen druk veroorzaken, want daar is ze op dit moment megagevoelig voor. 'Ik vind jou zo lief om je lieve lach... om je vrolijkheid... om je muzikaliteit, om hoe jij zo gegrepen kunt zijn door een boek, om je grappige gehuppel, je behulpzaamheid, je slimheid, dat je zelf opstaat met de wekker... en om je heerlijke geknuffel', liefkoosplaag ik haar. Ze wentelt zich behaaglijk in al dat heerlijks.

Ze hoeft niks terug te zeggen, maar doet het wel. 'En ik vind jou lief om je lieve lach, om je halfvolle glas, om je krulhaar, om je mooie ogen en dat je je bril alleen in de auto op doet, want ik hou zo van je ogen en zonder bril zie ik ze beter, om je werk dat je doet met ouders, want het is ook voor ons belangrijk dat je zo leert hoe je moet opvoeden, om je man want anders had ik niet zo'n leuke papa, omdat je kinderen wilde krijgen, want anders was ik nooit geboren, om je boosheid van binnen die net als vuurwerk kan ontploffen, want ik hou van vuurwerk – ja, zelfs hou ik van je boosheid, want je bent mijn mama en ik hou van alles wat bij jou hoort.'

KNUFFEL

Ze knuffelt me bijna plat als ik zeg dat ze naar boven moet omdat het hoogste bedtijd is. Jaja, denk ik, uitstelgedrag, toe nou maar, naar boven, al geniet ik ook van dat altijd overstromende vat vol liefde. 'Ma-ham, kom je nog even?' klinkt het even later vanuit de badkamer. Hè wat doet ze dat toch goed de laatste tijd, denk ik trots als ik naar boven loop. Babbel-de-babbel blijkt ze nog helemaal niet uitgekleed en ook de tanden zijn nog niet gepoetst. 'Ik vond het zo ongezellig, zo alleen, dus ik wou jou graag even de buurt', fleemt ze.

Negen-en-een-half is ze nu, dat is al bijna tien, dan heb ik straks twéé tieners, bedenk ik me terwijl ik haar gadesla van-af de badrand. In haar kamer staan de pluche beesten nu nog rijen dik knus zij aan zij. Pal onder glamoureuze popsterren-posters uit Tina en Meiden Magazine. Maar ze kijkt alleen naar mij. Haar stralende lach maakt de kuiltjes in haar wangen diep als deuken. Jaja, natuurlijk krijg je nog een knuffel, graag zelfs, want ik heb 'r nog nauwelijks gezien vandaag. Zo gaat dat, als ze groter worden. Ze fietst zelf naar school, belt vanaf het schoolplein of ze mag spelen bij Louise en hopla dan is het alweer bedtijd. Met haar armen stevig om mijn middel duwt ze haar hoofd tegen mijn borst. Ze past nog ruim onder mijn kin. Ik til haar op, ze slaat haar benen om me heen, ik houd haar nog gemakkelijk, we stijgen bijna op. 'Wat ben je toch lief, ik hou van jou', murmelt ze in mijn oor.

Ik moet uitkijken dat de weekmakers mijn knieën niet doen verslappen. Als ze in haar hoogslaper klimt, kijkt ze nog even om. 'Hoe komt het toch dat ik jou zo lief vind, dat ik zó veel van jou hou, terwijl de moeder van Louise ook heel lief is. Maar van jou hou ik zoveel meer!'

Mooie vraag. Mijn antwoord dat wij bij elkaar horen, bevredigt eigenlijk niet als ik beneden op de bank naar het journaal kijk. Ik weet ook niet hoe dat werkt met houden van en onvoorwaardelijke liefde. Over een paar jaar houdt ze een tijdje wat minder van me, schat ik in. Later durft ze misschien weer te voelen wat ons bindt. Of misschien knelt de familieband te hard en zoekt ze worstelend een uitgang. Ik weet het niet. Voordat ik helemaal in de knoop raak, besluit ik te genieten van wat er is.

Een heerlijk meisje, en dat is het!

DE WONDERE WERKING VAN 'GOEDE OUDER'-BOODSCHAPPEN

Iets of iemand laat weten dat je het goed doet als ouder – en opeens ben je even in de hemel: jij bent immers 'een goede ouder'. Straks vloek je misschien keihard tegen je kind dat vervelend doet, maar dat doet daar niets aan af. Je een goede ouder voelen is een voorwaarde om goed te zien wat er allemaal speelt tussen jou en je kind, en om te kunnen denken over je aanpak, en of die misschien anders moet.

Ik bedoel dat vrij letterlijk. Je ziet niet goed wat er thuis speelt als je kwaad bent. Dan heb je de verkeerde bril op. Bovendien neem je het jezelf kwalijk dat je boos bent op je eigen kind. Al zijn daar nog zoveel redenen voor, het voelt niet goed – want je bent niet de ouder die jij wilt zijn: een die ziet wat een kind fout doet, maar daar niet zo nijdig om wordt.

Met kinderen kom je echter voortdurend in dat soort klemsituaties terecht. De snelste manier om daar weer uit te komen, en te blijven, is de zogenaamde 'goede ouder'-boodschap: iets of iemand (liefst je kind) laat jou weten dat je het zo slecht nog niet doet: dat jij – JIJ met al je gekluns – ja JIJ – een goede ouder bent! Dit heft je opeens uit boven het tumult, thuis en in je hoofd en met kind, man of moeder, en verleent je het soort superioriteit dat ouders immuun maakt voor kinderdrift, meelij van omstanders, kritiek van naasten of school, en ander ouder-ongerief. Elke week een paar van die momenten is genoeg om de moed erin te houden.

De kinderen zelf doen en zeggen bij tijden lieve dingen, en heel soms krijg je een complete liefdesverklaring – maar vaak niet wanneer je die nodig hebt. Dan juist niet. Reken dus niet op hen voor 'goede ouder'-boodschappen. Op wie kun je wél rekenen? Je partner? Zus of broer? Buurvrouw? Moeder of vader? Iemand op het schoolplein?

Soms is er even niemand, maar dan heb je nog altijd die voorraad illusies over je kind! Haal ze vooral te voorschijn, want zoals een collega eens zei: 'Zonder illusies geen effectief ouderschap.' Hij citeerde een beroemde psycholoog die schreef: 'Zonder illusies is het moeilijk om betekenis te geven aan het gedrag van je baby. (...) Je denkt dat je kind contact maakt, omdat jij zelf contact maakt. Je denkt dat je kind tegen je lacht, omdat jij hoopt dat je kind tegen je lacht.' En de Amsterdamse psychiater Louis Tas zei in een tv-interview: 'Ik ging ooit met een van mijn dochter naar een uitvoering van haar balletklasje: ik zag één danseresje en tien puddingbroodjes.'

Is het toeval dat alle drie deze (zelf)observaties van vaders zijn? Geven moeders minder makkelijk toe dat ze aan illusies lijden? Of weten zij het al lang – en weten zij ook hoe nodig illusies zijn?

Ik las een artikel over het 'zelfbedrog' van de adoptieouders van 24 verwaarloosde en ingewikkelde kinderen. Deze ouders hielden zichzelf op de been door hun kind nooit te vergelijken met andere kinderen, door elke millimeter verandering te zien als het resultaat van *hun* toewijding, en door zoveel mogelijk gedrag positief te benoemen: 'Brutaal zijn is juist heel nuttig voor een meisje' of: 'Een beetje bang zijn is verstandig; ook voor jongens.'

Met andere woorden: wanneer anderen jou niet de portie 'goede ouder'-boodschappen geven die een ouder minimaal nodig heeft om de dagen door te komen, aarzel dan niet om zelf iets te verzinnen.

Kennelijk werkt het[1].

---

[1]   *Clark, P., Thigpen, S. & A.Moeller-Yates (2006). Integrating the older. Special need adoptive child into the family. Journal of Marital and Family Therapy, 23, 2: 181-184.*

13

Deskundigen

Waarin Janneke worstelt met goedbedoelde adviezen
en Alice verklaart waarom opvoedkundigen anders
denken dan ouders

HUISBEZOEK

Einde van de dag, ik ben moe. Nog even de kinderen in bed gooien en dan is de tijd aan mij. 'Kom op wijffies, naar boven, hoogste tijd.' Ik sta al met één voet op de trap en merk dan pas dat niemand mij volgt. 'Hallo, contact?!' Twee meisjes gekluisterd aan de buis geven geen sjoege. Ik plaats mij in hun gezichtsveld, pal voor de tv. 'Hé, niet doen. Toe nou mam, dit is echt heel leuk, alleen dit nog even.' Jajaja, dit nog even, dat nog even, niks niet meer, klaar nu. Ik zet de tv uit en jaag het spul naar boven. 'Mama, wil je me dragen?' probeert de jongste van zes. Maar ik wil niet. Bovendien ben ik bang dat mijn spieren het begeven halverwege de trap, want ik ben echt doodop na een lange werkdag die om half drie naadloos over ging in zorg voor de kinderen. Met hangen en wurgen komen we boven.

'Kom op, schiet op', is al wat ik kan denken bij het uit- kleed-tandenpoets-plasritueel. En dus duurt het drie keer zo lang. De tandpasta is niet goed (terwijl het dezelfde als altijd is) en 'ik wil geen pyjama aan' (maar dan wordt ze vannacht om half vier wakker van de kou en kruipt bij ons in bed en daar heb ik geen zin in) en plassen wordt poepen wordt buikpijn wordt wachten tot ik een ons weeg en zo schieten we niet op. Huppetee naar bed, maar het voorlezen skippen mislukt. Oké, anderhalve bladzijde dan, en terwijl mijn hoofd al bij mijn laptop is lees ik op de automatische piloot voor de vierentachtigste keer uit het konijnenboek voor. 'Nog even bij me blijven liggen', smeekt de oudste, maar daar trap ik dus echt niet in want daarna wil ze dan nog een spelletje en dan nog even de dag doornemen en dan nog even... Bruut ruk ik me los en storm de trap af naar beneden.

Vrijheid!

Met een perfecte koffie verkeerd, drie koekjes en mijn laptop nestel ik mij op de bank voor het journaal. Geleidelijk zakt mijn adem en van lieverlee zakken ook mijn schouders naar benê. Dan belt toenmalig minister Rouvoet aan. Ik nodig hem natuurlijk van harte uit binnen te komen, want ik heb niets te vrezen van ons Nationale Hoofd van het Gezin. 'Steek van wal', moedig ik hem aan. Hij vertelt dat hij een onderzoek start naar de gedragsproblemen bij jongeren. Hij schuift wat dichterbij op de bank en fluistert me samenzweerderig toe dat hij de opzienbarende uitkomst van het onderzoek al voorspelt: 'Kinderen die het minder druk hebben – gecombineerd met ouders die er meer voor ze zijn – zullen aanzienlijk minder problemen geven!' Triomfantelijk kijkt hij me aan. Ik wou dat ik hem geen koffie had gegeven, maar vraag toch hoe hij zich dat voorstelt. Het kabinet ziet ouders immers liefst beiden werken, onontbeerlijk voor het gezond financieel-economisch evenwicht. Dan zet het natuurlijk geen zoden aan de dijk als manlief vier dagen werkt (de papadag is inmiddels een must) en moeder de vrouw een paar miezerige uurtjes in de ochtenden. Dus: twee keer vier dagen werken betekent in de basisschoolleeftijd drie dagen opvang en de twaalfplussers zoeken het maar uit. Op de overgebleven doordeweekse dagen moet dan het spelen, de clubjes, het huiswerk, de verjaarspartijtjes en bezoekjes aan tandarts en winkelcentrum geregeld worden. Dan kunnen we in het weekend het huis poetsen en op familiebezoek. Hoe combineert dat met de gepredikte rust en regelmaat van Superdaddy André? Gekweld kijkt hij me aan en vouwt de handen om voor mij en mijn gezin te bidden.

Bij het weerbericht schrik ik wakker. Er staat een meisje naast me, ze kan niet slapen zegt ze. Met een kus en een knuffel gaat ze weer naar boven. Nummer twee roept dat ze nog geen water heeft, en geen kruik. Ik hijs mezelf de trap weer op. Kinderen voelen feilloos aan wanneer ze geen echte aandacht krijgen en eisen 'm dan alsnog op. Zou Rouvoet dat bedoelen? Er zijn geen lastige kinderen, alleen maar drukke ouders. Is dat zo? Ik hoop maar dat hij in zijn onderzoek niet alleen onderzoekt wat er allemaal mis gaat met de geestelijke gezondheid van jongeren. Minstens zo interessant is de vraag hoe het de meeste ouders lukt om hun kinderen – uiteindelijk best goed gelukt – groot te brengen. Nog mooier als dat vader en moeder zijn zich niet alleen in de beslotenheid van thuis afspeelt, maar ook aandacht krijgt op het werk, in de tram, bij de dokter.

En dan hoop ik dat ie me 's avonds verder met rust laat. De kinderen liggen erin, ik ga genieten van mijn avond.

KINDVRIENDELIJK

Plotseling hoor ik de kinderarts zeggen: 'Misschien is het inderdaad beter om niet langer af te wachten. Laten we haar een paar dagen ter observatie opnemen in het ziekenhuis. Dan heeft ze meteen toegang tot alle onderzoeken en is hopelijk vóór de feestdagen duidelijk wat er aan de hand is.' Ik slik. Zojuist heb ik verteld hoeveel zorgen ik me maak en nu de arts dat 'niet pluis-gevoel' serieus neemt, overspoelt me een golf van paniek. Stel dat er écht iets aan de hand is? De afgelopen drie maanden zijn we de dagen doorgekwakkeld in het vaste vertrouwen dat het wel weer over zou gaan, maar stel dat... Ik durf niet verder te denken. Het meest waarschijnlijke was een bacterie die buikpijn veroorzaakt, maar die is niet gevonden bij het bloed- en ontlastingonderzoek. Ook het alternatief, een veelvoorkomende parasiet, is het niet. Dat het een psychische oorzaak heeft lijkt mij uitgesloten, want ze heeft nog nooit zo goed in haar vel gezeten als dit schooljaar. De dokter gaat onmiddellijk contact zoeken met de kinderafdeling en belooft vanmiddag nog terug te bellen.

Ik probeer mijn man te bereiken. Hij neemt niet op en ik wil zo'n bericht niet inspreken op zijn voicemail. Naar huis dan maar en ik zeg mijn laatste werkafspraak voor die dag af. In de auto strijden hoop (eindelijk duidelijkheid), vrees (gaat ze dood) en twijfel (stellen we ons aan) om voorrang.

Pas als ik bijna op een vrachtauto inrijd, merk ik hoezeer ik in beslag genomen ben door mijn gedachten. Ik spreek mezelf streng toe: 'Dit was toch precies wat je wilde? Wees flink, het is nu niet opeens erger dan gister, de situatie is nog precies hetzelfde. Met dit verschil dat er nu serieus gezocht wordt naar een oorzaak en we haar dan hopelijk kunnen helpen beter worden.' Trrring doet de gsm, mijn man. 'Hoihoi, ik probeerde je inderdaad te bellen, maar ik ga nu niet met je praten, want ik zit in de auto' (en moet mezelf beschermen om niet weer zo door emoties overmand te raken) – 'O, heb jij de dokter al gesproken?' – 'Ja, ik vertel het je straks, ik rij nu naar huis', zeg ik ferm. 'Oké,' zegt hij, 'ik had zojuist iemand van het ziekenhuis aan de lijn dat de opname morgen al kan, of zoiets? Weet jij daarvan? Moeten we dat doen?' Oef dat gaat ineens rap, een tikje onhandig om dat zo te regelen van het ziekenhuis, maar goed, weten zij veel. 'Eh ja, dat klopt. Ik had je nog niet te pakken gekregen om dat te vertellen. Maar als het morgen al kan, dan graag. Wil je ze dat laten weten? Tot zo, ik ben er bijna!' Zo, dat heeft de kinderarts snel voor elkaar! Hij zei nog dat het erg druk was en dat hij niet zeker wist of hij haar ertussen kreeg, maar blijkbaar heeft hij zijn volle gewicht ingezet. Fijn. En ook niet-fijn, want dan is het dus misschien toch ernstiger dan we dachten. Mijn gedachten gaan weer met me op de loop... Ik ben blij dat ik bijna thuis ben.

Thuis is dochterlief haar vriendinnen aan het bellen om te vertellen dat ze naar het ziekenhuis gaat. Mooi, dat is een prima manier van *coping*, laat ze het maar tien keer aan Jan en alleman vertellen. Stuur ik haar straks samen met papa de stad in voor een nieuwe pyjama en twee dikke leesboeken: verantwoorde ziektewinst. De ziekenhuismevrouw blijkt erg summier te zijn geweest met haar informatie, dus eerst maar eens kijken of er op een website iets aan instructies te vinden is. Kijk nou, er is zelfs een aparte website om kinderen vrolijk voor te bereiden. Trots zeggen ze een gecertificeerd kindvriendelijk ziekenhuis te zijn!

Nu nog even als ouders geïnformeerd zien te raken. Ik klik me een weg door de website op zoek naar wat er allemaal mee moet en wat we moeten regelen. Op de kinderwebsite staat: 'Je ouders mogen de hele dag bij je zijn. Je ouders mogen bij je blijven slapen! We zetten dan 's avonds gewoon een opklapbed naast jouw bed.' En op het deel voor de ouders: 'Als uw kind met spoed is opgenomen, heeft u weinig of geen tijd om uw kind voor te bereiden op het verblijf in het ziekenhuis. Voor uw kind is het belangrijk dat u er overal zoveel mogelijk bij bent.' Hm, ik heb al vaker gehoord dat ouders dag en nacht bij hun kind zijn als het in het ziekenhuis ligt, maar is dat ook echt de bedoeling? Ik kan het me voorstellen als een kind levensbedreigend ziek is of te jong om uit te leggen wat er aan de hand is, maar is dat nu de standaardprocedure? Als ik hierover bel met de opnamebalie, laat de ziekenhuismevrouw weinig subtiel weten dat je als ouder zoiets natuurlijk over hebt voor je kind. En als ik vraag tot welke leeftijd, zegt ze: 'Nou, tot een jaar of zestien blijven de meeste ouders wel hoor en dat is voor de kinderen vaak ook erg belangrijk.' Ik stel mij de ziekenzaal voor met drie tot zes bedden waar ons meisje straks ligt. En overal veldbedjes, behalve bij haar. Tja, dat gaat natuurlijk niet, dus laten we ons er maar op instellen dat we daar blijven slapen.

Het wordt dan wel even logistiek puzzelen hoe we dat thuis organiseren omdat mijn man 's avonds werkt tot elf uur en onze oudste niet alleen thuis kan blijven. Zeker niet onder deze omstandigheden. Ik veeg mijn werkagenda leeg (lang leve de freelancer). Overdag is onze aanwezigheid alvast geregeld, de rest komt morgen wel.

Zoals gevraagd melden we ons stipt om 9.00 uur op de kinderafdeling. (Dat had nog wat voeten in aarde, want ons meisje is 's ochtends hondsberoerd en heeft eigenlijk meer opstarttijd nodig. Maar het is gelukt. Ik troost me met de gedachte dat deze kindermishandeling een goed doel dient; wie weet helpt het om misselijk te arriveren.) We krijgen een bed toegewezen en wachten op instructies. Eerst moet de dokter langskomen. Onze eigen kinderarts heeft vandaag geen dienst. De co-assistent komt om 11 uur de eerste gegevens noteren (hadden we misschien toch ietsjes later kunnen komen, miept de kniesoor in mij). Om 13.30 uur arriveert de arts-assistent om het dunnetjes over te doen. Ze wil graag overleg met de dienstdoende kinderarts en zal ons op de hoogte houden. Als ze samen arriveren – om 17.00 uur – neigen ze ertoe ons weer naar huis te laten gaan, 'omdat niet duidelijk is wat er aan de hand is'. Ik snap het niet.

Daarom zijn we toch hier?! In dit kindvriendelijke ziekenhuis hebben wij nu acht uur wachtend doorgebracht, en dan dit?! Voor thuis hebben we een ingewikkelde logistieke operatie op poten gezet om het daar draaiende te houden en dan nu onverrichter zake huiswaarts gestuurd?! Ik dacht het niet. Ik wil boos worden en voel tranen van onmacht opwellen – maar ik zit naast een ziek kind.

Zo gaat het steeds in dit kindvriendelijke ziekenhuis. Al is mijn dochter pas tien jaar, ze is bij alle gesprekken met de arts aanwezig. Op geen enkel moment is er een opening om even als volwassenen vrijuit van gedachten te wisselen. 'Hoort dat bij kindvriendelijk beleid?' denk ik knorrig. De dokter gaat vrij snel om en stelt voor om morgen een aantal aanvullende onderzoeken te doen (hèhè, daar kwamen we voor). 'Excuses voor het lange wachten en tot morgen dan maar', zegt ze vriendelijk. Ze kijkt op haar horloge, haar dienst zit erop.

Ik ben bekaf van de hele dag wachten, van mij groothouden naast het bed van mijn dochter, van het geregel op afstand om mijn afwezigheid thuis en op het werk te regelen, van het niet bevredigend kunnen beantwoorden van alle goedbedoelende sms'jes die vragen of er al meer duidelijk is. Ik zou zo graag het gevoel hebben dat mijn dochter hier in het ziekenhuis in goede handen is, maar merk dat veel aankomt op hoe ik als ouder mijn mond opendoe, en dat voelt niet goed. Ik kan dat toevallig wel, maar zo hoort het niet. Het zou me helpen om even uit dit ziekenhuissysteem te stappen, bij te tanken, en morgen vol frisse moed aan een nieuwe dag te beginnen. Maar dat kan niet. Ik moet blijven slapen. Omdat dat goed is voor mijn kind, zeggen ze.

Zou het predikaat 'kindvriendelijk ziekenhuis' een dekmantel voor een botte bezuinigingsmaatregel zijn of is het om de verpleging en de nachtdienst te ontlasten? Nee, het lijkt goed bedoeld, maar ergens in de 'Operatie Kind Centraal' heeft men uit het oog verloren wat dat impliceert voor ouders, broertjes en zusjes, werkgevers – om maar een paar betrokkenen te noemen. Het is ook de vraag of zulke kindvriendelijkheid het kind dient. Ik kijk uit naar het eerste *gezins*vriendelijke ziekenhuis.

ULTIEM

'Geen normaal gesprek mogelijk met je kind? Zit je met je handen in het haar? Altijd ruzie in huis? Het kan ook anders. Lees dit boek! Volg het 5-stappenplan dat de auteurs in de praktijk hebben getest en je haalt de zon weer in huis. Opvoeden was nog nooit zo eenvoudig.' Wat heerlijk, denk ik als ik de recensie in het gerenommeerde opvoedblad lees: een boek dat als een gebruiksaanwijzing de weg wijst. Dat de oplossing is voor het geruzie waar ik dagelijks mee worstel. Wat bijzonder dat er mensen zijn die universele mechanismen weten uit te denken die op elk kind en op elke ouder toepasbaar zijn.

Eerder hebben Spock, Gordon, Positief Opvoeden, Popov, Geweldloze communicatie, Nanny Frost, Natuurlijk ouderschap, How2Talk2Kids, TripleP, RET voor Ouders en zelfs managementgoeroe Steven Covey met zijn 'De zeven eigenschappen voor effectieve families' het wiel al uitgevonden. Bij het consultatiebureau kun je de cursus met de bemoedigende titel 'Opvoeden: zo!' volgen. Allemaal presenteren ze hun methode als dé manier die werkt. Eerlijk is eerlijk, allemaal hebben ze ook wel iets, maar maken ze de beloofde gouden bergen waar? Of ben ik een domme falende ouder als die ultieme methode bij mij niet werkt?

Het doet me denken aan de dieetgoeroes die hele bevolkingsgroepen in hun greep hebben. Terwijl het enige wat je echt gezond houdt, is je bewust worden van wat je eet. Bereid zijn te kijken naar je eetgedrag en leren luisteren naar de signalen van je lijf. Soms kunnen diëten je een stukje op weg helpen, maar zoals de consumentenbond al zegt, let op:

- *Uitvoerbaarheid*: sommige diëten zijn leuk verzonnen, maar praktisch/sociaal onuitvoerbaar.
- *Balans*: diverse diëten zorgen voor een onevenwichtig of slecht eetpatroon. Ongezond!
- *Volhouden*: strenge en eentonige diëten kunnen effectief zijn, maar zijn lastig vol te houden.

Waar leren ouders dat leren opvoeden begint bij zorgvuldig kijken en luisteren naar ieders aandeel? Al doende zoeken naar wat bij jou en bij je kind past. Er is geen recept voor dé goede aanpak, laat staan dat er één methode is die altijd en voor iedereen werkt. Hoe uitvoerbaar is het om het kind te volgen als je er meer dan één hebt rondlopen én op tijd op je werk moet komen? Waar is de balans als je kinderen traint als puppies? En hoe hou je het in vredesnaam vol om altijd maar de oudste en wijste te zijn als je een kind hebt dat dwars indruist tegen alles wat jij intuïtief zou willen doen?

Het zou heel wat teleurgestelde grote en kleine mensen voorkomen als we bereid waren om dat onder ogen te zien.

HULPVERLENING

De 'kinderprofessionals' – van kleuterjuf tot kinderarts en klassenleraar – die ouders op hun pad vinden zijn, logisch, gefocust op *het kind*. Laag- of hooggeschoold: 'kinderen' zijn hun vak, en dáár gaan ze voor. Niet voor ouders, voeg ik eraan toe – en dit niet als kritiek, maar als een gegeven.

VERSCHIL OPVOEDKUNDE/KINDEREN GROOTBRENGEN

Opvoedkundigen hebben een andere bril op dan ouders. Kinder- en jeugdartsen, leerkrachten, crècheleidsters, pedagogen en kinderpsychotherapeuten – allemaal hebben ze bewust gekozen om 'iets met kinderen' te gaan doen en hun opleidingen hebben hen dáár op voorbereid. Hun kennis komt voornamelijk uit de ontwikkelingspsychologie, en die gaat over kinderen: over hoe ze groeien en wanneer ze dit of dat moeten kunnen enzovoort enzovoort. Er is echter een hemelsbreed verschil tussen kennis over kinderen en datgene wat ouders dagelijks doen en meemaken. Dat is wat ik bedoel met: de opvoedkunde heeft een andere bril op dan ouders.

Zien kinderprofessionals dan niet hetzelfde als ouders, en gaat het niet om hetzelfde kind en zijn belang? Ja en nee. Drie kanten van die vraag licht ik toe: het belang van het kind, de invloed van het kind op hoe het wordt aangepakt, en hoe verschillende soorten omstandigheden bepalen wat ouders aankunnen.

1 – VERSCHILLENDE VISIES OP 'HET BELANG VAN HET KIND'

Voor ouders is het kind er nu eenmaal *forever*. En ook al weten ze vandaag niet hoe ze het morgen moeten aanpakken, zijn/haar belang = hun belang. Met honderdduizend draden zijn zij met het kind verbonden. Het doordrenkt hun dagen en hun denken, en met hun kennis van het kind kunnen zij een boek vullen. Nee, een bibliotheekje. Over hun kunde zijn ze snel uitgepraat, want die vinden ze als het ware elke dag opnieuw uit. Daarbij lijkt het er vaak op dat het belang van het kind ondergeschikt is aan het hunne, maar als het erop aan komt zijn ouders altijd bereid om voorrang te geven aan het belang van het kind. (Niet een willekeurige gril, maar aan een Belang met hoofdletter.) Aannemen dat dat zo is, is trouwens de beste garantie dat het ook gebeurt, weet ik, maar juist deze 'kennis' ontbreekt in de opleiding van kinderprofessionals.

Zonder die kennis is het echter riskant om zelfs maar te *denken* dat ook 'die lastige ouders' het goed voor hebben met hun kind. Dan kun je zomaar een klacht aan je broek krijgen over onzorgvuldig handelen.

2 – ZOGENAAMDE 'KINDEFFECTEN'

In de ontwikkelingspsychologie ontbreekt het gegeven dat kinderen zelf sterk meebepalen hoe ze worden grootgebracht. Veertig jaar geleden – toen pas! – wees een Amerikaanse kinderpsychiater erop, maar literatuur over dit onderwerp is nog steeds schaars. Wie dit zogenaamde 'kind-effect' *wil* zien, ziet het echter overal: de baby die moeder als het ware aanleert hoe ze hem/haar stil krijgt, en kleuters die met slimme tegenwerking bepalen wanneer zijzelf iets leren. Bedenk eens hoe vaak je de plank zou mis slaan als je kind jou níet liet weten wat wel/niet haalbaar is. Daarvoor dienen dus ook de 'ongehoorzaamheidsdialogen': dat steeds maar weer onderhandelen over de huisregels.

3 – VERSCHILLENDE SOORTEN OMSTANDIGHEDEN

Nog minder bekend is de recente ontdekking dat allerlei omstandigheden die algemeen worden beschouwd als zeer riskant voor kinderen – zoals armoede, echtscheiding en ouders met een psychiatrische stoornis – veel minder schadelijk zijn dan we denken *mits* ouder en kind met elkaar overweg kunnen, *mits* het thuis rustig en veilig is, en *mits* er ook buiten het gezin iemand zich om het kind bekommert. Hoe vreemd het ook lijkt: die drie factoren kunnen kinderen beschermen tegen veel en ernstige risico's. Het zijn sleutelfactoren voor 'goed groot worden' en ze werken als een soort buffers. De verklaring daarvoor is dat deze drie, ieder apart en tezamen, voor de ontwikkeling van een kind van méér belang zijn dan de mogelijke schade van het gebruikelijke rijtje risicofactoren.

Maar wat 'buffert' hun *ouders* tegen risicofactoren? Wat helpt hen om met een moeilijk kind overweg te kunnen en om het thuis rustig en veilig te houden? Daarvoor zijn geen drie, maar vier buffers nodig: een gemeenschap die solidair is met ouders, een sociaal netwerk(je) dat hand- en spandiensten verleent, het vermogen om na te denken over hoe het thuis gaat (of iemand die daarbij helpt), en ten slotte: nu en dan een 'goede ouder'-boodschap om de moed erin te houden. Dat zijn de sleutelfactoren voor 'goed groot brengen'.

TOT SLOT

Natuurlijk zijn er overal kinderdeskundigen die ook met de ouderbril overweg kunnen. Zij weten dat ouders vaak meer weten dan zijzelf. En verschillen zij van mening met een ouder, dan proberen ze eerst te zien *wat* de ouder ziet, en *waarom*, voordat ze hun eigen idee daarnaast leggen.

Maar je weet natuurlijk nooit of de deskundige die je morgen spreekt bereid is jouw bril op te zetten. Neem dus iemand mee die jouw ervaringen kent en jouw denken kan toelichten – zeker de eerste keer.

EN ZE LEEFDEN NOG LANG EN GELUKKIG...

Vroeger kwam ik veel over de vloer bij Het Ideale Gezin in mijn ogen: zo'n zoete inval met een warme moeder, een hecht gezin en toch elkaars ruimte respecterend. De pubers voerden aan tafel verhitte gesprekken over politiek, er waren feesten tot in de kleine uurtjes, maar ook lome zondagmiddagen met een boek en thee in de bloemige tuin. Toen de kinderen twintigers werden, kregen de zussen ruzie omdat ze elkaars partner niet zagen zitten. Vader nam het op voor de oudste. De jongste ontplofte en zei dat ze vroeger al nooit gezien werd en dus geen voet meer over de drempel zou zetten. Met terugwerkende kracht viel de idylle van het ideale gezin in duigen.

Bestaan ze eigenlijk – langdurig harmonische gezinnen en gelukkige families? Veel familiegeschiedenissen vertonen lelijke barsten. De irritant-dominante moeder, het eeuwig jaloerse zusje, de verstoten oom, de avontuurtjes van vader of het geheim dat opa zijn weekgeld opzoop. Vaak zijn het verhalen die het hechte gezin van weleer nog steeds verdelen: 'wegens familieomstandigheden uit elkaar gevallen'. Soms met pleisters provisorisch gerepareerd en zolang niemand er aan peutert blijft het allemaal nog jaren zogenaamd bijeen.

Is dat te voorkomen? Je doet als ouder naar eer en vermogen je best, maar achteraf weet je dat veel voor verbetering

vatbaar was. Dat maken de puberende meiden ons nu al vol-
op duidelijk en op sombere dagen vraag ik me af waarmee
zij ons later om de oren zullen slaan. Hoe lang zijn we nog
een 'happy family'? Is straks alle moeite die we nu doen voor
niks geweest? Hoort familiegesteggel er misschien gewoon
bij, maar zit het ons dwars omdat we sinds een paar decennia zelf verantwoordelijk zijn voor ons geluk? Of is dit ritueel gemopper van ouders die geen afscheid kunnen nemen
van het gezin dat ze hadden – onvermijdelijk afstevenend
op een veel losser verband met de kinderen?

Het is het zoveelste wiel dat ouders zelf moeten uitvinden: hoe je dat doet, *forever* vader en moeder zijn.

Het begint met het naïeve verlangen naar een kind. Ik reali-
seerde me niet dat ik begon aan een klus waarbij de verhouding tussen inspanning en beloning zoek is. In de kinderjaren is de opdracht nog duidelijk: kleintjes zijn afhankelijk
'dus' zorgen we voor ze – met alles wat daarbij hoort. Nu ze
groter worden blijft het oefenen met eisen stellen, verwachtingen *fine tunen* en de grenzen van zelfstandigheid verleg-
gen. Mijn zorgzaamheid wordt door hen niet altijd meer op
prijs gesteld en hun nog-steeds-niet-groot-genoeg-zijn put
soms mijn geduld uit. En als ze straks uit huis zijn, moeten
we opnieuw uitzoeken hoe we met elkaar omgaan en is het
afwachten hoe de zusjes zich als volwassenen tot elkaar ver-
houden – en tot de kringen die zij op hun beurt om zich heen
opbouwen.

Kinderen grootbrengen betekent niet alleen dat je hen loslaat (of beter gezegd, telkens anders vasthoudt), maar ook dat je als gezin doorgroeit naar een familieversie 2.0. De hele constellatie blijft in beweging. Je denkt elkaar te kennen, maar bij groei hoort verandering en dus is het de kunst om telkens weer met open blik naar elkaar te kijken.

'Voelde je je thuis gezien?' vraagt men soms aan een kind. De noodzaak om gezien te worden geldt evengoed voor ouders. Voel jij je gezien – door je kinderen, je partner, je familie, op school, bij het consultatiebureau, in de supermarkt – zoals je bent? Ook als je niet aan het ideaalplaatje voldoet?

Alleen dan heb je de ruimte om uit te vinden hoe je dat doet: vader en moeder zijn.

OVER DE AUTEURS

Via de omweg van documentair televisieproducent, internetpionier en kunstenaarscoach vond Janneke van Bockel (1966) haar bestemming als ouderschapsdeskundige. Tijdens haar bijscholing tot ouderschapscoach is zij gaan schrijven over ouderschap om zo de theorie toegankelijk te maken voor een groter publiek. De rode draad in haar werk is, naast pionieren, het scheppen van de voorwaarden zodat anderen (nu: ouders) hun werk goed kunnen doen.

Sinds haar eerste boek IJskastmoeder (2009) coacht, schrijft, spreekt en denkt ze over het ouderperspectief. Ze is initiatiefnemer van de landelijke Verwendag voor ouders van een kind met autisme met de bijbehorende facebookgroepen en studiedagen en staat aan het roer van Stichting Ovaal met meer dan twaalf autismecafés voor en door ouders.

Met dit boek richt zij zich nadrukkelijk op 'gewoon ouderschap'. Dat is al ingewikkeld genoeg.

www.metamama.nl

@oudercoach

Dr. Alice van der Pas (1934) werkte 30 jaar met ouders en gezinnen in de Ambulante Geestelijke Gezondheidszorg voor Jeugdigen. De laatste 25 jaar dacht, las en schreef zij voor hulpverleners over ouders. Naar een Psychologie van Ouderschap (7e druk) inventariseert wat ouders allemaal doen en meemaken bij het grootbrengen van kinderen, waarna

Inventing Elliot

> Graham Gardner is the eldest of ten children. He was born and brought up in Worcestershire. He currently works as an academic researcher and author, specialising in social and political geography at the University of Wales, Aberystwyth. Prior to this he worked as a shop assistant, civil servant, research officer, waiter and factory worker. He is a keen musician, playing rock and classical piano. Inventing Elliot is his first published novel.

Inventing Elliot

GRAHAM GARDNER

Heinemann

Inspiring generations

Heinemann Educational Publishers
Halley Court, Jordan Hill, Oxford OX2 8EJ
Part of Harcourt Education

Heinemann is the registered trademark of
Harcourt Education Limited

First published in Great Britain 2003 by Orion Children's Books,
a division of the Orion Publishing Group Ltd
First published in the New Windmills Series in 2004

2

British Library Cataloguing in Publication Data is available
from the British Library on request.

ISBN 0 435 13072 2

Cover illustration: Richard Carr
Cover design by Forepoint
Typeset by ✏ Tek-Art, Croydon, Surrey

Printed and bound in the United Kingdom by Clays Ltd, St Ives plc

To my parents
With love and respect

'The object of persecution is persecution. The object of torture is torture. The object of power is power. Now do you begin to understand me?'

George Orwell, *Nineteen Eighty-Four*

Prologue

Last bell had gone. He was almost out of the gates. And then they grabbed him and marched him back, round to the changing rooms at the side of the school. Kevin Cunningham. John Sanders. Steven Watson. Any one of them was bad enough. The three together were beyond his worst imagining.

They held him with his back against the wall, pinning his arms. Kevin came up close, until his breath was on Elliot's face.

'Hello, Elliot. Were you thinking we'd forgotten you?'

He said nothing. Responding could only make it worse.

'Answer when you're spoken to.'

'No.'

'No what?'

'No – I hadn't forgotten you.'

'You're a loser, Elliot, You know that?'

'I . . . know that.'

Kevin smiled. 'There's a place for people like you, Elliot. It's called the rubbish tip. Why do you keep on turning up for school? You know we're always going to be waiting, ready to put you back where you belong.' He reached forward and ripped the front breast pocket of Elliot's blazer. It hung like a dead tongue.

Then he did the same to the other pockets.

For a moment, Elliot felt nothing. Then something inside him shifted. Suddenly, terrifyingly, like nothing he'd experienced before, white-hot rage erupted. It consumed him, uncontrollable, an exploding fire-storm, lunatic fury. He torn free of the hands pinning him and hurled himself at Kevin and hit him, hit him again, again, again —

'I'll *kill* you, I'll *kill* you, *kill* you, *kill* you!'

They wrenched him off and threw him against the wall. The back of his head smashed against the tiles, and he felt sick.

Slowly Kevin got up. He wiped blood off his mouth. 'You're going to wish you never did that.'

Elliot's rage was gone. Instead, he was blissfully numb. Everything was clear to him now. He would be dead very soon. But really, they'd already killed him a long time ago. So they couldn't hurt him any more.

'You can't kill me,' he said. 'I'm already dead.'

The first punch was right over his heart, and didn't hurt at all.

You can't hurt me. I'm dead already. Dead.

But then came a second punch, in the side of his head, and a third, right where the first one had landed.

Pretty soon it did hurt.

But you can't hurt me, he thought. *I'm dead already*.

It hurt more: a spreading pattern of warm pain.

Then a thermonuclear blast obliterated the top of his head, and he was falling, down, down. And mercifully, he died.

Chapter 1

Elliot Sutton swallowed the sick, sour fear that threatened to engulf him. It was New Year's Day. Less than a week before he started at his new school.

Think positive, he kept telling himself. It was supposed to be a new beginning here. His new school had been told nothing about what had happened before. He was coming to it with a clean record, a blank identity. It would be a fresh start – as it was supposed to be for all of them.

That's a joke, he thought. As though a new house and a new town were magic spells that would get his dad well again. So far his dad had acted as if he hadn't even noticed they'd moved, settling back into the same chair, watching the same TV, day after day . . .

Think positive. Elliot looked around his bedroom at the full cardboard boxes, bulging carrier bags and the battered, open suitcase spilling clothes on to the floor. It had been two weeks since they'd moved to the new house, and he hadn't yet been able to bring himself to unpack properly. He just pulled out the clothes he needed each day and pretended to himself he'd do it 'tomorrow'.

The truth was, he dreaded unpacking. Everything in the boxes, in the suitcase, was a reminder of where he had come from – and it was a place he didn't want to go back to, even in his mind.

As he stood there, he realised that he'd made a decision without really being conscious of doing so. He wasn't going to unpack. Most of what was in the boxes and the bags belonged in his past, not the present. It

3

should stay there. He would get out only what he absolutely needed; the rest could stay out of sight. Maybe he'd even get rid of it – that way there would be no temptation to go back to it.

He felt a surge of energy, and set to work before it faded. He emptied the suitcase on to the bed. Three pairs of jeans – they were pretty ancient, but that didn't matter. They could stay. Likewise his sweatshirts and T-shirts: One of the few compensations about staying much the same height since he was twelve was that he didn't yet need any new clothes. Which was lucky, since the last time he'd tried to persuade his mum to let him have some money to get some, she'd looked at his old stuff and exclaimed, 'What's wrong with these? There's years of wear left in all this, as long as you don't grow any!' Shorthand for, *Sorry, we can't afford it.*

The problem was school uniform. He needed trousers, a blazer, shirts, tie, games kit . . . It was going to cost a fortune. There was no way his mum could afford to buy brand new. They would have to go to the second-hand shop.

Which meant he would get noticed straight away.

He put depressing thoughts about clothes to one side, delved into the nearest box for the few books he'd brought with him, and put them on the low bookcase.

As for the rest of the stuff . . . He pulled out a dusty photo album. The pictures in it – of him growing up, of the family: of him, Mum, Dad – were all from at least three years ago. His mum hadn't taken any photos for a long time.

He put the album back and pushed the boxes under the bed, the suitcase on top of the wardrobe.

He thought he wouldn't put any posters up. He'd have clean, bare walls. They would be a constant, pleasant reminder that this house was brand new. Fresh. As everything was supposed to be from now on. He breathed in the smell of it – the clean, heady scent of new paint and wood; held it in his lungs.

He let the idea which had been slowly germinating take fuller hold. *No one knows me here*. He had a chance. The chance not only to leave the old Elliot behind, but to invent a new Elliot. An Elliot built from scratch.

'No one knows me,' he whispered aloud.

It didn't have to be like before.

I won't let it be like before.

They'd been a happy family once.

He had to remember that.

His dad had been setting up his own business. He was going to make and sell packaging: specialist packaging for fragile and valuable goods. 'The market's out there,' he kept saying. Enough people willing to pay a lot of money to ensure that what they sent through the post didn't get damaged.

'Expensive and exclusive. That's what it's about.' His dad had kept repeating that too. Where he'd worked before hadn't been about expensive and exclusive – it had been about cheap prices and large quantities. He'd been a design assistant for a big company making packaging for other big companies. It wasn't that he hated his job, he'd told Elliot – he just didn't particularly like it. So he'd handed in his notice and started out on his own.

It had been a good time. An atmosphere of anticipation and excitement. Constant activity: his dad dashing in and out of the house, racing to finish meals, making hurried telephone calls. His dad saying, 'This is the way to go – I *know* it' at least twice a day, every day, for a year, it had seemed. And masses of extra post, envelope after envelope pushed through the letter box in the morning.

There had been lots of envelopes later, too. After a while they'd stopped coming through the letter box. Instead there would be a knock on the door, usually in the middle of breakfast, and his mum would get up, open the door, sign the clipboard held out by the postman, then come back to the table, staring at the white and brown rectangles in her hand. She never opened them in front of Elliot. She just stared, as if she couldn't quite see them properly, didn't understand what they were.

But before that . . . As soon as the letter box sounded, his dad would dash to get the post, bring it back to the table, anxiously rip open envelopes, his face creasing into a smile – or, just occasionally, a small frown – as he read.

'This is an investment in all our futures. This is for all of us.' Another of his dad's favourite phrases.

'Are you listening, Elliot my boy? This is so we can feed your book habit and still keep a roof over our heads. I saw your light on at half-eleven last night – but I don't suppose you saw our last electric bill, did you?'

This last bit he always said in a roar of mock anger. Then he'd show he was only joking by grabbing Elliot around the waist and saying. 'And I suppose you're *still* expecting me to take you to the library on Saturday . . .'

It was an old joke. He always took Elliot to the library on Saturdays, and Elliot had loved to read since as far back as he or his dad or his mum had a memory of him being able to. When he was engrossed in a book he was somewhere else, inside the story; for a short while the world left him alone.

He reached for a book now.

He tried to shut out the fear.

Happy families.

Think positive.

Chapter 2

Inventing a new Elliot took, in the first instance, money. A lot of money.

There had been one hundred and ninety-two pounds and ninety-eight pence in his savings box. Every note and coin earned by getting up early five days a week to do a paper round. All of it mentally labelled 'untouchable', waiting for the day he saw something he really wanted.

Now, as he walked around the shopping arcade, his wallet bulged with notes and change.

He could save up again for stuff he wanted. *Yeah, right.* What was important at this moment was stuff he *needed*.

Once he'd bought games kit, the school uniform came to over a hundred pounds, even though he'd been lucky enough to find a good second-hand blazer. The shoes were another forty.

After he'd bought the clothes he got his hair cut. In place of his old childish, floppy black strands he had it shaved around the sides and then bleach-streaked on top.

A new Elliot was emerging.

His wallet was a lot lighter on the way home.

It's worth it. Every penny.

His mum's reaction to the haircut and clothes was far less than he'd prepared for. The only comment she made when he came through the front door was, 'Well, if you want to waste your money, I suppose that's as good a way as any.' She didn't even mention the time and money he'd saved her by buying his own school uniform.

She looked tired. His dad was watching a football match with the sound turned up loud. They'd almost certainly had a row while he was out.

Actually, Elliot thought, 'row' wasn't the right word. A row involved more than one person, but his mum did all the shouting and crying, while his dad just sat there.

They sat down to dinner in an uncomfortable silence. Elliot swallowed spaghetti bolognese without tasting it. Everything was going to be exactly the same here, after all. Nothing was going to change.

'Hey.' His mum reached across the table and touched his arm. She smiled: a proper smile, not the worn-out grimace that was all she could usually manage. 'I got two jobs today. I've got an early morning shift cleaning at the paper mill, and I'm doing two overnights at an old people's home.'

He felt unhappy. 'How are you going to get any sleep those two days? You'll have to go straight from one job to the other.'

She squeezed his arm. 'Don't worry, I'll manage. And it means I'll be here when you come home from school.'

That doesn't matter, he wanted to say, but kept quiet – it would be throwing her efforts back in her face.

She smiled again. He noticed for the first time that her black hair contained threads of grey.

'It's going to be good here,' she said. 'I can feel it. A new start for all of us. You, me and . . .'

She looked at his father, who glanced up from his spaghetti. Elliot tried to read his eyes. Was there something different there? The return of even a pinprick of light behind the dullness? He told himself that there was – that he simply wasn't looking hard enough.

After dinner he went into the bathroom and put on the uniform. The dark green tie looked too large on him – nothing he could do about that. But apart from that he looked OK, he thought, relieved. Looking OK was critical.

He studied his features in the mirror over the basin. The hairstyle definitely worked. It made his face sharper and older. Tougher. No longer the face of a child.

But his height (short) and build (slight) were still those of a child. He would stand out – size was one of the first things kids took notice of. He could do nothing about that.

He had just got into bed when there was a knock on the door and his mum came in. She sat on the edge of the bed – she hadn't done that since they'd moved house.

'You've got to be patient with him, Elliot. He's ill. Depression's an illness. And he's still physically damaged too. It's not his fault, you've got to understand that. We've both got to try to understand.'

'I just wish –' He stopped. He couldn't say what he wished.

She continued for him. 'You just wish it was like it was before. I know. So do I. But it's never going to be. And we're going to have to accept that.'

He looked away from her, remembering the night his dad didn't come home.

Once the business had got properly started, his dad had begun to work late almost every night. That hadn't been so great: it meant he often skipped meals at home. Elliot missed the three of them eating together, talking about nothing in particular – just being a family.

Saturdays also changed: often his dad was travelling to see a client, so he couldn't take Elliot to the library. His mum took him instead, which was fine, and once he was old enough he went on his own anyway; but somehow it wasn't quite as good as before.

But the three of them were OK. There were still Sundays, when his dad was home all day. Some evenings he left work early and it would be the same as old times, all of them sitting around the kitchen table eating, talking, laughing. And if he wasn't back for dinner, he'd come upstairs and talk with Elliot, or just say goodnight.

One night it had got very late, and his dad still hadn't arrived home. Elliot had been in bed waiting for him, half-sleep, when the front door bell had sounded. He heard the door open, unfamiliar voices, the door close again, chairs scraping across the kitchen floor under his bedroom.

He crept downstairs in his pyjamas. The kitchen door was closed.

He listened.

He couldn't hear clearly; he could just make out isolated words and phrases: ' . . . assault . . . multiple injuries . . . hospital . . . operating now . . .'

Elliot had felt a growing sense of dread – the gnawing in his stomach which was soon to become so familiar. He willed the voices to continue; while they did, everything was still OK, nothing was going to change.

Keep talking. Keep talking.

Then the noise of chairs pushed back, heavy footsteps, the kitchen door opening. Two police uniforms: a man and a woman. They saw Elliot, stopped, looked at one another, nodded. The woman went back into the kitchen. The man smiled at Elliot, but it was a strained smile, as if he was having to remind himself to put it on.

'Hello there. You been listening?'

Elliot had said nothing.

'Can you go and get dressed? Your mum will be along soon.'

Elliot had carried on saying nothing, thinking *Not real. Not real. Not real.* It was something that happened only on TV: the police car outside the house, the knock on the door, the figures in uniform, the calm words and sympathetic expressions. it wasn't real life. It would only be real if he became part of it. So he wouldn't become part of it.

'Your dad's been hurt. We're taking you with your mum to the hospital, because there's no one here to look after you. OK? Your mum's just getting ready.'

Not real. Not real. Not real. Not real.

His dad had been attacked walking back to his car. Whoever it was – his dad didn't remember anything and there had been no witnesses – had taken his wallet and car keys and mobile. And fractured his skull, broken his ribs, ruptured his spleen. Left him lying on the pavement bleeding to death. Dying.

Not real. But the words didn't hold back the world any more.

'Elliot? Are you listening to me? I said, he will get better. It's going to take time, that's all.'

Visiting his dad in hospital; seeing his face swollen up like a puffball, tubes coming out of his nose, wrists and chest; watching him unable to move, hardly able to speak. Smashed.

Elliot had cried for him then. And prayed, although he didn't believe in God.

But that was three years ago. The bones had mended. His dad had come home.

Only he hadn't got better.

'You do understand, don't you?' His mum was pleading.

Elliot forced himself to look at her. 'Of course I do. I know it takes time, like the hospital said. I just wish – I just wish it had never happened, that's all.'

After she'd gone downstairs, he turned off the light, stared into the darkness. Still remembering.

He could almost hear his dad's voice, from a long time ago.

'It's a question of putting your mind to it,' he used to say – usually when they were eating dinner in the evening. 'If you're serious about something you put your mind to it, and if you put your mind to it you get it done. That's the way – that's the only way.'

And his mum smiling, saying, 'Oh yes, absolutely. Pass the salt, will you?' having heard him say it a hundred times before.

His dad would smile too, sharing the joke; but he wasn't only joking. Once, after they'd finished eating, his dad had turned to him and said, 'Listen to me, Elliot. I mean what I say. You'll always get people telling you you can't do things – telling you *not* to do things, because they can't be done, it's impossible. When I told my old firm I was striking out on my own, you know what my boss said? He said, "Good luck, you're out of your mind, we'll keep your job open so you've got somewhere to run to when you've worked it out for yourself." Can you believe that?'

Elliot had shaken his head, as he knew he was supposed to.

'That's the kind of thing you'll get, Elliot my boy, all the way through this life. But you don't listen to it. You don't listen to it.'

Well, no one was telling his dad that now, were they? No one was telling his dad 'You can't get better, it's impossible, can't be done.'

No one had been telling his dad anything like that for the past three years – exactly the opposite, in fact.

But they might as well have been.

When Elliot had said, 'I wish', what he'd meant, what he hadn't dared say, was, *I wish he'd just die.* He thought it again now, and then felt guilty and horrified at himself for thinking it.

But he didn't even really mean that. How could he want his dad to die when his dad was already dead?

12

The person he wanted to die was the man who sat there and said and did nothing; the man who stared silently, blankly into space; the man who wasn't his dad, however much he might look like him. If that person died, maybe his dad would come back, walking in through the front door and say –

Elliot shook away the picture angrily. *Get real! It's not going to happen. Not today. Not tomorrow. Not ever*.

But he couldn't stop imagining himself getting rid of him. Screaming at him, *Get out! Get out of our house!* Taking the biggest saucepan from the kitchen and smashing it through the TV screen and the tube imploding with a beautiful *whoomph!* and a shower of sparks.

He knew he would never actually do it – but not because he didn't dare, not because he didn't have the guts. He would never do it because he knew it would have no effect. The man in the chair – the impostor – would look vaguely at him with the same blank eyes, and then his attention would return to the box in the corner, forgetting the interruption before he'd even properly noticed it.

I hate you.

I hate myself.

And he had yet to face his new school. Less than a week away.

Maybe it was a new start.

Maybe.

Chapter 3

First day of term. Elliot approached the main entrance of his new school with a sense of foreboding.

Holminster High.

He'd visited it just before Christmas. The first thing that had leapt into his mind was an old black-and-white film he'd seen: *Goodbye, Mr Chips*. The main school was old – a huge redbrick building with sash windows. The few modern buildings were brown brick and smoked glass. All of it screamed style and good taste and expense.

His old school had consisted of a messy bundle of low towers thrown up out of pink concrete. What screamed at you there was the graffiti – the school authorities had stopped bothering to remove it, since it at least detracted from the ugliness of the architecture.

At Holminster High there was no graffiti.

There was a large expanse of neatly-mown 'lawn' at the front of the school, which in the summer became part of the playground. There were mature trees – tall, thick oaks and beeches – and flowerbeds filled with pastel-shaded perennials and delicate bedding plants. Elliot had found it hard not to be impressed.

Inside was a mixture of ancient and modern, tradition and hi-tech. Carved wood panelling on the walls blended with textured plastic on the floors. Sepia photographs of past headmasters hung alongside abstract paintings that wouldn't have disgraced an art gallery. More style, more good taste, more expense.

The prospectus said a lot about combining 'tradition' and 'heritage' with 'dynamism' and 'forward thinking'. It also talked about 'excellent discipline', 'moral education' and 'a positive and productive environment'. Every page had at least two photographs of Holminster High pupils working earnestly, or competing in sporting events, or showing off awards and trophies.

Elliot had come away not believing it for a second. But it would be nice if the illusion persisted – even for a short while.

He let himself be carried through the school gates by the sea of red blazers.

One of the crowd. Keep it like that.

The next quarter of an hour, until form registration, could be critical. He mustn't be noticed in the wrong way.

He thought he should stay in one place, then he thought maybe he should move about. He tried to see what other kids were doing, but it was impossible to work out any pattern. Most were in small groups, some of them boys only, some of them girls only, some of them mixed. There were two separate games of footy. A few kids straggled, attached to nothing but themselves.

He moved, then stopped. Moved again. Stopped again.

His trousers itched. His collar rubbed. His shoes pinched. Sweat trickled from his armpits although it was a cold day. He pictured it soaking into his shirt, into the crisp, clean white fabric. He was glad he was wearing a blazer.

School hadn't always been a nightmare. That was something else Elliot had to keep reminding himself. Except that it was hard to remember a time when it had ever been anything else.

His first secondary school had been OK. If he'd allow himself to admit it, he'd even quite enjoyed some aspects of it, despite everything at home. He had a small group of friends he hung around with. He didn't mind the work too much, particularly English, where they were made to write book reports. Reading for homework – that had to be fine by him.

Then came the move.

With his dad in hospital and then back home but unable to work, the packaging business had gone under. His mum had taken a job at a nursing home – another step away from normal; she'd never worked before – but they still hadn't been able to afford the mortgage on the house. They had to find somewhere cheaper to live.

That might be OK, he'd thought initially, just after his mum had announced it. Not knowing, then, about the flat that was all they would be able to afford. Not knowing, then, that moving house would mean leaving the school he'd been at for less than half a term – moving away from everyone he knew.

'I'm sorry, Elliot,' his mum had said, 'really sorry. But there's no way I can afford to get you over to the other side of the city five days a week. You do understand, don't you?' Her face saying, *Please understand. Please, please, please.*

Of course he'd understood; he always understood. He was eleven years old, over halfway towards twelve, by then. Old enough not to moan. Old enough to know that it would do no good to argue.

But at the new school, somehow he couldn't be bothered. It was as if the energy, the will, the lifeforce, had been sucked out of him. Everything – thinking, doing – required a massive effort. Too much effort. He didn't try to make friends; he let his marks slip.

At his old school he wouldn't have got away with it. There the teachers had been all too ready with anxious looks, kindly-meant questions and earnest 'little chats'. But at this school, none of the teachers seemed to be bothered that Elliot couldn't be bothered. They took registration, delivered lessons, marked homework – and that was it.

In truth, he'd been almost glad they didn't care. He wanted to be ignored; he was happy to be left alone.

Except that there were others who were not happy to leave him alone.

It began with little things. Kicks on the back of his ankles as he walked down the corridor. Cuffs on his head in lessons. Casual punches as he was changing for games. He tried to ignore it, thinking that reacting would make it worse.

The violence moved up the scale: the kicks harder, the punches heavier, the cuffs more frequent.

He didn't know why they'd chosen him. Except that he was on his own.

Except that he was small and skinny.

Except that he wore an obviously second-hand uniform.

Except that he existed.

Then came the more 'personal' attention. Ordered to the park after school by Kevin Cunningham, undisputed king of years seven and eight, built like a sixth-former, already shaving at twelve years old.

'Teach you a lesson, Ellie-boy. Teach you to make fun of me. What have you been saying about me, Ellie-boy? Think you're clever, do you?'

Elliot hadn't said anything about Kevin; hadn't said anything about anyone, come to that. But it seemed that that didn't make any difference.

He wasn't going to go to the park, but Kevin had already thought of that. On the appointed day, there were four heavies waiting for Elliot at the school gate.

The fight didn't take long. Elliot hadn't punched back, working on the principle that it would just make it worse for himself. He got away with a smashed lip, aching head – from when he'd fallen backwards – and seven violent-coloured bruises spread across his chest.

17

He hardly noticed the pain; he was more concerned that he'd lost a button from his shirt, bled all over it, and had grass-stains and mud on his trousers. His mum had warned him he'd have to look after his uniform – 'And don't grow. We can't afford it.' He had to try and prevent her discovering the damage.

When he got back to the flat he crept past the kitchen where he could hear his mum working, and went into the bathroom to change – there was no lock on his bedroom door.

He took off his shirt. Blood had dribbled from his lip, down his neck and on to his chest. He mopped at it with a flannel, trying to avoid the bruises.

There was a knock on the door.

'Elliot? Are you all right?'

He froze. 'I'm fine.' Struggling to keep his voice from trembling.

'Elliot? What's the matter? What's happened?'

'Nothing's happened.' Why couldn't she go away and leave him alone? He reached for his T-shirt and realised he'd left it in his bedroom – along with his jeans.

His head throbbed. He felt sick.

The door handle rattled. 'Elliot, please. Open the door. I know something's the matter. Let me see you.'

He hurt all over; he must have all along; he just hadn't realised. He felt like crying.

'*Elliot!*'

When she saw him, she looked as if she wanted to cry too. But she didn't. She examined the back of his head, insisted he took off his wrecked trousers so she could see he wasn't hiding any more injuries, then made him have a bath.

By the time he came out, she'd phoned the school and – she told him with a mixture of anger and satisfaction – yelled at both the head and deputy head. They'd argued that because the fight had been out of school hours and off school premises it wasn't their problem.

'I told them if they didn't sort it out I'd be down there to sort it out myself – and them too.'

Kevin was 'cautioned' – the word the head had used – but nothing more, since no 'independent witnesses' would say who'd begun the fight.

Elliot's life was hell from that day on.

There were no more fights, other than the one that finished it all. But what came in place of them was almost worse.

There was the whispering campaign. *Elliot stinks. Elliot wets his bed. Elliot's a homo*. Stupid, childish stuff that no one should have believed for a second. But the whispers circulated, spread, multiplied, became elaborated. Kids stared in contempt, laughed spitefully, mimed obscene acts, threatened.

In the changing rooms, and outside on the sports field, there were opportunities for far more than whispers. His games kit chucked in the showers. Mud, and worse, in his shoes. Slams in the ribs and back. Ultra-violent tackles in rugby and football that put stud imprints on his shins and smashed the breath out of him.

Other things, far more awful. Experiences too shaming to think about.

He thought that if he defended himself he'd make it worse, so he didn't. Instead he tried to become invisible, tried to become unnoticeable. If they didn't notice him, surely they'd leave him alone.

It made no difference. They *wanted* to notice him, took pleasure in noticing him, actively sought him out. In the corridors, the playground, the dining hall – everywhere. He sought refuge in the library one breaktime, but they came for him and dragged him out. The teacher on duty looked up and said in a bored tone, 'If you want to mess about, outside's the place for it.'

Only classrooms were relatively safe; the worst anyone could do there was cuff him, kick his ankles, or knock books and equipment on to the floor and then 'accidentally' tread on them. 'Oh, sorry Elliot, was that your stuff? Didn't notice it there.'

Day after day. Week after week. Month after month. Until it was as if it had always been like this and would always be like this, for ever and ever, life without end.

He knew he wasn't the only one to be singled out. There were at least two fights a week, sometimes in the park, sometimes in the playground. He saw others subjected to what he was going through, others who had been noticed. It didn't make him feel any better; he didn't know any of them; he didn't *want* to know them.

Losers. All of us.

The only thing that made it bearable was that he could hide it.

Those who delivered the violence weren't stupid. They pushed it just short of the point where it would be impossible for his mum not to find out about it. They never put his uniform in the showers; they didn't go for his face; they left his school text books alone.

They were doing Elliot a favour, although they couldn't have know it. The last thing he wanted his mum to do was worry about him on top of everything else.

His dad had come out of hospital an invalid. His food had to be cut up for him. He couldn't take a bath alone. He couldn't even shave himself.

His mum had to help him get dressed and washed in the morning. Then she went on to her job at the nursing home, doing the same again for people forty years older than his dad. When Elliot came home from school she was usually poring obsessively over mounds of paperwork, keeping them all going.

There was no way he could tell her his problems. He didn't want to be another burden. Anyway, anything she might do to help could only make things worse.

'Promise me you'll tell me if you get any more trouble,' she said at least once a week. 'Promise me.'

He gave the same answer every time: 'I'm fine. I promise.'

'You're sure?'

'I'm sure. Really.'

Had she truly believed him? he wondered. Or had she so wanted to believe him – so *needed* to believe him – that she let herself go along with the lie?

They tried to hold on to an echo of the past. After his mum had put his dad to bed, she and Elliot sat at the kitchen table and talked, keeping alive the memory of when it had been the three of them. It became a ritual: his mum asked about his day. Elliot asked about her day. He made up stuff – incidents in lessons, jokes, anything he could think of. She always had a story about her 'old dears' as she called the residents of the nursing home.

Sometimes, in the middle of recounting a story about work, his mum abruptly stopped talking. On those occasions, he had to try and make her continue. Otherwise, horribly, she started crying. He couldn't bear that, didn't know properly what to do, had to try not to watch her until she cried herself out and blew her nose and said, shakily, 'I'm sorry, I'm sorry, I'm sorry' – whether she meant for crying or for something else he was never sure.

Later, in bed, he read for hours – until two or three in the morning, even all through the night – until he couldn't hold his eyes open any longer. It hardly mattered what he was reading as long as it stopped him going to sleep; as long as it delayed the nightmares.

Even in sleep the fear didn't leave him.

He hadn't known that all that time – those endless three years – his mum had been doing two things.

First, she'd applied for 'Criminal Injuries Compensation' on behalf of his dad. If you were injured in the type of circumstances his dad had been, the government paid a set amount of money according to how badly you had been hurt. They didn't give his dad a fortune, but it was enough for the deposit on a cheap house.

Second, she'd searched for a new place to live. Somewhere away from the city and all the memories it carried. A place where they could all make a new beginning.

She hadn't told Elliot anything about what she was doing; she had wanted to surprise him once it had all been settled.

Then . . .

He pushed the memory away.

None of that matters any more.

They were starting again. All of them.

With a jolt, he heard the registration bell. He'd spoken to no one; no one had spoken to him. *Not good*. Inside, after finding his form room from the plan on the main notice board, he made his way along corridors full of kids who already knew each other and didn't so much as glance at him. *Double not good*. When the form teacher announced him as a new arrival, a few kids looked idly at him, then ignored him. *Double-double not good*.

He tried to think positive. *At least I haven't been noticed for the wrong reason*.

Yet.

It was better not to be noticed than to be noticed for the wrong reason.

Chapter 4

Unlike Elliot's old school, the headmaster at Holminster High didn't have to ask for quiet at morning assembly. As he stepped up on to the stage at the front of the school hall the quiet chatter died away.

The head looked over the silent, expectant, upturned faces and smiled. 'A very big welcome back to each one of you. And a particular welcome to anyone who has newly joined us. I know that this is going to be a good – no, a *great* – new year for Holminster High, and I also know that each of you has the potential to be part of that greatness . . .' The words poured out, smooth and easy, as if every sentence had been rehearsed to perfection. '. . . establishing and strengthening links with the wider community . . . continuing our history of academic and *sporting* excellence . . . maintaining the tradition of school . . .'

Elliot let the words flow over him, and wondered when he would face his first test.

He knew he wouldn't have to wait long.

The first sign of trouble came at morning break.

He had been outside for a few minutes, trying to work up the nerve to approach someone and introduce himself, when he saw a boy coming towards him. The boy looked about Elliot's age, but was slightly taller and built more solidly. He had short blond hair brushed straight forward, and sharp features that were friendly but at the same time faintly sneaky.

Not to be trusted, Elliot thought immediately. He'd come across the same expression too many times before, on people where the friendliness was a front to gain your confidence, before they –

He tried to ignore the slight sick feeling in his stomach.

'You're new, right?' the boy said.

Elliot nodded. There was nothing to be gained by not being friendly.

'So what's your name?'

'Elliot. Elliot Sutton.'

The boy raised his eyebrows. 'Elliot? Elliot as in Ellie? Isn't that a girl's name?' His tone was still friendly. He smiled into Elliot's eyes.

Elliot braced himself and smiled back. He'd expected this. If he rose to the bait, he might as well shoot himself on the spot. 'Elliot,' he said firmly. 'Elliot as in "Elliot".'

Their eyes locked, neither of them openly challenging, neither of them ready to back down. Half of Elliot was astonished that he was daring to stand his ground like this, the other half thought, *If you let this one go, you can forget it. You've got to be determined. Don't let him know you're scared.*

Abruptly the boy dropped his eyes and extended a hand. His smile, if it were possible, grew even wider. 'OK. "Elliot" it is, then. Pleased to meet you. I'm Oliver.'

Dazed, Elliot shook his hand.

The bell rang, signalling end of break.

'See you for games this afternoon,' Oliver said, and darted off.

Elliot swallowed. The taste of the small victory was soured. Games would be the real test.

It took a supreme act of willpower to get through the door of the changing room. It was horribly familiar. Every changing room was the same: the whiff of stale sweat, damp clothing and foot powder. The floor slightly sticky beneath his shoes. Boys mock-fighting, playing catch with football boots or noisily accusing their neighbour of foot odour.

He found a clear space on a bench and changed without looking at anybody – as if he didn't care if anyone was looking at him. He waited for the jeers to start. *Hey, look at Elliot. I reckon I've seen bigger on my hamster . . . Hey, you sure you're in the right changing room? The girls' is just down the corridor . . .*

He finished tying his boot laces. Incredibly, everyone seemed to be more interested in catching the football boot than in him.

The games master, Mr Phillips, appeared in the open doorway. Everyone busied themselves with whatever stage of undressing or dressing they were at, concentrating furiously on buttons and laces. The teacher came a few steps into the room. He was built like a wrestler and blocked out much of the light.

'Who the hell's making all this racket?'

Every boy kept his head down, avoiding the teacher's eyes.

'Come on! I could hear you a hundred yards away. You should have been out of here five minutes ago. Any more messing about and I'll have you running laps around the field instead of playing rugby.'

Chance would be a fine thing, thought Elliot. He would have loved to run laps. Exercise he didn't mind. It was playing the game that he hated. Having the same ten-stone monster tackle you and fall on you six times during one match, quite obviously doing it deliberately, and the games teacher watching and doing nothing, almost certainly secretly enjoying it. Getting yelled at for fumbling a catch, when the ball was impossible to hold: cold and greasy with thick, wet winter mud.

Oliver had already gone out without so much as a word to Elliot. Elliot trotted into the cold sunlight, his chest tight, his heart already thumping uncomfortably. This was where all the acting skill he could muster could let him down in an instant.

But in the end, surprisingly, it wasn't too bad. He ran around enough to convince both Mr Phillips and the other players that he was reasonably keen and eager to handle the ball – even though he was tackled three seconds after he caught it for the first and last time.

Someone else wasn't so lucky: a gangly kid with a crop of angry red spots on his forehead and a raw-looking nose. Every other pass seemed to be directed at him. If he caught the ball he was instantly tackled, smashed into the ground again and again, until even his face was brown. A couple of times Elliot saw a sly hand press his head into the mud, as his opponent ensured he got the most of it. When he didn't catch the ball – which was usually – he got the resentful stares of the rest of his team.

When they eventually walked off the field, Elliot's team had lost 16–24. He noticed the raw-nosed boy lagging behind.

In the changing room, Elliot quickly peeled off his muddy kit and dived for the showers. He wanted to be in and out as swiftly as possible. The keener members of his side looked angry at their defeat, and he had no wish to be a potential target for their frustration.

He let the hot water power the dirt and sweat away. 'Good game,' said someone next to him. He vaguely recognised them from the morning's English lesson.

'Yeah.' Elliot injected false enthusiasm into his voice.

Suddenly the end of the shower run was blocked. He recognised his team captain, Stewart Masters, a big, burly centre-forward who played aggressively, knocking challengers aside with casual flicks of his arm. He was still wearing his rugby shorts, and glaring.

Please don't look at me, Elliot prayed. He tilted his head back to let the water flood on to his face, trying to look unconcerned. His skin felt cold although the water was uncomfortably hot, filling the narrow space with clouds of steam.

When he next looked, Stewart had gone.

Thank you, God. Elliot stepped out into the main changing area and began towelling himself dry.

'Here he is. I've got the little sniveller.'

The changing room went silent.

Elliot froze. But the attention wasn't directed at him. In the far corner of the room, Stewart Masters had hold of the raw-nosed kid, his hand twisted in the boy's hair.

Everybody else might have been clay statues. The air was still with expectation, a stillness which somehow emptied it of smell – of bodies, sweat, damp kit, of sound – of the showers, breathing, of anything that might distract attention from whatever was about to happen.

Stewart spoke quietly into the stillness. 'Baker, you're a snot-rag. What are you?'

'A snot-rag.' The voice was flat and dead.

'Louder, Baker. I want the whole changing room to hear you.'

'I'm a snot-rag.'

'And you stink, don't you, because you never take a bath. Don't you?'

'I – I stink because I never take a bath.'

'You're disgusting, Baker. I'm polluting myself by touching you.'

'I'm disgusting.'

'Did I asked you to speak, you little maggot? You filth stain. Did I?'

Stewart let go of the boy's hair. The tension in the room remained. Everyone knew there was more to come. Elliot held his towel, covering himself; the air suddenly felt cold; there were goose pimples all over him.

Stewart continued. 'You're filthy, Baker. Get your clothes off and take a shower.'

Slowly the boy undressed, carefully placing his clothes on the wooden bench behind him. His skin had an unhealthy, off-white pallor. He looked like a ghost, or a dead body animated by some supernatural force. Naked, he walked the length of the changing room and went into the showers.

Everything else was still.

Steward scanned the room. 'I want a volunteer. Quickly, before Phillips gets here.' He pointed to Oliver. 'You. You're volunteering to man the taps.'

Clearly knowing what was expected, Oliver walked over to the tangle of pipes and wheels on the wall that controlled the flow and temperature of the water to the showers. He reached up and rapidly twisted one of the wheels clockwise.

'A nice cold shower, Baker, to clean the filth off you,' Stewart said. He pointed to another two boys. 'You and you – clothing duty, now.'

They too knew the drill: Baker's games kit followed him into the shower.

Elliot wondered how many times this had happened before – to Baker or to anyone else. Something about the whole thing gave the impression of a routine perfected from long practice.

'What the hell's going on?'

In an instant the tableau unfroze into furious activity.

The games master came into the changing rooms and went straight to the showers.

Elliot raced to pull on boxer shorts and trousers, his heart thudding.

What are you so concerned about? a little voice hissed in his head. You didn't do anything.

The games master twisted one of the knurled wheels on the wall, and the noise from the showers dropped away.

'Come out of there.'

Baker stepped into the changing rooms, his hands covering between his legs, his thin white frame shivering.

'Why aren't you getting dressed, Baker?' There was impatience in his voice.

28

The boy awkwardly half-turned back towards the showers.

'For crying out loud!' Mr Phillips' gaze swept over the room. Elliot saw Stewart staring back: brazen, challenging. He remembered noticing Stewart's name in gold leaf on the rugby roll-of-honour board. He sensed the games master weighing up his options.

The teacher turned back to Baker. 'Just get your clothes and get dressed. And hurry up.' He turned to the rest of the room. 'And the rest of you. You've got three minutes, or you'll *all* be taking cold showers.'

Elliot finished knotting his tie, shrugged on his blazer and got out before anyone could have a chance to speak to him.

Don't be noticed. But he knew it was only going to be a matter of time before he was. And then he'd be joining Baker underneath those showers.

Nothing's going to be different here. Nothing.
I was stupid to imagine anything else.

Chapter 5

The two weeks after that first day were two weeks of growing despair and fear.

He had the right clothes. He had the right haircut. He sat in the right position in class – not too near the front, not too near the back. But he knew it wasn't enough.

The years at his last school had taught him. Trying not to be noticed was doomed to failure. There were kids who spent their time searching out kids who tried not to be noticed.

He couldn't hope that he simply wouldn't be noticed, so he had to ensure he was noticed *in the right way*.

Yeah, right, Einstein. Ten out of ten for brilliant logic. Now all I have to do is work out how.

He had a theory. Getting noticed in the right way involved making yourself stand out just enough to fit in. You had to display some quality that made someone else think. *Hey, that kid's got something*. It could be charisma, or strength, or playing rock guitar, or being good at football – it could be anything. Anything that made you stand out just enough to fit in.

At his last school, he hadn't stood out like that – he'd stood out in the wrong way. He couldn't afford to do the same here.

But he was already at a disadvantage: he was starting in Year Nine, and in the middle of the year at that. Most friendships, most alliances, would be long made.

He needed an opportunity. He needed a moment where he could make people look and see and notice him in the right way. And he needed it fast, before they looked and saw and noticed him in the wrong way.

Every day he scanned the school notice board for some kind of group he could join, a short cut to acceptance. There were any number of school societies, all calling for new members: chess, debating, choir, maths, drama . . . Once or twice he touched the biro in his pocket, then always pulled his hand away. Joining a group could prove a short cut to acceptance, alternatively it could mark him out in completely the wrong way – as a nerd, a saddo.

Stand out for the wrong reason, you're dead.

Football . . . rugby . . . tennis . . . new players wanted . . . At this place, it seemed that if you were good at sport you were classified as 'OK', at least by the people who mattered. But he always drew back from those notices, his palms greasy with fear. He couldn't do it. He didn't only hate sports, he was useless at them. Monday afternoon rugby was seventy minutes of stomach-cramping dread.

Stand out for the wrong reason, you're dead.

Then, in the third week of term, came a chance of salvation: a notice calling for boys from Year Nine and above to try out for the school swimming team.

He was a good swimmer – he could say that to himself as a statement of fact, not a boast. At the local leisure centre back in the city, while his friends were messing about and queuing for the water slide, he'd found more enjoyment in swimming seriously. He'd taught himself how to cut through the water rather than fight it, built up his stamina, learnt different strokes. His friends had laughed at him; he hadn't cared. They didn't know what they were missing.

He'd just never thought of it as a sport. Sport was about competition, about being aware of others and trying to beat them. When he swam, it was nothing like that – he was in a world of his own, a world free of everyone else . . .

But it was a chance to be noticed in the right way.

Maybe my only chance.

Please let my theory be true. And please let me not mess this up.

The try-outs were on Thursday after school. He arrived at Holminster baths feeling weak and sick.

The changing room was crowded. He saw several boys looking him up and down as he changed, critically assessing him, not bothering to disguise what they were doing – another reason why he hated sports. He was acutely conscious of his slight build and skinny arms and legs, although he knew there was lean muscle there as well as skin and bone. Everyone else in the room appeared to be bigger than him, and he noticed two boys with obvious six-packs. He tried not to catch anyone's eye.

There were a few not very quiet whispers: 'Hey, no sparrows allowed.' 'Somebody tell him the food crisis is in Africa.' His stomach churning, he walked through the changing room and out on to the poolside.

He was among the first to be called. For a horrible moment he thought he was going to be sick. Then it passed. He stood with four other boys while a square-headed man in a tracksuit gave them instructions: starting gun, dive, twenty lengths racing crawl.

Elliot took up his position. His toes gripped the edge of the pool. He didn't trust himself to look anywhere but the water in front of him.

My only chance.

He pulled his goggles down over his eyes, checked they were tight. Breathed deeply, tasted the familiar, clean chemical smell of pool disinfectant. Tensed, ready for the gun. Around him the other swimmers must have been doing likewise but he was hardly aware of them, they were no longer important. The only real reality – the only important reality – was his body and the water beneath.

Suddenly he wasn't nervous any more.

I can do this.

He heard the gun fire. Then –

Piercing the pool surface. Down . . . but not too far.

Rising. Surfacing.

Cutting through the water. Fast but clean. Every part of him talking to every other part of him, a silent language he couldn't have explained to anyone who didn't already understand it.

One, two, three . . . eight . . . fifteen . . . twenty –

He touched the bar. Stopped.

Heart racing. Surging.

Slowing.

He hauled himself over the edge of the pool – and heard the tannoy announce that Elliot Sutton had been fastest of the group, and would the next five swimmers come and take up their positions.

At the end of the try-outs he was the third fastest overall, which meant he had a place in Holminster High School boys' swimming team. It was as simple as that. He shook the hand of the square-headed man in the tracksuit, who turned out to be the swimming coach, and then had his fingers crushed by the grip of someone who turned out to be the team captain. Back in the changing room the only attention he received this time was friendly nods and admiring glances.

I did it. I got noticed in the right way.

He could have cried with sheer relief and happiness. He was half-afraid to respond and acknowledge the attention, in case he destroyed the moment.

As he left, someone said casually, 'Catch you next week.' He would probably have said the same to any one of the other winning candidates, but that wasn't important. What was important, what made all the difference in the world, was that he'd said it to Elliot.

Elliot walked home on a cloud of elation, repeating the words over and over: *Catch you next week . . . Catch you next week* . . . It was unbelievable. He'd done it. He was noticed in the right way.

From now on, everything would be different. He knew it.

No maybes.

It wasn't that he suddenly became a celebrity. People didn't crowd him or cheer him when he walked down a corridor. No one asked him to join any other teams or groups. He didn't gain a hundred 'best friends'.

But he was noticed in the right way.

He was no longer the kid who looked around nervously to see if anyone was taking notice of him, and who flinched inwardly if it looked like anyone was. If anyone acknowledged him, it was in a friendly – or at least not unfriendly – way: a nod, a brief smile, a step backwards to let him pass. Someone he didn't know invited him to go bowling and introduced him to a couple of girls from his form – although they were so drunk they didn't take much notice of him.

And he had the swimming team: a place where he fitted in and was respected the same as all the other members. There were three training sessions a week, all before school, and he gladly got up early and endured the stinging shouts of the coach in return for the easy, friendly banter in the changing room and the companionship on the walk to school.

Just one thing marred it.

It had been the first morning after the try-outs. Elliot was barely through the school gates when Oliver, who hadn't spoken to him since that first day, came up to him, offered his hand and said, 'Heard about last night. Nice going.'

'Thanks.' Elliot was cautious, careful not to appear too enthusiastic. Maybe Oliver was one of those people who sucked up to whoever was flavour of the month, desperate to be liked by whoever mattered, or hoping just to be seen with them so that they could bask in their glory. Although Oliver didn't seem like the desperate type. He had an easy, confident air, so much so as to give the impression that he didn't care whether Elliot liked him or not.

No big deal either way, Elliot thought.

There was a silence, which Oliver seemed happy to leave empty. Elliot searched for something to say. Then, before he could come up with anything, Oliver said abruptly. 'You have a problem.'

'What do you mean?' Elliot was instantly on alert, ready for trouble. He'd been caught too many times like this. *First the smile, then –*

'You have a problem, because you don't know anything.'

It was delivered as a statement of fact. Elliot was thrown off balance, not knowing how to respond. His chest tightened.

Oliver smiled. 'No one knows anything when they start at Holminster. If you're one of the unlucky ones, you get to find out the hard way – before anyone's told you. But because I like you, I'll let you in early on how things work around here. You can think of me as your helpful guide.'

His voice was still friendly, but Elliot sensed another quality, distinct but unidentifiable. It made him nervous. The little voice he'd heard in the changing room whispered. *Watch what you say from now on.*

Oliver scanned the playground, making a show of being concerned that someone might be watching or listening. Apparently satisfied, he turned back to Elliot.

'Let me tell you about the Guardians.'

Elliot felt the pulse in his neck jump, although the name meant nothing. 'Why – why would I want to know about these . . . Guardians?'

Oliver slowly shook his head, still smiling. 'It's not a question of whether or not *you* want to know. It's a question of the *Guardians* wanting you to know. For your own . . . health and safety.'

Elliot fought down the sick feeling. He could guess what Oliver meant. 'So the Guardians are the school heavies – is that what you're telling me?'

Oliver laughed. 'I don't think so. No. The Guardians aren't the . . . heavies. You need to think of them as . . . organisation people. The Guardians *control* the heavies – although I don't think they'd like that term. The Guardians . . . organise things.

'I'll spell it out. In the classroom, the teachers have authority. OK? It's their territory. But outside, they control nothing. Nothing at all. Got it? Because out here it's the Guardians' territory. Out here, what goes is what the Guardians say goes. If a kid is getting punished, the Guardians have decided it. They select who get punished, they select who punishes. Or sometimes they'll just select the kid to be punished and let nature take its course. Know what I mean?'

Guardians . . . punishment . . . selections. Elaborate names for familiar, ugly things: heavies, violence, intimidation.

'Keep your eye on the main notice board. That's where the special selections go up. The ones you're supposed to attend. Look for a square of yellow paper.'

Elliot thought he was expected to say something. He tried to sound calm, tried to show that he wasn't bothered, wasn't impressed. 'Sounds pretty neat. I guess it isn't always that simple, though? I mean, what if someone decides they just want to beat up on someone?'

Oliver said simply, 'That's not the way it works around here. We're not like a lot of schools. You'll find that out pretty soon.'

Again, Elliot felt that it wasn't a threat, but again something in Oliver's tone unsettled him.

The first bell sounded. Oliver ignored it.

'What you need to remember is this. When the Guardians select a kid, that kid's been asking for trouble. You don't get selected for doing nothing. Like I said – we're different at Holminster.'

Elliot thought of the raw-nosed kid – what was his name? Baker? – in the changing room. He supposed you could say kids like that were always asking for trouble . . .

Except that that wasn't right, didn't properly describe what it was.

Not *asking* – that was the wrong word. It was more like . . . *waiting*.

Some kids *waited* for trouble. They weren't noticed because of anything they did or said; they were noticed because they didn't pretend to be anything other than what they were. They never looked like anything other than losers, victims, easy meat. They *waited* for nature to take its course.

Elliot knew it because he knew the way *he* had looked, the way *he* had behaved. His face, his body language, everything about him had emitted the same signal? *I'm waiting. Come and get me*.

It was what *they* looked for.

He shuddered inwardly.

Still Oliver hadn't moved. Everyone else had gone inside.

Elliot wanted to get away from Oliver but he didn't want to show his fear, which trying to leave would surely do.

He said, 'So do these Guardians have names? Who do I have to look out for?'

Oliver looked at him sharply. 'Why's that important? If I were you, I'd just make sure there was never a reason for *my* name to find its way to the Guardians. Know what I mean.' He turned and walked away.

Not a threat – a warning. Elliot realised now that it had been there all along: it was the nagging quality he'd previously failed to recognise beneath Oliver's bland voice and bland smile. Oliver knew more – maybe a lot more – than he was letting on; was possibly even one of these Guardians he was talking about. And he wanted Elliot to know it.

Why? Because he liked to show off? Or something more sinister – a coded message. Oliver's way of saying. *You don't fool me. However hard you try to pretend you're someone else, I'll always know who you are.*

Elliot discovered he was shaking.

I'm not safe here. Not here – not anywhere.

Several weeks on, Oliver's warning was fading in Elliot's mind.

If the Guardians existed, they were so secret as to be invisible. Although Elliot didn't know anyone well enough to ask about the Guardians outright, he had watched, listened, waited for even a whisper of the name. Nothing. No one mentioned them. No piece of yellow paper appeared on the notice board.

He began to think that maybe Oliver had invented the whole 'Guardian' thing. Maybe he did it with all new kids – made himself out to be some sort of gangster in an attempt to look big. All that stuff about 'punishments' and 'selections' could be straight out of a film. He'd tried to speak to Oliver again, but whenever they crossed paths, Oliver always made out he was on his way somewhere? 'In a hurry,' 'See ya around,' 'Catch you tomorrow.'

Elliot became aware that he was breathing more easily, watching and listening with less concern. His theory had been right. If you were noticed in the right way, you were OK. No one at Holminster High was after him.

They were after others.

The raw-nosed kid.

A kid with a stutter.

A kid whose hair looked as if it had been cut by his mum.

Two kids from Elliot's form, who always hung around together at breaktimes.

Fat kids.

Little kids.

Elliot hadn't noticed to begin with, but gradually he saw.

In the playground. Small huddles of boys drifted apart, leaving behind someone sprawled on the ground, or crouched down, or bent over, uselessly clutching an injured hand, leg, arm, belly, groin.

In the corridor. In the classroom. Casual movements brought fists, feet and elbows into hard contact with soft flesh, producing little sounds of agony, quickly cut off.

Subtle violence.

But they aren't after me. They notice me in the right way.

It seemed possible, for the first time in three years, that there might come a time when he didn't have to be scared any more.

Also for the first time, school was almost preferable to home. His mum seemed to be tired all the time – too tired to talk to him, anyway. The most Elliot usually got out of her was a strained smile. They ate in silence.

A few times he woke in the early hours of the morning and heard his mum crying downstairs. He tried to shut out the sound. He thought she just wanted to be left alone; that was the impression she gave most of the time now.

He began to hate going home.

As he walked out at morning breaktime on the first day back after half-term, nodding to someone he recognised, he had no reason to think that anything was going to change.

And then everything changed.

Chapter 6

Someone grabbed his arm.

It was Oliver, excited, his face flushed. He pulled at Elliot like an impatient child. 'Come on! We'll be late.'

'What are you talking about?' Unwillingly Elliot walked faster. 'Late for what?'

Oliver pointed. 'Late for *this*. Late for the *punishment*.'

Elliot followed Oliver's finger, and saw a crowd surging towards the toilet block. Instinctively he checked to see if any teachers had noticed the movement and were already coming over. He couldn't see a single one. That had been a joke at his old school: Why are teachers like buses? Because when you need one they're never around, and then three come along at once.

'Come *on*,' Oliver insisted.

Elliot found himself running with a strange and horrible sense of urgency. He had no desire whatsoever to find out what was happening, but refusal or hesitation would mark him out in Oliver's eyes.

At least thirty boys had crammed into the small building. Oliver pushed through them, tugging Elliot along with him. Nobody protested.

He found himself on the edge of a rough semicircle in front of the toilet cubicles. The crowd pushed against his back, eager and impatient. Its excitement spilled over in a continuous roar of noise, which in the confined space was deafening.

His stomach churned. It was hard to breathe, the air thick and glutinous, over-heated by the mass of bodies. But it wasn't just that. The mingled smells of stale urine and harsh disinfectant conjured up unwanted memories. He knew what was going to happen here. He had to get out.

He pushed back against the crowd, but it was a solid mass, immovable. He was trapped. He felt his memories, his past, break out, rear up, prepare to strike.

As if someone had flicked a switch, a hush fell.

'Coming through,' a voice called.

The crowd parted, admitting three people to the semicircle. Elliot recognised one of them from rugby, although he didn't know his name – one of the giants who got angry when he lost. The other looked slightly older, with short, spiky brown hair.

They held the arms of the third boy. Alongside them he seemed ridiculously small, like a cloth doll shrunk in the wash. His uniform was immaculate: the shirt crisply white, the tie perfectly knotted, each trouser leg with a knife-edge crease. He looked straight ahead, occasionally blinking, his small face very pale.

He was trying very hard, Elliot knew, not to look scared.

The crowd waited, silent.

The boy Elliot recognised gazed around the audience, smiling, stroking his jaw.

He's doing this deliberately, Elliot thought, his stomach bucking against his ribs. Playing to the crowd, cranking up the tension. He swallowed fear. *For God's sake get this over with*.

Without warning, the second boy turned and kicked open the door to the middle toilet cubicle. It banged against the thin partition wall, the noise shockingly loud. He turned back and pointed to someone on Elliot's right. 'You do his blazer,' he ordered. He pointed to someone else. 'You get his trousers.'

Elliot couldn't watch, but he had to. And as he watched, he couldn't hold down the past any longer. It reared again and struck, struck again, again, pounding him, ripping into him. Until he couldn't tell the difference between what was happening now and what was happening *then* . . .

. . . A mob of fighting hands wrenched his trousers down below his knees, ensuring he couldn't kick anyone, then pulled his blazer down to his elbows, stopping him lashing out. He was helpless, incapable of resistance.

They dragged him to the toilet. *'Get him in there . . . Drown the little runt . . . Make him scream . . .'*

Hands on his neck, his head forced down into the stained white porcelain bowl. The stench of disinfectant and stale urine suddenly much stronger, biting into his nose and throat. The coldness of the bowl, the side of his face rammed hard against it.

Then the choking and spluttering that signalled the flush. The water boiling up, forcing itself into his nose, his eyes, his ears. *Can't breathe*. Swallowing, gagging, choking on the taste and force of it.

Being let up for air – wrenched up by his hair, his tormentors not wanting to risk getting anything on their own skin – gulping in deep. Being forced down again and again, sometimes five or six times, depending on how bored or angry they were.

Hating himself, despising himself for allowing it to be done to him.

Hating himself, despising himself, for allowing it to be done to someone else.

He tightened his insides until he couldn't breathe, so that his horror and fear and disgust and self-pity wouldn't show. His fists clenched tighter and tighter, until his knuckles burned, until his nails gouged into his palms.

Stop it. Stop it. Just stop. Stop.

It took six flushes before people began getting bored and started to drift away.

Oliver had disappeared somewhere into the crowd. Elliot forced himself to hold back, letting bodies flow around him. He couldn't just go. What if the kid was hurt? He couldn't –

The other part of him screamed. *Get out of here! What do you think you can do? You'll wreck everything*.

But everyone else was gone. There was no one to see him, no one to care. Including whoever had been 'punished'.

He noticed a small black canister lying on the floor, just inside the middle toilet cubicle. He picked it up. Inside was a roll of film. Someone must have dropped it. It was hard to imagine either of the two punishers as photographers, which meant it had to belong to the small kid.

He didn't want to have anything more to do with what had happened, but he couldn't bring himself to throw the canister into the bin. There might be important stuff on the film. Besides, even if there wasn't he couldn't help feeling that it would somehow be . . . *wrong* to destroy it. He dropped it into his blazer pocket.

Outside, he glanced up at the blank windows overlooking the toilet block. He realised with amazement that they had to belong to the staffroom. How was it possible that not a single teacher had noticed what had been going on? At break the staffroom would be crammed with teachers. They would all have to be either blind, incredibly unobservant, or . . .

Or they were scared. Or they simply didn't care. Exactly the same as at his old school. Up there they were safely out of harm's way, in their cosy room that stank of smoke and cheap coffee. Here they didn't have the stupid notice they'd had at his previous school: 'Unless emergency or National Lottery win, go away!' in big red print. But it was just the same. Holminster had smoked glass and oak panels, while his old school had chipped concrete and torn-up plaster – but inside they were identical.

There was no escape. No escape – ever.

* * *

The night was quiet. Elliot lay in bed unable to sleep.

Images and fragments of conversation looped endlessly inside his head. The kid in the toilets, his head held under again and again, the water flushing again and again. *You don't get selected for nothing*. Oliver's face, his skin flushed with excitement. His own breathing, ragged with fear. Sweat beading above his upper lip. Noise. Heat.

Can't breathe.

He turned on to his back, struggling to get comfortable.

He stared at the ceiling. Occasionally, when a car passed, stray light from the headlamps patterned it with swirls and shadows. But otherwise it was blank. Not at all like his bedroom in the flat, where a bloom of wet mould had been spreading across the ceiling from one corner, turning the surface into a complex fabric of blacks and dirty greens. Elliot had got into the habit of charting its progress, waiting for each glare of headlights and then checking to see if the mould had grown since the last time. Some nights he'd lain awake for hours, listening intently for the sound of an approaching car, making sure he made use of every bit of light.

Other times he stayed awake for other reasons. There wasn't only the noise of the cars to wait for. There were the drunken yells, the shouted obscenities – sometimes, from a distance, other times sounding so close they might be under his window. And there was the metallic smash of breaking glass – lots of different types. After a while, you learned the difference between bottle, car headlight and window.

He lay there listening, imagining, wondering if it was safe to go to sleep. There were three bolts on the door to their flat – although it was against fire regulations – and two bolts on the ground floor door to the whole block. But the windows were easy targets, fragile, no protection from what was out there in the dark.

No . . . No, that was then. Not now.

He listened. The night was quiet, the same as every night here, even Fridays and Saturdays. But it was still hard to get to sleep. The silence was unnerving, as if something was waiting to happen, waiting to explode into noise and violence. And with nothing to listen to, he couldn't get today out of his head. *Get his trousers. Duck him. Drown the little runt.*

No . . . No, that, too, was then. Before. Not now. He opened his eyes wide, trying to blank out the images.

No way I could have got involved today. Nothing I could have done.

The bed was too hot, claustrophobic. His body itched madly, the duvet burning his skin. He threw it off, and for a few minutes had peace. He shut his eyes, only for the images and sounds to return. But this time it wasn't him watching; he wasn't a spectator . . .

He blinked back warm shame, remembering the foulness and his utter humiliation; remembering being finally abandoned, vomiting on to the floor to the sounds of retreating laughter. Today had been like living it all over again, even though he'd only watched.

He was ashamed of himself for watching, and for feeling only useless pity for whoever had been punished. But most of all, he was ashamed for not being able to stop himself thinking, *If it's someone else, at least it isn't me*.

He knew he was crying for himself, not for anyone else.

Chapter 7

Every few days a new square of yellow paper appeared on the notice board. It was as if the first punishment had signalled the end of a ceasefire, the end of a temporary suspension of the worst hostilities. Part of Elliot wondered why there had been the period of quiet at all. The rest of him didn't want to think about it – any of it.

When he saw a new name go up, he stayed in the library at breaktimes, hoping that Oliver wasn't looking for him. A few times he looked out and saw a crowd running towards the toilet block; other times it headed in the direction of the cricket pavilion or the groundsman's hut. He closed his mind against it.

He only wished he could close his mind – and ears and eyes – on Monday afternoons. Since he'd become caught up in the punishment in the toilet block, the weekly ritual had become somehow much worse: he hadn't been able to ignore it so well.

Whichever team lost or won a match, the result for the raw-nosed kid was always the same: the quiet lash of abuse, then being made to stand under the cold shower while his games kit was tossed in after him. But it wasn't just the fact that it happened that made it so awful. The worst part of it was the atmosphere of inevitability. Everybody expected it to happen. Everyone waited for it to happen. And when it happened, nothing disturbed the routine. Nobody protested. Nobody spoke. Some boys watched quite openly. Others apparently concentrated on getting dressed, but usually they watched too, furtively. A few blatantly enjoyed it, but with most of them it was impossible to tell what they were thinking.

Elliot always tried not to watch, focused on dressing as fast as possible, hoped that no one was watching *him*. He lived in fear that one day he would be called on for shower or clothes duty. He didn't know what he'd do then. But whatever he did, it was impossible to escape it. Whatever you were doing, you were part of it. If you were there, you couldn't not be.

Just as when you were elsewhere – in the playground, between classrooms, walking home, using the toilets – you couldn't not be part of what went on, couldn't not be aware of the subtle violence, couldn't not sense the tension and expectation.

Somewhere, behind all of it, were the Guardians. He no longer doubted their existence.

Any sense of safety was gone. He lived in constant fear of discovery, of being noticed in the wrong way. But whereas at one time he would have waited for it to happen, now he redoubled his survival tactics. He developed, with the aid of a mirror, an expression of calm unconcern, so that no one could read what he was really thinking. In any situation he could adjust his face to communicate apparent bored indifference. He attended swimming practices, doing his bit to 'serve the spirit of Holminster High'. He kept up with school work but tried not to get too many high marks, in case he got praised in class. He did everything that would make him noticed enough not to stand out, stand out enough not to be noticed.

Outside he was Elliot the Indifferent, but inside he was a churning mess of violent emotions and sensations. He began to sleep badly again, waking every few hours in a sweat of terror, torn out of dreams where past and present re-played themselves endlessly, over and over.

Whatever he did, wherever he went, it made no difference. It seemed he'd always be in the same place: fear's territory.

He needed all his concentration for the game. Mr Phillips was in an ugly mood, looking for trouble, looking for someone to pick on.

He was given his chance ten minutes into the first half. The raw-nosed kid, Baker, was thrown a pass. Amazingly, he caught it – and then the mud-smeared ball slipped through his hands, to be snatched up instantly by a member of the opposing team. A second later the whistle shrilled, calling a halt to play. Both teams waited nervously, unsure of the reason for this pause.

The games master went straight up to the raw-nosed kid. Elliot felt the tension evaporate.

'What do you think you're playing?' The teacher loomed over the boy who instinctively backed away.

'I said, what the hell do you think you're playing? Haven't you had a ball thrown at you before?'

Looking at the ground the boy said something, too quiet for Elliot to hear.

'Too right you dropped it. You're wet, Baker, that's your trouble. What are you?'

The reply was inaudible.

'Louder. Everyone wants to hear you. Come on.'

'I'm wet.'

'Louder.'

'I'm wet.'

'Louder. Say it like you meant it.'

'I'm wet. I'm wet. I'm wet.'

The games teacher stepped back. 'You don't need to tell us that, Baker. I think we've all worked it out for ourselves.'

Several players sniggered.

'You don't like rugby, do you?' The games master continued to speak loudly, obviously for the benefit of everyone listening. His voice took on a mocking tone. 'You'd rather be nice and warm and all comfy; you'd rather be inside, where you can't get all horrid and dirty and bruised. Away from the horrid rough lads out here on the rugby field. You'd like that, wouldn't you, Baker?'

He turned to the waiting players, who by now were making no attempt to conceal their enjoyment. Elliot had a suspicion that this wasn't the first time the raw-nosed boy had been singled out like this.

The games master smiled wolfishly. 'This tender little lad is too delicate to play on the rugby field, so I'm left with deciding what exercise he should be taking instead. Has anyone got any bright ideas?'

A boy next to Elliot called out, 'Put him with the girls, sir. Make him play netball with the girls.'

Mr Phillips' smile widened. 'An excellent suggestion, Harris, thank you.

'So, Baker, what are you waiting for?'

Elliot's team was thrashed, losing 8–30. Back in the changing rooms Stewart was in a vicious mood, dragging the raw-nosed kid across the floor by his hair. Two boys had hold of his clothes. Oliver's hand was on the shower wheel. Everyone else watched in silence.

Suddenly, without warning, the games master walked in. The drama froze. No one looked anywhere. The only sound was the gush of the showers.

Mr Phillips took in everything. His eyes rested for brief eternities on the boy on the floor, passive and immobile, and on Stewart, whose fingers were still, as if by accident, gripping the boy's hair.

Thoughts raced through Elliot's mind. Why had Phillips come in? Coincidence? Or had someone tipped him off?

Still no one moved. The showers were a torrent of noise.

The games master's eyes came to rest on Elliot. 'You.' He walked up close to him. 'I don't know you, so maybe I'll get a half-truthful answer. What do you have to say about this?'

When Elliot thought about it afterwards, the most frightening thing was how easily the lies formed in his mind, how natural it was to say them. But then, at that moment, he was hardly conscious of lying. He was aware of the closeness of the games master, of his aggression. He was aware that it was undirected aggression, that the teacher wasn't interested – or didn't want to know – what was really going on, but would be satisfied by any reasonable answer. And he was conscious of how the other boys in the changing room were very deliberately not looking at him. They were making it clear that *he* was to choose what answer he gave.

It was a clear choice: an answer that would at minimum mean a detention for everyone directly involved, and probably everyone in the room, or an answer that would mean the games master yelling at them for making him have to come in to find out what might be going on. In fact, it was hardly a choice at all . . . and it wasn't as if anything had actually *happened* – Stewart had been interrupted . . .

He said, quickly, 'It was just someone messing around, sir.' He caught Oliver's face. 'And the showers were too hot, so . . . Nothing happened really, sir.'

He had an anxious few seconds, while Mr Phillips stared at him with mistrustful eyes, but he'd judged correctly: the games master wasn't interested in more than a plausible explanation. He stepped away from Elliot and glared at the half-dressed figures irritably.

'If I hear a single solitary *whisper* after I go out this door, the last thing you'll be worrying about is the heat of the water.' He glanced with unconcealed dislike at the boy on the floor, then strode out, leaving the door open.

Later that night, Elliot lay in bed staring at the ceiling, his mind slowly turning. He knew that something important had taken place in the changing room. Something within him. It was not that he had never lied before, but this had been different. The instant he had said those words – the lies – he had crossed a line. And the crossing fundamentally divided everything he had done up to that point from whatever he might do after.

He knew it was a defining moment.

Chapter 8

He was barely out of the school gates on Tuesday when Oliver stepped from nowhere.

'The Guardians want you.' Oliver said it matter-of-factly.

Elliot's stomach kicked. Cold tendrils of fear coiled around his chest. He swallowed and braced himself. Outwardly he had to appear composed and unconcerned.

'When?'

'Now.'

There was no point in asking 'Why?' Even if Oliver knew he probably wouldn't say. Not that it mattered, anyway.

Elliot considered ignoring the command, shrugging Oliver off and walking home anyway. There was nothing to stop him. Except that it was the same as when he'd been told 'Up at the park,' at his old school. Oliver would already have planned for the contingency. It was better to get it over with, not make them angry.

To his surprise, Oliver led him around to the back of the school and then headed into the woods that came up close to the playing fields.

He'd never been in the woods before. It was very quiet. Occasionally a bird chattered, always some distance away. The air was dank and chill-cool, completely different from the crisp, dry cold outside. There was a reek of acid decay from rotting leaves and vegetation, and at every step his shoes sank into mud and slime. It was a proper fairytale wood: not the nice sort with rosy-cheeked grandmothers and friendly dwarves, but the sort where unpleasant things lurked in the darkness.

Somewhere amongst all this the Guardians waited for him.

The coldness in his chest intensified and spread.

They walked without talking. The path they followed was well-trodden, but wound through the trees in no obvious direction. To make everything worse, it was rapidly getting dark. Very soon there would be nothing left even of the weak, grey afternoon light that seeped through the trees. How were they going to find their way out? Then again, *That might be the last thing I have to worry about.*

Abruptly they came out of the trees.

There was enough light to see easily. They were in a clearing: a rough circle of trampled, semi-frozen mud, about a third of a football field in size. At the far end, incongruously, was a railway embankment, running on into the trees either side. It couldn't belong to the main line – that, he knew, ran the other side of town. He wondered if trains still ran on this one.

But he quickly forgot about railways.

The embankment was fronted by a low brick wall. On it sat three figures, their legs dangling. Elliot couldn't see their faces from this distance.

Approximately two metres from the wall, Oliver stopped walking and motioned Elliot to do the same. He bowed his head. Uncertainly, Elliot copied him. Horrifyingly, he felt a sudden, burning need to pee. He fought the desperate urge to excuse himself and run for a tree. Very slowly the need subsided.

He stood for what felt like years. Now that he wasn't moving, his legs and feet were cold. The pressure on his bladder grew again, and he had difficulty concealing his discomfort. Only the thought of what might happen if he didn't enabled him to stay still.

Eventually a voice said, gently reproachful, 'Aren't you going to introduce us?'

His face blazing red, Oliver hurriedly identified the figures. The one who had spoken, on Elliot's right, was Richard. The one in the middle was Gareth; on the left, Cameron.

As soon as Oliver had finished, Richard flapped a hand. 'You can go now, Oliver.'

'Oh. Right,' Oliver said eagerly. His usual cheerful but sly confidence had gone. He was nervous, anxious to please. He slipped away into the woods.

Elliot was alone with the Guardians.

He looked at them properly for the first time. None of them fitted the mental pictures he'd created. He'd imagined them, using his old school for a model, as things close to human demons: evil with shaved heads, leather jackets and an aura of violence. What he saw was three older boys, in Holminster High School uniform, with the crest on the tie that showed they were sixth-formers. Nothing demonic. Entirely ordinary.

The one closest to him, Richard, had the easy good looks of a model. His wavy dark brown hair curled back over his ears, framing a lightly tanned face. In defiance of school regulations he had long sideburns, carefully trimmed and shaped.

Richard's eyes flicked casually over Elliot. They seemed hardly to notice him, made it clear that they didn't *need* to notice him, and yet Elliot had the idea that the older boy was filing away every detail of him. He imagined it was the gaze of someone who could afford not to care about anyone or anything. Someone with absolute confidence, absolute power.

Gareth and Cameron were also studying him, but with nothing like Richard's intensity. Elliot realised he had seen all three of them before, staring out from the pages of the school prospectus. *Sporting excellence*.

He mentally summed up and reached a decision. Richard was the most important one. The one he had to do most to appease. The dangerous one. He was faintly stunned that he was able to think rationally. The old Elliot at this point would have been ready to blubber, expecting the worst and unable to conceal it. But the new Elliot, although terrified, could hide that terror. This Elliot could appear for all the world indifferent to everything.

The way he was thinking and acting was new to him. It frightened him, though he didn't know why.

You'll get used to it. You'll learn to like it.

I hope so.

He waited.

Richard jumped off the wall. He came up close to Elliot and stooped so that their faces were on the same level. His eyes were wide, unblinking and unmoving. They gave Elliot the impression that Richard was weighing him up, evaluating him.

Perhaps Richard was something worse than a demon. A ripple of cold travelled down Elliot's back. He forced himself to hold the older boy's gaze.

Abruptly Richard straightened and stepped back. He focused on Elliot, as if seeing him for the first time.

'Why did you come out here?'

He sounded genuinely interested, not threatening, but Elliot had been through similar routines too many times to be taken in. Richard would keep up the apparent interest, even friendliness, for as long as he wasn't bored, and then it would be *Wham! In with the boot*. There was nothing to do except play along.

'I thought – I thought you asked me to.'

'Do you do everything you're asked?'

Elliot's mouth started to answer. *No*, but the word froze on his lips. Into his head came the same voice that had hissed at him before. *Remember: you have to think differently. So think differently.*

He thought, then said, terrified, 'I do things I'm asked – when I'm interested. If I want to.'

The older boy smiled. 'So why did you want to come here this evening?'

Why? Oh God, think. His mouth was dry. 'I wanted – I wanted to find out more about the Guardians.'

'Really?' Richard's smile broadened. 'So you think you know something about us *already*?'

He swallowed. 'I know some things.'

'Tell me.'

'I know that everybody's afraid of you.'

Still smiling: a mocking twist of the mouth, teeth exposed, reminding him of another smile, another person, another time. 'So are you afraid, Elliot?'

I'm not afraid. I'm terrified. He couldn't answer. Anything he said would be wrong. You could never win. In this sort of game the future was already decided. He'd been dead since the moment they'd selected him.

He waited. His stomach contorted.

Somewhere a bird chattered.

He waited. Any moment.

He waited –

He realised with a jolt that Richard was talking again.

'. . . tell us more of what you know about the Guardians, Elliot.'

How am I still alive?

There was no time to think. He lunged at the unexpected gap and blurted out what little he remembered Oliver telling him about selections and punishments. When he'd finished, he took a deep breath. It made him feel worse.

Richard closed his eyes and said dreamily. 'Not entirely inaccurate. But why do we organise all this? Can you tell me *that*?'

Elliot left unsaid the answer fluttering at the back of his mind: *There isn't a reason. Not a good one, anyway*. 'Er

. . . money? Extortion, protection rings, that kind of thing?' There had been rumours of that at his old school, although it was about the one thing he hadn't been subject to.

Richard's eyes snapped open. He looked amused. 'Extortion is so unoriginal. All that kind of stuff's for the no-brainers, the thickies. They're welcome to it – outside Holminster. But they simply don't get the point of the whole exercise.' He paused, then said lightly. 'Do you get the point, Elliot?'

What was the correct answer? *Think, for God's sake.* 'The point . . . The point is . . .'

What the hell is the right answer?

Richard looked at his watch. 'It's getting late. You can go now. But think about it; *think about the point.* Got that?'

Elliot nodded, dazed, unable to speak.

'Get going then. And think about our next meeting.'

For the next four days he existed in a state of torment, the thought of the next meeting eating away at him. Obsessively, he went over and over what had happened in the woods.

Are you afraid, Elliot?

He hadn't been able to answer, and yet he was still alive. He was still dazed; could still hardly believed he had escaped without so much as a mark. He didn't know how he had dared to speak to them – to Richard – in the woods at all. As if someone, something, had taken over his body.

But it's you, Elliot. You did it. No one else.

What did they want with him? He was now half-convinced that he hadn't been selected for punishment. But maybe that was what they intended him to think. Maybe it was part of an elaborate softening-up process.

Do you get the point, Elliot?
What the hell was the right answer?

On Friday afternoon Oliver was there again, waiting outside the school gates. He didn't need to say anything. Mutely, Elliot followed him into the woods.

This time Richard remained seated on the wall, so that Elliot had to crane his neck in order to look at him.

'We were very impressed by your behaviour on Monday, Elliot. A very cool piece of work. You more than lived up to our hopes.'

Elliot froze. There was only one thing they could be talking about: what had occurred in the changing room. How did they know about it?

'We've – *noticed* you, Elliot. You are not – how shall I put it? – you are not one of the crowd.'

Elliot's throat contracted, until he felt he was slowly suffocating.

Stand out in the wrong way, you're dead.

'You stand out from the crowd, Elliot. But not because you can't help it – that would be nothing special. When you want to be, you are part of the crowd, others accept you. A valuable skill, to be able to do that. But when you don't want to be part of it, you choose not to be. You are *able* not to be. And people accept that too, even if they don't notice it, as we do.'

Elliot struggled to understand what Richard was saying, not knowing if he was supposed to respond.

'Oh yes, Elliot. We've been watching you. For quite a while.'

How? Who? he thought wildly.

Richard laughed. 'Oh, not us personally, Elliot. We don't have the sort of low-grade minds that get excited following people around.' He adjusted a shirt cuff. 'No, we let other people do that. You really wouldn't *believe* how eager some people are. You should listen to them:

they're always so busy, so anxious not to miss any little titbit. All you ever hear them saying is, "Catch you around . . . catch you later . . . tomorrow . . ."'

This time Elliot couldn't stop the spasm of expression reaching his face.

Richard laughed again. 'Don't let on that you know – you'll ruin his only reason for living.' He paused. 'Do you fancy a job like that, Elliot? Do you picture yourself watching people for us, reporting back on their every move? Who their friends are, what marks they get – well done on your last history essay, by the way; old Higgins is stingy with the B-pluses – what deodorant they use, what dirty little secrets they have . . .'

The comment on the history essay knocked Elliot sideways. Oliver wasn't in his history class. Who else was watching? Ten kids? A hundred?

Quickly he recovered himself. The remark about the essay had been thrown in carefully. Richard must have worked out precisely what effect it was likely to have. Most likely he was relying on it to scare him into taking anything else on faith. Well, he realised with surprise, he was tougher than that. Keeping his nervousness in the pit of his stomach, he said, 'It's a shame you couldn't find a more recent example. I've had two English essays since then.'

Gareth flushed. 'Watch your mouth, Elliot. We don't like smart mouths around here.'

For a moment Elliot thought he'd gone too far. But after a few seconds – enough for Elliot to know that he'd been warned and wouldn't be warned again – Richard continued.

'Well matched. Touché. We didn't really have you down as Watcher material. You have promise far beyond that.'

It was like a game, Elliot thought. A vastly complicated game, and he had to guess the rules as he went along. But he still had no real idea why he had been selected to play.

It seemed as if Richard in some way approved of the fact that he 'stood out from the crowd' – but he couldn't even be sure of that. Nor was it clear what the stakes were.

When Richard spoke again, every trace of humour had been erased. His voice was quiet yet hard. 'So. On to the real business of the day. The question I left you with: the answer, please.'

The clearing was still.

For some reason, a scene flashed up inside Elliot's head: the games master humiliating the raw-nosed kid in front of everyone. Smiling . . . a wolfish grin . . . enjoying himself . . . He picked up on the thought and suddenly, wonderfully, the answer came to him.

He said. 'The point is – The point is to have fun. That's the point.'

Richard's eyebrows twitched. 'Very good. You had me worried for a moment. Do you read much?'

The abrupt change in tack threw Elliot off balance. 'Er – some. A bit.' It would have been risky to tell the truth. He didn't imagine that saying *Yeah, I read to escape people like you* would win him any favours.

'You should read more. It broadens the mind.' Richard gave no sign that he was joking. 'Have you read *Nineteen Eighty-Four?* George Orwell?'

Elliot was thrown again, but this time only momentarily. *He's doing this deliberately*, the voice said. *It's part of the game.* More confident, even daring, he said. 'Never heard of it.' The truth this time.

'Tut, tut!' Richard shook his head, as if in sorrow. 'What *do* they teach children in school nowadays?' He reached into his blazer pocket and pulled out a battered paperback. 'Let me tell you about *Nineteen Eighty-Four* – the best book ever written, in my humble opinion. *Nineteen Eighty-Four* is about *watching*. A society where everyone is watched. In this society, there are television screens everywhere – but they aren't like normal televisions. They work both ways: you watch them and they watch *you*. They're in the streets, in the shops, where you work, in your house . . . Anything you do – maybe *everything* you do – someone is watching you.'

The story sounded vaguely familiar. He remembered a film – something about a man who was on television twenty-four hours a day.

'The next question I have for you, Elliot, is this: What's the point? What's the point of watching people all day long?'

What had happened in the film? He couldn't remember. But it was pretty obvious when you thought about it. 'To control people.' He said it indifferently, to make the fact he thought it was obvious clear. 'If people know they're being watched, they're less likely to misbehave. It's the same as the CCTV cameras in an arcade.'

Richard nodded. 'Very good.' He was serious again, the faint mocking note gone from his voice. He looked above Eliot's head, apparently staring at something in the distance. 'The watchers want to have control. They want people to fear them, to do what they're told, to know who's in charge. They want people to know who has power over them. And do you know why they want to do that, Elliot?'

This time Elliot didn't. Even if he did know, he thought, it wouldn't be clever to be too clever. Particularly not with the note of fervour that had crept into Richard's voice.

Richard jumped off the wall and came up to him as he'd done before. He was so close that Elliot saw the individual pores in his skin and a patch he'd missed shaving. He gripped Elliot's shoulders, his fingers digging in, almost painful. His eyes bored. Elliot couldn't move. Couldn't look away. Couldn't blink. Richard spoke in a fierce whisper. 'The point is this. It's what Orwell wrote in the book. The point of control is *to control*. The point of having power is *to have power*. The point of using terror is *to use terror*. It's as simple as that.

'Do you understand, Elliot? The power the Guardians have isn't a means to an end. Only the no-brainers, the thickies, the dumbos, the neanderthals, think that. The poor, sad little losers.'

He held Elliot for a few seconds longer, then straightened up and looked away. 'Power *is* the end, Elliot. If you really want it, and want to keep it, you'll remember that. And if you do that, and understand it, you'll discover just how much fun power can be.' He looked down and laughed at Elliot's face, at his expression of confused half-understanding and alarm.

'Get lost, Elliot. We'll be in touch. You can count on that.'

Chapter 9

On Saturday morning Elliot woke early and couldn't get back to sleep. Richard's words still echoed inside his head: *We'll be in touch. You can count on that*.

He didn't want to hear, but nothing, not even full volume on the headphones, blotted it out. Why couldn't they say what they wanted from him?

As if that wasn't enough to cope with, his parents had rowed – or rather his mum had shouted and cried – practically the whole of Friday evening. Nothing in particular had caused it; it was over all the usual stuff: why didn't his father *do something, get up, get out, get off that chair*. But this time, once she'd started she seemed unable to stop until she was physically drained and her anger collapsed into tired weeping. It had begun at dinner and there had been no opportunity for Elliot to escape.

He wanted to talk to her. Not about his own problems – how could she help with those? – not about anything in particular, even. He just wanted to talk to her, and her to talk to him, like it had been back at the flat. But he couldn't find the words any more and it seemed as if she couldn't – or didn't want to – either. It was as if the two of them had less and less to share, their lives separate railway tracks running away from each other into the distance.

And on top of everything, cold and accusing, was the memory of the lie in the changing room. It had come out so horribly easily and been believed so readily, but there had been nothing else he could do. It was hardly as if he'd hurt anyone – in fact he'd done the raw-nosed boy a favour, since no one would be seeking revenge for having detention. All those things were true, yet he felt nothing but rottenness inside.

If only it hadn't been passed on. If nothing had been reported, or if nothing had been said, then the summons might never have come. If . . . If . . . If . . . His thoughts ate away at him like poison, making it impossible to focus on anything else. He picked up a book he was part-way through and dropped it after half a page, the text a meaningless jumble of shapes. He looked at the clock-radio: 06:01. He'd go mad if he stayed in bed much longer.

He threw off the duvet and dressed quickly. Five minutes later he was out of the house, towel and swimming trunks in a carrier bag under his arm.

Shortly after they'd moved to the flat, he'd started to get up early every Saturday and Sunday and walk the half-mile to the local swimming pool. He'd swum lengths, trying to increase his distance and speed every visit, as he'd done back at the leisure centre. Frequently he was the only one there that early. At most there were a few keen types, who ignored him as he ignored them. Knowing that he'd be left alone had been one of the best parts of it.

Something happened to Elliot when he was swimming. It gave him the ability to lose himself. Pulling up and down a lane, his limbs and body working with quiet, powerful efficiency, smooth and co-ordinated, his head emptied of everything except the stroke . . . the next stroke . . . the next stroke . . . Getting the curve of his arm right, cupping his hand so it bit into the water. Sensing the power of a good stroke – how it drew together all the muscles in his body, concentrated them in a single motion. And when it all came exactly, beautifully right it was effortless, and he cut through the water hardly aware of the weight of his body, not seeking to master it but working with it, letting it hold him. Trusting it. Trusting himself.

It became a place of escape, somewhere he was allowed to forget the ugliness that existed outside.

Since they'd moved to Holminster the only swimming he did was with the team, and it wasn't the same. Then he was swimming for someone else: listening out for the coach's instructions, thinking about how he fitted into the team, how to work together in a competition. There was never a chance for him to empty his mind and be alone.

The pool was all but empty, just one swimmer ploughing steadily up and down a lane. Elliot dived into the deep end, the water smashing up into his face, driving the rubber edges of the goggles painfully into his skin. He sank almost to the bottom and rose slowly, already halfway up the pool. He settled into a front crawl, pacing himself to avoid cramp.

He completed one length, then another. Up . . . down. Up . . . down. Breathing easily, his body liquid, flowing. He was hazily aware of the swimmer in the next lane keeping pace with him, but otherwise his mind was clear, thinking about nothing, but the stroke . . . the next stroke . . . the next stroke. The outside world slipping away . . .

Up . . . down. Fifty-seven . . . fifty-eight. Up . . . down. Letting go of everything else, until there was nothing except the water and his body – and they were limitless . . .

Eighty-nine . . . He could have gone on for ever, but near the end of the length he looked up and the overhead clock showed 7.55, and he knew there would soon be more people arriving, crowding the lanes. It wouldn't be the same then.

He came to the end of the length and stood up in the shallow end. He felt tired but good: worked out, faintly glowing. He peeled off his goggles and stood for a moment, keeping the feeling.

The other swimmer finished his length and stopped too, pulling himself up using the bar. He shook his head to throw off water, then pulled off his goggles and glanced at Elliot.

Their eyes met.

The water suddenly felt very cold.

It was the small kid from the punishment in the toilet block. Unmistakable. Over the past few weeks, his face had occupied Elliot's dreams often enough.

They stared at each other. Then, with a convulsive effort, the other boy scrambled over the edge of the pool and darted into the changing rooms, out of sight.

Of all the people to meet! With a sense of unreasoned urgency, Elliot got out and hurried after him. When he got to the changing room the other boy was struggling with a locker, fighting to make the key turn. He saw Elliot and dropped the key. He backed against the wall, frantically looking to each side, looking anywhere except at Elliot.

It was like watching a cornered animal, Elliot thought – a defenceless creature hopelessly searching for a way of escape. The other boy was shaking, his whole body trembling violently, his thin chest heaving. There were little sounds as he inhaled and exhaled.

Realisation struck: *He's terrified of me. He probably thinks I'm going to attack him.* Elliot felt sick. All the good feeling from the swim had gone.

He took a step back and said quietly, 'Look, I'm not going to do anything, OK?'

His words had no effect. If anything, the other boy looked more terrified.

So this is what it means to have power, thought Elliot. *To stand over someone and have them physically tremble in my presence*. But he didn't feel powerful. There was something awful about the scene. He wanted to step away, get dressed, and get out, but he couldn't do it. He knew why. *I'm guilty. I watched, along with everybody else*.

He bent down and picked up the key. He held it out. 'Here.' Like a peace offering.

The boy's eyes flicked from the key to the lockers, then to the space behind Elliot, then back to the key. But he made no move to take it.

'I'm not going to do anything.'

Still the boy didn't move; stayed pressed against the wall, his chest rising and falling.

Elliot's trunks were clammy and disgusting. The warmth of the swim had leaked out of him. He wanted a hot shower. He wanted to be out of here. He checked the number of the key tag, then looked along and found the corresponding locker. The key turned easily in the lock and the door swung open.

'I'm not going to do anything,' he repeated.

Still there was no response. Elliot felt a rush of irritation. 'Suit yourself.' He opened his own locker, found shower gel and shampoo, and went over to the showers.

It was difficult to lather his hair. His hands were shaking. He still felt sick. Part of it was shock – shock that he could have that effect on anyone – and then self-disgust, revulsion at himself. But that wasn't all of it. Not if he admitted it to himself. The truth was that the encounter had been like re-living a memory, except that in the memory the situation was reversed.

He closed his eyes and started to rinse his hair. A picture formed behind his eyelids: a boy backed against a wall, pressing against it as if it might open up and swallow him. It didn't – of course it didn't – but still he prayed that it would, because there was nothing else to do; they had blocked every escape route. And now they came for him . . .

He opened his eyes and deliberately let soapy water trickle into them. The stinging pain drove away every thought except a frenzied desire to relieve it.

The sheet of paper in his locker said simply '4.15'; there was no indication of who it was from, or what was happening at 4.15, or where it was happening. But then there was only one thing it could mean: he had been summoned again.

Was getting a note in your locker different from having your name on the notice board? He guessed it had to be. So he still hadn't been selected for punishment.

So what the hell do they want with me?

He expected Oliver to be waiting, but at four o'clock there was no sign of him and he went on into the woods alone. The Guardians were waiting as before, perched on the embankment wall. Elliot pulled his bag off his shoulder and stood looking up at them.

Richard spoke. 'You want to learn some more, then.' It was a statement, not a question, and Elliot waited.

'Yes, of course you do. You want to know all about us. You want to know what the Guardians are, why they exist, why they do what they do.'

Again, Cameron and Gareth seemed content to let Richard speak. But both of them stared at Elliot, as if watching for him to make a wrong move.

Richard looked into the trees.

'We go – the Guardians go – way back. Almost to when this school was founded, in 1876. It means we've got history; we've not just a name taken out of thin air. In different times different people are called the Guardians, but really they're the same. Continuity – that's important to remember. People come and go but the Guardians are always here. Even if today we don't receive the recognition we deserve . . .'

Unexpectedly, Gareth took up the narrative, still staring at Elliot. 'Continuity, Elliot. Remember it. Think what our name means. Guardians: guards, protectors, custodians. What do Guardians do? They defend. They block. They resist. They keep things in their place. That's what we do: we keep people in their place. If they forget their place we remind them of it, and if they try to leave it . . .' Gareth didn't need to finish the sentence.

'The Guardians exist by keeping everyone else in their place. *Continuity*. Remember that, Elliot – because it's how we survive.'

As if on cue, Cameron cut in; this was clearly a rehearsed performance.

'The old Guardians kept a book, a sort of combined diary and record of everything they did, everything they were: names of Guardians, names of people to be punished, names of punishers, details of the punishments. There's some great stuff in there – pretty vicious, pretty bloody. Broken ribs, broken noses, fencing scars – they used to organise fencing duels with the safety buttons off. Messy. But they never let it get out of hand. Everything was controlled, everything was predictable. They knew their stuff in those days. You can learn a lot from them.'

There was a brief silence. Then Richard resumed talking.

'That was when Holminster High was a grammar school, of course. And then they turned it into a comprehensive, and all that stuff vanished as if it had never been. On the surface, that is. No prefects, no form managers, no head boy; the old pecking order, the old hierarchies – all gone.' Richard looked down and smiled at Elliot. 'Am I boring you?'

Elliot shook his head, maintaining his expression of casual – although not *too* casual – interest. He wondered what the point of this was. It was amazing – not to say creepy – that the Guardians could have existed for so long; but he couldn't see why they wanted him to know it.

'It was all quiet until ten years ago, when there started being new entries in the diary after a gap of more than twenty years. There's no record of why we – why the Guardians – re-surfaced, but we were back. And now it's as though we never went away.' Richard looked at the other two Guardians and though nothing was said. Elliot had the impression that an agreement had been reached. 'Which brings me to the point of this meeting.

'From September, we've each got a year left in this place. And when we leave, we need people to step into the positions we vacate. People who share our values, our beliefs. We need *successors*.'

A cold worm crawled into Elliot's head.

This can't *be why I've been called out here. No way*.

'Not just anybody. People we can train. People willing to be educated.'

No way.

It was still half like a game. Richard's voice was gentle, bantering, as if he and Elliot were pretend-playing. It made it worse. If he had displayed emotion, raised his voice, what he was saying would sound ridiculous. But the way he spoke, so deliberately casual . . . Elliot had no doubt that if he put a foot wrong – like revealing this conversation to anyone – the Guardians would annihilate him, and do so with no more effort than stamping on a chick that had fallen out of its nest. He shuddered at the image that came into his mind.

'So, Elliot. Now you know us. And we already know *you*. We know you aren't one of the crowd. We know you aren't interested in simply being a spectator. We probably know you better than you know yourself.' Richard paused. 'You're already halfway to being one of us. We're offering you the opportunity to travel the rest of that way.'

The unspoken question drove the breath out of him. He wanted to turn and run, but his legs were rigid.

'I should add', said Richard, 'that this isn't usual. It's general practice that only year-elevens are given the chance. But this year, although there are plenty who would *like* to be Guardians – as always – there are few who are truly suited to the . . . responsibility. We have two candidates, but finding the third was becoming a problem. Until you came along.'

The three of them looked down on Elliot. Three who must have each been chosen as they were now choosing *him*. All three of them chosen because they were *noticed like him*.

But they've got it wrong. I'm not like them. I'm nothing like them. Please, let me wake up from this now.

Cameron spoke. 'Most people would feel privileged to be given this opportunity. Do you feel privileged, Elliot?'

Elliot didn't trust himself to speak. Didn't trust himself to breathe.

Richard answered for him. 'No, of course Elliot doesn't believe he's privileged. And why is that?' It was another non-question. 'It's because Elliot knows it's his *right* to be here. He was born for this. He doesn't need to be grateful to us; he doesn't need to be grateful to *anyone*.'

Abruptly he jumped down from the wall. Elliot thought he was going to come up to him as he'd done before. He held his breath, fighting the tremor that threatened to seize him. His pulse banged inside his skull.

But this time Richard held his distance. 'My God, Elliot, look at you! Not a flicker. You've got it made. You're going to *rule* this place when we're gone.'

Elliot's breath escaped between his teeth. His shirt was wet on his back. His stomach knotted and unknotted.

Richard held out his left hand, palm down. As if on cue, Cameron and Gareth jumped off the wall and joined him, each putting their left hand on top of his.

Now they were waiting for *him*.

He could run. He could say *No*. It was *his* choice.

Space and time were motionless. Nothing existed except the four of them, here, in this clearing.

My choice. Except that it wasn't a choice. Not properly. Not when you remembered the changing room, or the toilet block, or any of it. When you thought about those, it wasn't a choice at all.

He watched his left hand come up and place itself on top of Gareth's. He watched Richard bring up his right hand and cover it. Felt the pressure of it. Cold skin on cold skin. He felt himself stepping outside everything; he felt as if everything was happening without him being there. *This isn't real. It's a dream. I'm going to wake up and it will all have been a dream*.

And then the world switched back on. He was real, *there* in the wood, in the clearing, and it was *his* hand, it was really *him*, it was all real.

Richard pressed his hand down. 'Welcome, Elliot. Welcome, Guardian.'

Chapter 10

Welcome, Guardian.
I'm a Guardian.
No. No way. This isn't happening.
This is happening. This is real.
Let me wake up. Please.
You're already awake.

He was to meet the Guardians twice a week for 'training' – what this involved he had yet to find out. If he needed to contact them at any other time, he had to pass a message through Oliver. The Oliver who now avoided Elliot's eyes, and spoke to him without any trace of the self-confidence and superiority he'd displayed before. Who treated him with respect.

Otherwise life went on as usual. The Guardians' identities were closely guarded; only a few trusted Watchers, such as Oliver, ever saw them or knew them by name. To all but those select few, Elliot was simply Elliot Sutton, average year-nine male, member of the school swimming team. No questions asked, no notice taken.

It gave Elliot an uncomfortable feeling of mingled triumph and unhappiness. He'd done it: he'd made himself fit in, made himself noticed in the right way. But in the process something terrible had happened – something he'd never asked for, didn't want, couldn't bear, but that also, in a horrible way, just about guaranteed his safety.

My God, Elliot, look at you . . . You're going to rule this place when we're gone.

He didn't want to rule. *I just want to survive.*

The point of control is to control. The point of having power is to have power. The point of using terror is to use terror.

I don't want to. I can't. I'm not like that.

You'll get used to it, the little voice whispered.

On Saturday morning he woke early from a nightmare. The house was quiet around him. Again he felt the desperate urge to get some space, to get away from everything, and there was only one way he knew how.

This time he took the small canister of film with him. Not that he seriously expected the boy from last week to return. *I know I wouldn't.* But he didn't want to miss any chance of getting rid of it.

You should have just thrown it away, the voice whispered.

A few times during the week he'd come close to doing just that. But each time he'd stopped, remembering the time – a long time ago – when a roll of film from a family holiday had been ruined by the chemist and his mum had burst into tears.

He had no idea what was on this film, but whatever it was, he couldn't just let it be destroyed.

The swimming pool was deserted when he first arrived. After he'd swum a couple of lengths, someone else slipped in from the shallow end and began to lap on the opposite side of the pool. It could have been anybody – at that distance, through the water, everyone was an anonymous body – but he had the strange conviction that it was the boy from last week.

They matched each other for seventy lengths – whoever it was, they were in good shape, Elliot thought. He felt his black mood lifting. Impossible for it not to, in the water like this. Beautiful. No pressure. The world exiled.

It took Elliot a moment to realise the other swimmer had gone. Panicking, he put on a burst of speed to the end of the pool and clambered out after him.

When he got in the changing room, he saw that he'd guessed right: the same small, fragile figure was pulling a bag out of a locker. He glanced nervously at Elliot, but this time made no move away from him.

Elliot went to his own locker and took out the small black canister. He had a moment of doubt and panic. He was only assuming this boy had dropped the film; it might have nothing to do with him at all. *You'll look a right prat then, if you give it back, won't you? Some sort of weirdo who hands out stuff to total strangers.*

He almost put the film back in the locker.

But he didn't want to carry it around for ever. *And I can't just throw it away.*

He called over. 'Hey!'

The figure jerked, as if receiving an electric shock.

'This yours?' said Elliot, holding up the canister.

The other boy said nothing, hunched his shoulders, appeared to shrink into himself.

'This yours?' said Elliot again, although he knew the boy had heard him the first time.

First and only rule of engagement, he thought. *Don't look, don't answer, don't move. Then there's just a chance they won't be bothered to carry on. Not much chance, but a chance.* Answering was fatal. Then they had you. *If you answer, you've helped them notice you.*

He imagined what the boy was thinking. *Answer 'Yes, it's mine,' it gets destroyed in front of you. 'Oh, sorry, Elliot, my foot slipped.' Answer 'No, it's not mine,' it also gets destroyed in front of you. 'Not yours, Elliot? Well, you won't care what happens to it, will you?'*

Elliot went up to him, feeling dangerously exposed, even though it was only the two of them in the changing room, and placed the canister in the open locker. Before he could stop himself, he said, 'I'm not going to touch you. I found it, that's all. I'm just giving it to you. Nothing funny. OK?'

Liar. If he'd just 'found it' – if he hadn't been there, hadn't watched, hadn't *seen*, hadn't . . . *If I just 'found it', how would I know who it belonged to?*

But this time the boy nodded – very cautiously, a small nervous movement, as if he was terrified of upsetting some dangerous animal.

The voice said, *Fine. You've satisfied your guilt. Now leave it.*

Elliot showered slowly, dressed and went out into the early morning sunshine, thinking about what he should have said. *Hey, I'm not . . . I'm not . . . not . . .*

What? What would you have said?

He nearly walked into the other boy; he was waiting on the pavement.

They both flinched.

Elliot hesitated. He knew he should ignore the other boy and walk on past. But another part of him wanted to say, *Hey, I'm not like you think; I'm not like anyone in this place thinks. Don't make the mistake of thinking you know me from what you see.* Which would be stupid, pathetic, dangerous. Which he couldn't ever say.

'I'd been looking everywhere for this. I thought I'd lost it. I mean – thanks. I mean – most people, they wouldn't have – they'd have just chucked it away.' The words stumbled over each other. 'It's my competition entry. I thought I wasn't going to be able to enter, or I'd have to take them all over again, and I mean –' He stopped. 'How'd you know they were mine? I mean, I haven't seen you in photography club –' He stopped again and went red. 'Sorry, I didn't mean – I wasn't – I mean, it doesn't matter or anything. I just wanted to let you know . . .'

Elliot was embarrassed by the display of gratitude. He said, uncomfortably, 'Thought it might be important, that's all.' He looked anxiously around. He didn't want to be seen like this, talking to a kid not only from a year below, but also on the Guardians' hit list. Fortunately, early on a Saturday this part of town was practically deserted.

'It's all right,' the other boy said nervously, but as if to reassure Elliot. 'There won't be anyone around. There never is. Never has been, I mean. I mean, I've never seen –' He tried to smooth his tangled hair with his hands. 'I should have had a shower. I was in a hurry. I didn't know who you were. I mean – I'm Ben –' He broke off as abruptly as he'd started.

He was like a scared rabbit, jumping all over the place. Elliot looked around again. Being in the open like this was dangerous, whatever. He said, hoping – what did he say his name was? – Ben would take the hint, 'Well, I'd better be going.'

'D'you want to see the photos?'

Elliot stared at him. 'What?'

'See the photos.' The words flooded out as if Ben couldn't stop them. 'You can come back and see the photos if you want. To my house, I mean. It won't take long to develop them. I've got my own darkroom. Only if you wanted, I mean . . .'

It was as if they were at primary school: *You wanna play computer games? You wanna see my hamster?*

No. No way. This was precisely the sort of kid he did *not* want to be associated with. Some scared midget desperate to find someone who wasn't going to beat up on him.

'Only if you want to.'

As abruptly as Ben had switched from dumb silence to verbal diarrhoea, Elliot's brain shifted tracks. He thought about what else he had to do. He was in no hurry to get back home – not with his parents in the house together. The alternative was hanging around the shops on his own all morning, as he usually did. And although this kid, Ben, was one of the last people on earth he could afford to be seen with, at the moment there was no one around; and if they went back to his house, nobody was going to see them . . .

Get yourself out of here.

Ben lived in the upper end of town – the expensive end. Where the lower end had estates of mean, equally-spaced brick boxes, each with their identical postage stamp of lawn, here it was all grand, sprawling Victorian suburbs, the houses half-concealed behind walls and bare trees and jungles of greenery.

Elliot nervously looked at the upper storeys, imagining people hidden behind the bay windows, watching him without him seeing them. For all he knew, dozens of Holminster High kids lived down here. He could be recognised. Several times he was about to make an excuse to get away, but each time, at the thought of the alternatives, and the likely pleading from Ben that would result, he closed his mouth.

Ben lived in a road called Regency Avenue. Elliot estimated that you could fit three of the houses from Lawnacre Drive into his house and still have room left over. The hallway was at least half as big as the lounge at home. It had framed watercolour landscapes on the walls, polished tiles and a grandfather clock that ticked with a slow, heavy *tock*.

The richness of it all unnerved him. And this was only the hall. *The money that must be in this place . . .*

Ben's mum hurried through from the back of the house, wiping floury fingers on a tea-towel. In an ankle-length dress and with long, red-brown hair held up in a coil with metal pins, she had an almost old-fashioned look, although her face was no older than that of Elliot's mum.

She bore down on Ben, who ducked away from the kiss she planted on top of his head, then turned to Elliot.

'It's so *wonderful* to meet you.' He had the impression she had to restrain herself from hugging him. Why on earth was it wonderful to meet him? She didn't even know who he was.

'And what's your name? What should I call you?'

What should I call you? 'Er . . . I'm Elliot.'

'Wonderful. Oh, that's wonderful. It's so nice that Ben's brought a friend home at last. I was beginning to think –' She cut herself short. 'I was starting to think Ben must be embarrassed by me.'

She laughed to reassure Elliot she was joking. He laughed politely, wondering if she knew the most likely reason why Ben didn't bring friends over. *It's difficult to bring friends home when you don't have any.*

Upstairs, a carpeted corridor stretched away for miles. Ben paused with his hand on the first door off it. He said flatly, 'She knows, if that's what you're wondering.' Now he was in his home territory, he seemed subtly different: older, less jumpy. 'She's convinced herself that having no friends is a phase that people grow out of. I haven't worked out if she means me or the other people.'

'Maybe both,' said Elliot. He wasn't sure if he meant it to be funny but Ben laughed, and he joined in. Then he felt sick. A few minutes ago he'd been playing the role of the polite guest to Ben's mother; right now he was sharing a not-really-funny private joke with Ben, like they were good friends laughing together; and yet a few weeks ago he'd stood and watched the same person get humiliated. And worse, he knew that he might easily have to do the same again. *Welcome, Guardian.* He was the *enemy*.

Which of the roles he was playing was real? Were any of them real? How were you supposed to tell?

Ben pushed open the door.

* * *

Elliot saw photographs. Everywhere.

Every surface of Ben's bedroom, the walls, the ceiling, the back of the door – was covered in photographs. A few were colour, most were black-and-white. They overlapped one another, jostling for space, one picture spilling into a dozen others, so that from where Elliot stood the whole room was a single work of art – a huge 3D canvas charged with a million shades of black and white and grey. The occasional patch of colour served only to make its absence everywhere else more intense.

Intense – that was the word. It drew him in. He couldn't resist. Up close, he could see properly that each part of the whole was an image in itself, and that each image had been positioned in relation to others so that although they were separate there was also a continuous flow of lines and shapes and shadows. He was awestruck that anybody could have the skill and the imagination to put the whole thing together.

He studied some of the individual pictures. Every conceivable subject had to be there: bleak, monochrome landscapes, white mist boiling off textured greys. A car hubcap, with the upside-down image of a church spire captured in its polished, dented chrome. A house halfway through demolition, one side ripped away to reveal the rooms inside, complete with chairs and beds and plumbing. Ordinary things, but captured in ways that gave them existence and meanings that were unfamiliar and wonderful yet at the same time solid and real.

Eventually Elliot was able to look around at Ben, who was still in the doorway, wearing a peculiar expression: a mixture of pride, pleading and . . . something else.

Ben came into the room. 'What d'you think?' His voice was casual.

Elliot turned back and looked around again, his eyes drawn everywhere. 'I think . . . I think, *wow!*'

Ben said nothing.

'Did you take all these yourself? Elliot could hardly believe it. The photos were too good. Fantastic. Like something out of a magazine or an art gallery. He said, 'There aren't many colour ones. Don't you like colour?'

Ben threw himself on his bed and lay on his back. For a moment he stayed quiet. Then he lifted his head. 'I like black and white.' The way he said it, Elliot didn't press him further.

There was a silence, but not an uncomfortable one.

Ben said abruptly, 'So what do you do?'

'What, you mean like being a top photographer?'

'Yeah.'

'Oh – you know. I read a bit.' He felt safe saying it to Ben. 'And I swim. That's about it.'

Ben said, 'I like swimming too. I mean, I don't just *like* it. It was why – even when you – I mean, I *have* to go. It's the only place I can –' He didn't finish the sentence.

But Elliot knew what he'd been about to say. *It's the only place I can escape.*

Join the club, he thought.

He noticed a framed photograph on the desk opposite the bed. It showed the head and shoulders of a man, perhaps in his forties, in uniform. He wore a peaked hat with silver braid on the front. His face was confident and authoritative, commanding. He looked nothing like Ben.

'Is this your dad?'

There was a short silence. 'Yeah.'

'He in the RAF?'

'Yeah. Was.' Pause. 'He was a pilot.'

'That must be pretty cool.'

There was no answer.

He turned around. Ben was pulling something out from under his bed: a shallow cardboard box. He sifted through it, stood up and held out a pair of dusty red boxing gloves.

'He was so cool that he gave me these for my twelfth birthday.'

The gloves were huge, ridiculously large. Elliot calculated his hands would fit into them twice over and still have room.

Ben traced a line across them, leaving a red streak in the grey dust. 'He boxed for his college – when he was at Oxford. And he went in for lots of fights before he went into the Air Force. Only amateur stuff, but he won lots of cups.' He sounded reluctantly proud, as if he wasn't sure whether he was or not.

He traced another line parallel to the first, drawing with exaggerated precision. 'He wanted me to go in for it. Follow in his footsteps – you know. He said it would make a man of me. When I said I wasn't going to do it, I thought he was going to hit me.'

'So . . .' Elliot hesitated, unsure of his ground. He looked back at the walls of photographs. 'But he bought you a camera as well, didn't he?'

Ben shook his head slightly. He was staring intently at the gloves. 'That was from my mum. He was . . . pretty mad at her for that. Didn't want me to have it. I heard them arguing about it once. Him saying I was turning into too much of a mummy's boy. That I was growing up to be a cissy, a wimp, not proper man material. All because I didn't want to go and get beaten up by someone wearing a stupid pair of gloves.'

Elliot was uncomfortable. He would never had admitted anything of the nature of what Ben was saying. Particularly not to someone he hardly knew. Stuff like that he kept to himself. Even if someone was willing to listen, it wasn't the sort of thing you made public. No way.

'The gloves were the last thing he gave me,' Ben continued, speaking to himself as much as to Elliot. 'He got killed three months after.'

It took a while for the word to register: *killed*.

'I'm sorry.' The words sounded wrong, trite.

'It's all right. I've got used to it.' Ben turned the gloves over. 'He was hardly ever here anyway. Usually one weekend a month. I preferred it that way. We never got on.' Without warning, he hurled the gloves at the wall. They bounced limply off and fell on to the carpet, fat and ridiculous.

'We never got on,' he repeated quietly. He brushed past Elliot, retrieved the gloves, shoved them back into the box, then pushed the box back under the bed. 'I thought I hated him. I used to wish he'd never come back.' He rubbed his arm fiercely across his eyes. 'I had this dream, often, where he was called up to fight in some new war that'd broken out. And it's on the news about him getting shot down. My dad, the hero, dying in action. Dying. Dead. And then he gets killed in a training accident.'

He turned away.

Elliot couldn't think of anything to say. He was shocked, and also ashamed at himself for being embarrassed before. But there was something else, too. He remembered the names he'd called his own father inside the privacy of his mind. The times he'd wished that he could walk in through the door and not hear the TV, not see the top of his father's head against the back of the armchair as he passed the door of the living room.

He'd wished his dad was *dead*. So had Ben. But Ben had got his wish. *What would I do if I got my wish?*

But then, in a way, his wish had already come true – except that it had come true before he'd made it.

There was no comparison between the grimly smiling man in the photograph on Ben's desk and the man with three days' growth of beard staring into the TV screen. Their fathers had been so different.

But they were both dead.

It made a strange sort of connection between them.

His thoughts were interrupted. 'Elliot?' Ben was holding out the roll of film. He said nervously, 'D'you want to help me develop these?'

Elliot spent the rest of the morning learning about exposure times and film grains and contact prints and fixer, and watching images miraculously grow from nothing but blank sheets of paper and trays of headache-inducing chemicals. Most of the time they were in Ben's cramped darkroom, lit only by a dim red bulb. It was the perfect environment for talking and thinking about nothing uncomfortable – just Ben asking him what he thought about this shot and that angle, this tone and that frame – or working in easy silence, where nothing needed to be said.

A few hours ago it had been impossible to imagine being allowed to be anything like this – anything *normal*. Now it was as if what had taken place in the woods was unreal, an age away, not important. It gave him a feeling he didn't fully recognise, but that was full of light and warmth and ease.

It was a good feeling.

Ben finished rinsing the last print from the film, then snapped the light on. After the dull glow of the safe light they'd been working under for the last few hours the overhead bulb was too bright, and Elliot blinked painfully, trying to adjust his vision.

'If you came back next Saturday, I'd have some more photos ready to print,' said Ben.

His words brought Elliot back to reality with a start. *Next Saturday. Oh my God! What about school on Monday? He's going to expect to be able to hang around with me. How could I have been so stupid?*

Stupid, stupid, stupid, the voice hissed.

'Only if you want to, I mean,' Ben said quickly. 'I didn't mean –'

How do I say it? Elliot thought. *How do I say, 'Look, it's nothing personal, and your photos are amazing, but I don't want you near me at school because you'll destroy the Elliot I've just spent so much effort inventing'?*

'I don't know,' he said awkwardly. 'Not sure what I'll be doing – you know . . .' His mind churned, throwing up ideas of ways to avoid Ben finding him at school. They were a year apart so classes were OK, but anywhere else –

Stupid. Stupid. Stupid.

'I didn't mean any other time,' said Ben. 'I only meant Saturday. I wouldn't expect – I wouldn't expect anyone to risk being seen with me. Not when I'm . . . on the List.'

Elliot felt himself go red. Had his thoughts been that obvious?

Ben looked at the floor. 'I've got used to it,' he said. 'I just want –' He turned and started wiping down the sink, so Elliot couldn't see his face.

Elliot looked at the photographs now hanging to dry.

The silence lengthened.

Chapter 11

Elliot woke with a gasp of terror, his heart threatening to tear free from its moorings, the dream still close and real. He struggled for breath, swallowing air with the desperation of someone drowning.

Gradually, as the darkness faded and he could dimly make out the square of greyness that was the window, he realised he was awake and in bed. Slowly the panic began to leave him, his breathing calmed and his heart relaxed.

It was still minutes before he was able to move. His shorts and T-shirt were soaked and clinging. He pushed back the duvet and clumsily peeled them off, then slumped back. The night air was cool against his hot skin, and he shuddered.

Car headlights briefly lit up the room, and instinctively he looked for the patch of mould. The ceiling was clear, and for a second panic returned, before he remembered he wasn't in the flat.

The dream hovered dangerously near, unready to be sucked back into his unconscious. He had to distract it; he had to fill the empty space of his consciousness, think about something else, to avoid being drawn back in. *Something safe*.

His mind turned over the events of the last few weeks, sifting and sorting, pulling out threads.

He'd imagined that re-inventing himself would involve simply leaving behind the old Elliot and becoming a new one. But the reality had turned out to be far more complicated than that. To start with, it wasn't a question of a single 'old Elliot'. There were at least two: the Elliot he'd been before his dad had been attacked and the Elliot he'd become afterwards. And nor was there one 'new Elliot'. Every relationship he had to manage – with the Guardians, with Ben, with home – required him to wear a different face, be a different person.

He was splitting into multiple Elliots – Elliots who mustn't meet under any circumstances – and he didn't know how much longer he could handle them, or keep them apart.

He thought of the Elliot he was with Ben: the Elliot who had to be kept secret at all costs. He went over to Ben's house regularly now, every Saturday morning. He didn't know if they were counted as friends, or if they were just two people searching for a way of escape who had found it, temporarily, in each other. Sometimes he thought that was what it was most like: a respite from their lives, from Holminster High, but nothing more. Other times, trying to think back to the friends he'd once had – going to the leisure centre or the cinema, hanging out in the park – it was harder to be sure. All he truly knew was that with Ben he felt closest to having something like a normal existence – if anything counted as 'normal' any more.

Usually they spent the morning in the darkroom; Ben was always working on some photographic project or entering a competition. Often they talked: about the photos they were developing, about general photography stuff; about swimming, about nothing in particular. Other times they didn't talk, but that was fine too. Neither of the them mentioned Holminster High or the Guardians. It was as if the darkroom and school – and, increasingly, home – were different dimensions of the universe.

Ben kept his word. Between Monday and Friday he didn't try to talk to Elliot, didn't try to make contact. Occasionally Elliot glimpsed him, between lessons or at breaktimes, as Ben scurried – or so it seemed to Elliot – from corner to corner, shadow to shadow. hiding place to hiding place. As if that was going to help him. Nothing helped you if you were on the List.

Different dimensions of the universe. Except that those dimensions were so close to each other, they almost touched. And events in one could spill over into each other. Like last Saturday. At the swimming pool Elliot hadn't been able to avoid noticing a brown and purple bruise high up on Ben's arm. Then, as they walked back, Ben had been on edge more than usual – in a hurry, constantly darting glances in every direction. In the darkroom he prepared the chemicals in silence, his movements jerky and slow, as if he'd never done it before.

Reaching up to an overhead cupboard to get some more paper, Elliot accidentally knocked against him.

'*Aagh!*' Ben dropped the open container of fixer he'd been about to pour into a tray. The chemical flooded everywhere, covering the small worktop, soaking a stack of print paper, dripping on to the floor, filling the cramped space with evil fumes.

Ben stared at the wreckage, one hand clutching his arm, the other hand clenching and unclenching.

'You OK?' said Elliot nervously.

There was no answer.

'Ben?'

Ben looked ready to cry, his eyes unnaturally bright even in the glow of the red light.

'I'll get some newspaper, mop it up,' said Elliot starting towards the door. He wanted to get out of the confines of the darkroom, away from the choking chemical stench. And he wanted to get away from Ben. If Ben started crying, it would be embarrassing for both of them.

'*Leave it.*'

Elliot froze. He knew that voice. Brittle. Sharp. Ready to fracture and shatter. Only he'd never heard it from Ben before. He said carefully, 'I thought newspaper might help, that's all.'

'*I don't want any help.*' Ben scrubbed his arm across his eyes. '*I don't want any help,*' he said again. He wasn't looking at Elliot. '*I don't want any help. All I want is for everyone to leave me alone. If everyone left me alone, I could be just fine.*'

Elliot didn't try to say anything further. He knew Ben was talking about things a million miles away from spilled fixing fluid.

There was a frozen silence in the darkroom.

Ben drew in a deep, shuddering breath. Let it out slowly. 'Sorry,' he said. 'Just babyish.' He rubbed his eyes again.

'Hey.' Elliot said softly. Then he did something he'd never done before – something that if he thought about it for long enough he'd probably never have done at all. He put out his hand and gently pressed the younger boy's shoulder. As soon as he'd done it, he pulled his hand back, wondering if he'd done the right thing. But he couldn't have done nothing – that would have been worse than doing the wrong thing.

Ben flinched under the touch. Then he said shakily, 'Thanks.'

They'd cleared up the mess. No big deal. But it had shown Elliot how close his different worlds were – how easily they might come into full collision if he wasn't careful, if he forgot which mask he needed to be wearing.

Then there was Elliot the Indifferent: the mask he wore at school and with the Guardians. *Put on the mask. Act the part. Survive.*

That's what it comes down to in the end, he thought. *Acting in order to survive.* He'd been given a part to play, and his survival depended on playing that part to the utmost of his ability. Refusal was not an option, not if he wanted to live.

90

Before the training, he hadn't thought like that. But he was learning to see the world differently. According to Richard, that was the most important part of his training. Not the details, such as how to recruit Watchers or select punishers and victims – those were important but they didn't come first. They followed naturally from learning to see properly.

His mind went back to a training session two weeks ago, where he'd been alone with Richard.

It had been getting late, and the light had darkened. A breeze disturbed the trees at the edge of the clearing.

Richard was talking about what he called 'managing the crowd'. As always in the training sessions, he seemed to be speaking as much to himself as to Elliot, his gaze fixed on a distant point, his voice low and quiet.

'You probably noticed there were no big punishments until after February half-term. It wasn't always that way – at one time they went on all year. But then I noticed something. Immediately after Christmas, most people don't appreciate punishments. They're not in the mood: they're soft and flabby and satisfied with Christmas cheer. They're quite happy to go to them, but . . . no. They take them for granted. Not good.

'So – no big punishments for a whole half-term. At first they don't notice. Then, gradually, they get restless. The little stuff is all very well, but they want action. They want *blood*. By the time half-term is over, they're *baying* for it. Which is just when we give it to them.

'Rule the crowd, Elliot. That's what you must learn to do. Watch it. Understand it. Feed it. But always make sure it's you in control. Don't just give people what they want. Make them wait for it. Make them practically beg for it. Make them *grateful* to you for giving it to them. Never let them take you for granted. Rule the crowd, Elliot. Never let it rule *you* . . .'

Richard broke off. He was quiet for a moment. Then he said, 'What are you going to do when you get out of this place, Elliot?'

Elliot shook his head. It was an event unimaginably far away. 'Haven't thought about it.'

Richard frowned. 'You should. It's important that people like us plan ahead.' He was still looking over Elliot's head to somewhere distant beyond. 'I've got plans. Plans for power. I know it's out there for the taking – for the right person. Holminster has taught me that – the Guardians have taught me that. It's why it's important, for me and for you and for everybody, that they continue to exist.'

Elliot stood and listened, not really understanding.

'Let me tell you what my father does at the end of the day, Elliot. He comes home, he pours himself a whisky, and then he tells me how many feet he's kissed, how many backsides he's smooched, how many times he's – And you know what?' Richard's voice softened, became savagely gentle. 'He likes it. He truly does. That's his idea of the good life.'

He stared at Elliot, and it seemed that he was reaching out across the gulf that separated them. Not in fear, or pain, or anger, but as if recognising and connecting with someone like himself, bestowing on Elliot the recognition of an equal. 'But that isn't for *us*, Elliot. We don't think like that. The Guardians teach us that we're different. Right now, in this place, at this time, there's *nobody* above us. That's why the Guardians exist: to help us learn that it can be that way.'

Elliot wanted to move. His neck ached, and his face was stiff from holding the mask of detached attention that hid the racing of his mind. But he couldn't shift even a fraction; Richard held him as if they were physically joined.

'But don't make the mistake of believing that learning we're different changes anything. We already *are* who we're learning to be. And we help everyone else to learn what *they* already are. Remember that. Because the Guardians didn't create Holminster, Elliot. *Holminster created the Guardians*. The violence, the punishments, the victims – it's there already. Whatever its name, it exists before us. All the Guardians do is take advantage of it. Remember that. We have power by showing people what they are. We don't force. We don't create. We only reveal what's already there.'

Elliot felt a horrible, vaguely sensed truth coming out of the shadows – a brilliant, cold and merciless enlightenment. And with the light, something inside him that really had died a long time ago, on the cold tiles of a changing room floor, died again. *Why bother to resist it?*

'In *Nineteen Eighty-Four* there's nothing anyone can change – except how they think. Once they learn to accept things as they are, they find it's so much easier. Like everyone at Holminster accepts what we show them to be, because it's so much easier than resisting.

'I want you to attend some punishments. Look at the faces. You'll see it. And once you've seen it . . .'

The crowd behind the pavilion was motionless.

The only noise came from the two boys in the middle of the circle: fist on flesh, bare foot against skin, ragged breaths, little grunts and sighs of pain, of damage caused and taken.

Elliot watched carefully and saw that the fight, although vicious, obeyed rules. There were no hits above the shoulders or around the groin, no headbutts, nothing that might cause serious injury such as a broken bone. At Holminster, violence was always kept within limits. Careful, controlled, regulated.

The crowd, too, watched carefully, following every blow, every stumble, every movement back and forth across the circle. Occasionally Elliot heard a sharp inhalation, quickly stilled. Otherwise, a hush blanketed everything.

The fight was quickly over, with the younger boy lying on the ground. The crowd tensed, hungry, anticipating.

The victor said harshly, 'Get on your knees.'

The loser hurried to obey, keeping his eyes on the floor.

'Now kiss my feet. *Do it.*'

Elliot looked around him. Every face was transfixed, flushed and ugly with excitement, impatient for the kill. What were they thinking? Were they thinking anything?

If it's someone else, at least it isn't me.

He thought that he should have felt some emotion, but all he felt was a dull coldness, an empty, weary acceptance.

Then it was over and the power that held everything together dissolved. The crowd drifted away, until only the loser remained, kneeling barefoot on the grass. He looked up and saw Elliot watching him. If his face registered anything, it was a reflection of Elliot's own state of mind: vacant, tired submission. Without hurrying, he put on his socks and shoes and limped off.

Once you learn to accept things as they are, you find it's so much easier.

Something was changing, Elliot thought. He was learning to push his emotions away, push them deep down where it was hard for them to bother him. His insides were hardening, changing from soft, vulnerable blood and guts to cool, inert plastic. He no longer flinched and shrank away from the world.

But the fear didn't go away. All the time he was conscious of it. Fear just waiting – hoping – to be warmed up. To be given the opportunity to rise. Like it had today.

'Please take a seat, Elliot.' The head sank back into his black leather swivel chair.

Elliot sat uncomfortably on the padded upright chair in front of the desk, the metal edge under the padding cutting into the back of his knees. His hands were clammy. The antique clock on the wall drew out the seconds with a slow, muted *tick*.

The head smiled. He had very smooth features, so smooth it seemed that they couldn't hold any expression other than smiling and not smiling. 'Do you know why I've asked you here today?'

Elliot shook his head. 'No . . . sir.'

The head smiled again, both corners of his mouth lifting a precisely equal distance and not creasing any part of his face.

Elliot swallowed. The air in the office tasted dry and stale. Was the head testing him, probing, hoping he would incriminate himself? He realised he was twisting his hands against each other, and held them still.

'I've been making some enquiries, Elliot. Speaking to your class teachers, asking around, keeping my ears open.'

He braced. *Here it comes.*

'People speak highly of you, Elliot. Actually, they speak extremely highly of you. You're polite, an enthusiastic contributor to school life, you achieve high marks, you mix well socially. Which is why I would be very surprised if you were aware of why I've summoned you. I do apologise for any anxiety I've caused.'

Very cautiously. Elliot's body relaxed. Perhaps this was nothing to do with the Guardians after all. Instinctively he glanced towards the window, where the corner of the pavilion was visible.

'I've called you in here, Elliot, because I believe – and I don't use that word lightly – that you are someone both willing and able to provide an honest and sincere answer to the question I am about to put to you.'

Be careful, hissed the little voice to Elliot. *Be very careful.*

The head switched off his smile. He sat forward and clasped his hands on top of the desk, as if he were about to pray. As Richard had advised, Elliot concentrated on the square of skin between the head's eyes.

The head coughed. 'There are rumours that Holminster school is harbouring what can only be described as . . . a gang. Some form of organised intimidation, if you will, where certain weaker members of the school are being subjected to regular physical abuse. Now, I would hate to imagine – and I do not truly think for a moment – that such a thing could be going on at Holminster. But I am aware that sometimes, regrettably, things can go on in any school that do not immediately come to the notice of members of staff. Which is where you come in, Elliot.'

Elliot focused hard on the patch of skin.

'To the best of your knowledge, is there even one grain of truth in these rumours? No smoke without a fire, if you take my meaning. Has anybody said to you, have you seen anything, that might suggest such activities are taking place. *Anything at all . . . ?*'

All the time the head had been speaking, Elliot had been mentally rehearsing his answer. He looked into the head's eyes and spoke with conviction and with the slightest movement of his head from side to side. 'No.' He let his gaze drop slightly. 'I've never come across anything. Nothing at all like that.'

Don't say anything else. Too many words make you seem nervous.

The head considered him for moment, then his mouth relaxed and he settled back into his chair. 'Thank you. That's all I needed to know. I really couldn't believe that anything of this sort could have been taking place at Holminster, but I know you will appreciate that I had to be sure.'

Elliot nodded – not too much, just enough to show that he did.

'I'm glad you've settled into life at Holminster so thoroughly, Elliot. It's a tribute to both you and the school.'

It was another five minutes before he was released. He'd had sufficient time to get to the toilet, bolt the cubicle door and kneel over the bowl before he'd thrown up his lunch.

He was wide awake now. He slipped out of bed and put on fresh shorts and T-shirt. He suddenly craved a hot chocolate. Four-in-the-morning comfort – that was what his mum used to call hot chocolate. When his dad had been in hospital, and when he'd first come home, four in the morning was the time both Elliot and his mum often woke, or gave up trying to get to sleep, and came down to the kitchen and waited for the day to begin properly.

They hadn't done that for a long time. Not since the new school.

Not since the Guardians.

He padded downstairs and into the kitchen, and switched on the kettle. It was close to boiling when there was a sound at the door and his mum came into the kitchen. She was dressed ready to go to her early morning cleaning job – it was later than he'd thought.

She stifled a yawn. 'Couldn't sleep?'

'No . . . thought a drink might help.'

'Hot chocolate – that'll do it.' She stopped, about to go out of the door. 'Is everything OK? You look . . . I don't know.'

He had an overpowering urge to tell her. She would be horrified and angry, but at least it would mean that someone else *knew*. But there was no way he could. He wasn't going to be the one who destroyed her hopes of the 'fresh start'. Anyway, there was nothing she could do.

'Elliot? I said, is everything OK?'

He held her eyes, like the accomplished little liar that he was, noticing again how old she looked. 'Everything's fine. Honestly. Go on – you'll be late for work.'

She wasn't satisfied. 'Look, if there's something bothering you and it's something you don't feel you can talk about – ' she hesitated – 'body changes or anything like that, you mustn't feel you can't ask me. Promise me that, will you?'

'Mum, I'm absolutely fine. Stop worrying. I'm fine.'

He could see she didn't want to leave it, but, *Thank God*, she looked at her watch and opened the door. Hopefully, by the time she got back she'd have forgotten about it.

The kettle had turned itself off and was gently steaming. He turned off the light and went back upstairs. The thought of hot chocolate made his stomach turn.

Chapter 12

He noticed the girl walking towards towards him in the corridor only after he'd walked into her and sent the book she was holding crashing to the floor. Instinctively he crouched to retrieve it.

He froze. The book had landed face up. The cover had no picture, just the title and the author's name, both in huge, mock newsprint: *Ninety Eighty-Four. George Orwell*.

'Excuse *me* . . .'

He looked up. He took in the face of a girl: impatient, dark eyes staring fiercely without embarrassment into his, curved down mouth, long black hair that she now tucked back behind one ear with a flick of irritation – and then he became aware of her outstretched hand.

'Sorry.' He stood up and started to give her the book, but couldn't stop himself staring again at the cover. *You should read it*, Richard had said, but Elliot had inwardly recoiled. What Richard had told him about it was enough to convince him he didn't want to know it any better.

'Oh, for goodness' sake!' She snatched it from him. 'It's a *book*, if you're having trouble working it out. You know: lots of little things called *letters* that make up lots of things called *words* that make up lots of things called *sentences* that make up this thing called a *story*.' She rifled angrily through the pages. 'And you've made me lose my place. *And* you've broken the spine. Has it ever occurred to you to look where you're going?'

Her biting voice displaced his shock. He was about to retort, 'How about *you* looking where you're going?'

Then she glared at him again, and their eyes met for the second time, and he was silenced. Her eyes were captivating: a beautiful, fierce dark green, so intense they made him think of welling pools of pure colour.

They stared at each other. Without warning her mouth curved up and she giggled. It was like no giggle he'd heard before: not girlish, not childish in the slightest, but bursting with laughter and richness, sounding from deep inside her.

'Listen to me go on!' she said. 'Aren't you going to answer me back?'

He still couldn't speak. Her eyes – which now looked elsewhere – her laughter, her abrupt switch of mood disarmed him. She smoothed the cover on the book. 'Sorry,' she said. 'I didn't mean that: about knowing what a book is. I know you do – know what a book is, that is.'

He had no idea what she was talking about. *Why am I standing here? I should walk away.* But for some reason – maybe the memory of those eyes, that laugh – he didn't move. He said, 'Erm, do I know you?'

Her smile faltered. 'Oh – well, I'm – we're in the same English group. Mrs Davidson. I'm at the front, on the left.'

He couldn't recall seeing her there, but then he had no reason to be concerned where any particular girl might be sitting. In fact, apart from the odd meaningless chat at the bowling alley, girls just weren't an issue for him. The Guardians and their activities were strictly boys only, and he had quite enough to worry about – and too many identities to manage – without getting involved with anything else.

He shook his head. 'Sorry.'

'Doesn't matter.' A vague red darkened her cheeks. Or perhaps he'd imagined it. She tucked her hair back. 'Have you read it, then?'

'Sorry?' He couldn't stop using the word, although he had nothing to apologise for.

'*Ninety Eighty-Four* – I wondered if you'd read it. Because you were looking at it like that – I mean –' Her face was definitely red.

He said, 'Er, no. No, it just looked interesting, that's all. Unusual cover.' *Liar*.

He realised that other than the two of them the corridor was quiet and empty. The last bell had gone and most people had gone home. But still he felt a peculiar reluctance to move, as if some invisible force held him there – held both of them there – and to release its hold he would have to break the spell. He didn't know if he wanted to break it.

'*Hey! What are you kids doing still in here?*'

He jumped. It was one of the caretakers, clearly pleased to be given the opportunity to exercise authority. '*Get out, go on, before I have you reported.*'

They went out into the bright warmth of the afternoon. She made to pack the book away into her bag, then stopped and held it out to him. 'You can borrow it if you're interested. I've already read it a few times.'

The last thing he wanted stuck on his bookshelf was a reminder of the Guardians. He shook his head quickly. 'No – no thanks.'

He said it more bluntly than he'd intended. Her face sagged, and he mentally hit himself for his clumsiness. *Why are you so concerned?* the voice whispered. *You hardly know her*.

He ignored the voice and struggled to make amends. 'It's just that I'm buried in stuff at the moment. I'm still trying to finish *The Mosquito Coast*.' It sounded weak, even with the advantage of being the truth.

Her eyes roved over his face, her forehead faintly creased, her mouth neither smiling nor frowning. It was another sudden change of mood, like her instantaneous transformation from anger to laughter. He wondered which mood she was usually in. The shifts were strangely appealing.

His thoughts disturbed him. He felt oddly breathless and lightheaded. He tried to hold on to the fact that less than five minutes ago she'd been ready to hit him.

Finally she nodded. 'I'll believe you. If you like *Mosquito Coast*, you ought to try *Heart of Darkness* when you've finished. That's by Joseph Conrad, in case you didn't know.' She smiled, taking any edge off her words.

He felt inexplicable relief at having at least partially recovered the situation.

'See you Monday, then,' she said, and turned to leave.

'Er, sure.'

He watched her walk off across the playground and out of the gates, the book in her hand. He still felt odd: uncomfortable, nervous, but also excited. Something had taken place – first in the corridor, then in the playground – and he wasn't sure what it was, if it was going to go further, and if it did, whether it was going to be good or bad.

The feeling lasted all weekend, even when he was swimming, and afterwards, with Ben, setting up a photo-montage for a competition. A few times Ben looked at him oddly, seemed about to say something, then didn't. Elliot was relieved; it was hardly the sort of thing he could say out loud, but neither did he want to have to make up yet another lie.

He wasn't sure if the feeling was a type of fear – or something completely different.

By the following Monday, half of him was convinced she'd have forgotten him and would therefore ignore him. The other half nervously wondered how he should respond if she hadn't forgotten him and sought him out in public.

As it turned out, she neither ignored him nor sought him out. The first lesson was double English, where she acknowledged him with a mildly friendly nod as he came in, but didn't make any move that encouraged him even to attempt an innocuous pleasantry. He glanced back several times as he walked to his desk, but she didn't once look around.

He was relieved, in a way. He had no idea of what he would have said to her. Yet at the same time, he found it hard to concentrate on the lesson. He usually enjoyed English, but for the next hour he tortured himself, imagining what he would have said to her if she'd given any sign of wanting to talk to him.

The fact that she hadn't spoken to him but was still able to completely occupy his mind simultaneously annoyed, puzzled, alarmed and excited him for the rest of the day. *Why on earth am I interested in what she thinks about me? Why am I even concerned about whether or not she's thinking about me at all?* It wasn't as if he had any burning reason to want to have anything to do with her – or any girl, come to that.

By the end of the afternoon he'd convinced himself that he'd fantasised the whole thing. Nothing had passed between them on Friday. He'd cannoned into her, she'd raged at him, he'd returned her book, and that had been all. Then he spotted her coming out the door to the block of smoked glass that housed the library and computer suite. His stomach kicked, and he hurried across the lawn to intercept her.

'Oh, hi,' she said. Her voice was warm, friendly, but not surprised. Almost, he thought, as if she'd been expecting him to look for her, but had deliberately engineered it so that he would catch up with her *here*, at this precise moment, this exact spot. He was even ready to accuse her of it, but stopped himself in time, realising how crazy he'd sound.

She waited, tucking a stray length of hair behind her ear. Her expression was faintly, but not demandingly, expectant. It was up to him to make the first move: she was giving him the chance, but she wasn't going to help him.

Finally he said, 'You're not the easiest person to find.' As soon as the words came out, he wanted to claw them back. *What a dumb thing to say! Like I'm some smooth-talking movie hard man, and we've just spent the first half of the film playing cat and mouse. You stupid idiot!*

She gently arched her eyebrows and shifted her grip on the small canvas rucksack slung over her shoulder. 'I wasn't aware there was a rule about making myself always available for the attention of others – "Thou shalt always be around on the off-chance someone might be looking for you" sort of thing.'

He flushed, embarrassed. 'Sorry. Didn't mean it like that.' But she hadn't sounded offended – only dryly amused and faintly mocking.

He struggled for something to say, this time thinking how she was likely to receive and interpret his words. He started talking about *Heart of Darkness*, which he'd begun reading at the weekend, then trailed off, realising he must come across as ridiculous: accosting her, accusing her, and now babbling pointlessly at her. And it occurred to him that if anyone saw him – saw the two of them – it was likely to get back to Richard. Not that it was anything to do with Richard or anyone else. And so what if it did anyway? But still . . .

Her mouth suddenly relaxed into a smile, and she let out that wonderful giggle. 'You look like you're waiting for me to absolve you at confession,' she said, her eyes sparkling wickedly. 'All tense and red and squirmy with embarrassment.'

Warmth rushed into his cheeks, and he felt his face grow redder.

She said, 'I live down Park Avenue, if that's anywhere near your route home. I might allow you to walk part way with me, if you like. By the way, I'm Louise.'

He was conscious of the precise moment he ceased being confused and alarmed by Louise – by her dramatic and unpredictable mood swings: from animated, upbeat opinions on everything and everyone, through mocking anger, to that wonderful throaty giggle, often all in the space of five minutes – and realised he was in love with her.

He had walked her home that Monday afternoon, and then again two days later. Soon on every schoolday afternoon that he wasn't at Guardian training they ended up walking together to the top of her street. Most times they stopped off in the park to watch the ducks fight over breadcrusts and to talk some more.

He loved to hear her talk. It didn't matter what she talked about: politics, music, art, books. Whatever it was, she knew so much about it, and she spoke so confidently, so effortlessly, so passionately. Sometimes he pictured her as an acrobat: graceful, agile and strong, leaping through space, holding the air, always certain of another bar within reach, never falling. Other times she was a swordswoman: quick, sudden, unpredictable, making razor-tipped lightning thrusts; dancing, feinting, slashing, never conceding ground.

She was everything he wasn't. It was as if he'd been thrown into a new, vibrant, joyful world of experience. When he was with her, listening to her, his breathing quickened, the world moved faster; he was exhilarated, carried away.

Then one day she halted in mid-sentence and looked at him with something close to annoyance. 'Do you have an opinion on *anything?*'

'What do you mean?'

She sighed with exasperation. 'I mean the fact that for two weeks you've sat like a lemon and let me say what I want. I just told you there should be compulsory euthanasia for anyone over sixty – and you agreed! I think

I could say anything and you'd still nod. You're as bad as one of those nodding dogs!'

He knew she was right. Occasionally he released a few words, but only when he agreed with what she was saying – which was most of the time – or when she demanded agreement – which was the rest of the time. The problem was that beside her his own thoughts and ideas seemed feeble and insignificant. To open them to her razor judgement would be awful, soul-destroying.

She stopped walking. 'Look at me,' she commanded.

Her face was stern, but softened by puzzlement and sadness. They were close; the road was quiet. His chest tightened. *She's beautiful. I never properly saw that before. I love her eyes, the soft curve of her cheeks. I love everything about her . . .*

She spoke softly, not breaking the moment. 'Tell me. Tell me something about you. Something you love. Don't think about what I'm going to think. Just tell me.'

He could no more refuse her than he could deny the warmth that now flushed his skin. But he couldn't say what he burned to say, because he had no idea of how she felt towards him. He didn't know if she wanted him as more than someone to walk with and talk to; if in saying what he felt he would destroy something precious. So he offered the only other thing he had.

Awkwardly, hesitantly, his heart thudding, he said, 'You know you were talking about when you read? You said how books are like – how they're not just words and paper, but that they're worlds. How when you're reading you're not reading, you're exploring: reaching out, knowing other people, sharing their lives, everything that happens to them. And you said how you forget everything else, forget even yourself; that nothing else matters, and then you close the book and you know something you didn't know before but you can't say what it is.'

It was the longest he'd ever spoken uninterrupted. Louise said nothing, and he knew she was listening with every part of her.

'I think . . .'

He'd used Louise's words to say what he'd never dared admit before. He'd thought of it as a shameful secret: illicit, forbidden thoughts and desires, beautiful and perfect in the privacy of his own mind and body, but not to be spoken of for fear of being told it was wrong and ugly and sinful. And now he had told Louise – but really, it wasn't any longer about books and reading. It was about *her*. It was what he felt when he was with her: how she was a spark of colour in a world of black and white and grey; how when they were together he entered a different world; how happiness filled him until he felt he would explode; and how when they parted, something about him was different, but he didn't know what or how.

'I think . . . that's what I love.'

She still did most of the talking. But now he made an effort, and had the confidence, to do more than passively agree with her. Once or twice he discovered he was talking the way a thought had come to him: excited, animated, ideas slip-sliding over one another, bouncing around. When that happened he became self-conscious and stopped, afraid that he was gabbling nonsense.

Every time he stopped she reproached him, with a mixture of exasperation and sadness. When that happened, he had the urge to throw away every bit of caution – to open up to her, tear off the mask, tell her everything. But he couldn't do it. He still feared that if he did, she might turn her biting tongue – her judgement, her impossible standards – on him, and find him pathetic and inadequate.

Even worse than that, he was terrified that weakness with Louise would make him exposed and vulnerable to anybody else. The Elliots he had invented couldn't just be left to their own devices – they demanded constant monitoring, maintenance, adjustment, refinement. If he didn't pay continual attention, he could, frighteningly easily, say the wrong thing, react inappropriately, get confused as to which one he was supposed to be. If that ever happened – if the paths of the different Elliots ever crossed – if the mask he wore when he was with the Guardians should slip for even a fraction of a moment . . . there would be no mercy. He would be annihilated.

He couldn't do anything that risked that happening. Not even for Louise.

Chapter 13

'Elliot, would you stay behind a moment, please?'

The rest of the English class happily made for the door. He wondered what Mrs Davidson wanted. It couldn't be anything serious: he always handed in good work, and it was always on time, although lately he'd stopped putting in the effort he used to. There was too much else to do and think about: the Guardians, Ben, Louise. Managing and keeping apart all the people he'd become occupied him more and more. In fact he'd left Mrs Davidson's latest essay until the night before it was due to be handed in, and not bothered to check it for mistakes. Not his usual style. He liked to be careful with his writing, go back over it and make sure it said what he wanted it to say.

Mrs Davidson waited until the room was clear, then closed the door firmly and perched herself on the edge of one of the front desks, a row from where he stood.

He played with the zip on his bag, self-conscious and awkward under her gaze. He liked Mrs Davidson, though she'd never singled him out before. She was young, perhaps thirty, and she had an enthusiasm for her subject which set her apart from the other teachers. When she got carried away she paced the room, and when she changed direction her long pony tail swung against her glasses – but no one laughed. He enjoyed English anyway, but with her it was more than simply another subject.

The sun steamed in through the closed windows. He felt exposed, though there was no one visible outside. The noise of a distant lawnmower caused the glass to tremble, and the movement was transmitted to the still air of the room, sending up fat motes of dust that tumbled lazily in the beams of sunlight. Mrs Davidson tapped her nails on the desk, the sound echoing off the unpolished wood. Why didn't she say something? Anything. Was she waiting for him to say something? But what?

She shook her head and laughed. 'OK, you win. I can't stare you out. You're a cool player, Elliot Sutton.'

He waited, uncomfortable, not knowing what she was getting at. He glanced out of the window, then quickly looked back at her.

Her face was friendly. 'I wanted to see you because I'm concerned about the change in the standard of your work. You've always given me superb essays. I like reading them. But recently . . . I don't sense your heart and soul in them any more. I sense someone producing work with less and less effort, and knowing that because they're talented they can get away with it. Please correct me if I'm wrong.'

Because it was from *her*, because he liked her, the accusation hurt him. It was as though he'd let her down, betrayed her trust. He floundered for a reply. 'Er . . . I suppose so. I mean, I didn't –' *Get a grip*. 'I hadn't thought of it like that, but if that's how it looks, I suppose that's how it is.'

Bad answer.

'Hmm.' She gave the impression of trying to penetrate his skin and look through to the real answer she thought was buried there. 'I wondered if you were trying to communicate something through this change in your work. Something more than that you're not bothered about A grades any longer.' She paused, as if selecting her next words with caution. 'I wondered if there were any problems that might be affecting your work. Problems that the school ought to know about, so that we can – if you want – help you with them.

'Elliot? I know everyone goes through a tough time at your age, and that it isn't always easy to talk about problems. And sometimes it's those who have the toughest exterior who have it worst. Those with the most effective masks can find it hard to take them off.'

The shock was almost physical. Elliot had to make an effort not to recoil. She was inside his mind, peering at every thought, lifting off protective covers and going into every hidden place. *How does she know? How could she have found out?*

She smiled. 'Don't look so alarmed. Everyone puts on their own personal armour before they start the day. It's a fact of life. Some people do it better than others, that's all. But sometimes people want help, and the armour prevents them reaching out. And I wouldn't like to think someone was trying to reach out . . . and I didn't notice.'

She doesn't know! His terror subsided and he was weak with relief. *She doesn't know anything. I'm still safe.* And then the voice whispered, *How dare she! She's an English teacher, that's all. Her job is to mark essays and get you through exams, not use cheap psychology to trick you. What the hell is it to do with her what goes on in your life? Stand up for yourself.*

He made his facial muscles relax, adopted the polite blank look that informed someone you had no idea what they were talking about or what they were trying to get at. He shrugged one shoulder. 'I'm fine. Maybe I rushed the last few essays too much. But that's the only problem I can think of. Sorry.'

Her face dropped. 'Oh.'

There was so much in that face and in that 'Oh'. She'd tried to push him, tried to go beyond what she was certain of, and by doing so she'd laid herself wide open. He'd taken advantage of that: told her that she didn't understand a thing, that she didn't know anything. And now she was thinking, and worrying, about what he was going to do: about what was going to get back to the rest of the school.

Hey, you know Mrs Davidson? Only kept me behind because she wanted to know all these 'personal' things, didn't she? Hey, sir, you hear about Mrs Davidson? Is it true she was on her own with this boy and . . .?

He heard her swallow. From somewhere outside came a faint burst of laughter. He felt disgust at what he'd done, even though it had been defence. She wouldn't try it again in a hurry. She wouldn't act on gut feeling instead of her teacher training. She wouldn't trust herself not to be 'wrong' again. He'd made sure of that.

You shouldn't be so nice, he thought desperately, and wanted to scream at her until she properly understood. *You shouldn't be so nice.*

'Well –' She pushed herself off the desk, walked around to her table and pretended to tidy her papers. She kept her back to him. 'That was all – that was all I needed to know. You can go now.'

I could have made it worse, Elliot thought as he closed the door behind him. *I could have laughed in her face, and made out she was some sort of mad woman. Really and truly, I let her off lightly.*

He didn't feel any better.

He felt a lot worse after the Guardian session that evening.

All the Guardians had been present, but there had been no training. Instead, they'd given him an order. He had two weeks to decide on someone to be a punisher, a punishment, and someone to be punished.

I have to make a selection.

The first two decisions weren't going to be so hard. There were plenty of kids only too willing and able to terrorise someone, and thinking of a punishment was hardly an effort.

It disturbed him that he thought like that. A few months ago the very idea of making such decisions would have been alien and repugnant – and impossible. But as Richard had said, he was beginning to see the world differently, to think differently. He was beginning to see the world as a stage, filled with actors who obeyed his directions, did what he told them. *Their roles are decided in advance, but you have to make sure they keep to them. Put them back in their place if necessary.* It was going to take a lot of getting used to; he wasn't sure he would ever be totally comfortable with it.

But the third decision . . . He felt cold and hot at the same time, a shivery ache running through him. So far, he had watched and learned. He hadn't thought about the reality of being responsible for a selection, *for a punishment*. It was on another level altogether. *He* was going to decide. Someone would suffer because *he* ordered it. How did he live with that?

What does it matter? the voice hissed. *Just choose someone, anyone, and get it over with. What do you care who it is? Remember: if it's someone else, it isn't you.*

And it wouldn't be Ben either. He could at least hold on to that thought. The first thing he was going to do when he became a fully-fledged Guardian was take Ben's name off the List. *I'll have that power.*

But it didn't make him feel good. Somehow the thought of that power – power over life and death – was almost as awful as not having power at all.

Almost.

'You can see it as an initiation rite,' Richard said. 'To be fully one of us you have to prove yourself. You have to prove you have the strength and the authority to organise this and see it through.

'Then we'll truly know who you are – and so will you.' *Who you are?*

Which of me is that?

He had started out as one person – the original Elliot, the ordinary boy with a normal life. Then had come the second Elliot: bullied, weak and helpless. And the third Elliot: cool, indifferent, untouchable, Guardian-in-training. Now, to add to these, was the Elliot he was with Ben – and the Elliot he was for Louise.

Which of them was him? Which was the real Elliot?

Maybe I'm all of them.

Mrs Davidson had talked about wearing masks, and that had been what it was like at first. But you could take off a mask. He wasn't so sure any more that there was a gap between where the real Elliot ended and the Elliot masks started. In fact, he was starting to doubt that between him and the masks there was any difference at all.

On Saturday he swam with Ben as usual. Afterwards, on the pavement outside the swimming pool, Ben said unexpectedly, 'Fancy a walk?'

Elliot hesitated, thinking of who'd be around on Saturday morning, the danger of encountering someone from school.

'We don't have to go into town,' Ben added quickly. 'We can go through the woods. None of the Holminster lot go there on a Saturday.'

Elliot still had the headache he'd woken up with. Perhaps some fresh air would do him good. He said, 'Fine. If you want.'

They cut through the back of a housing estate, on a narrow path boxed in by high, rusty wire fencing. Ben went in front, his swimming bag dangling from one hand, not looking back. Elliot followed more slowly, wishing he hadn't agreed to come.

Abruptly they were in the woods. One moment there was blue sky above, the next moment it was green leaves and branches. The temperature dropped instantly.

Ben waited for him a short distance in. 'See?' he said, as Elliot caught up. 'There's never anyone around here on a Saturday. Except maybe in this weather you get a few people making out – but they don't bother you.'

'Got it,' said Elliot unhappily. Although it was cool, the sense of leaden oppression remained. The smell of decaying vegetation and tree bark reminded him of why he was usually here. He hadn't realised the woods came so near to the town. How close were they here to the embankment?

He walked behind Ben. Neither of them spoke. He couldn't escape the feeling that Ben was after something more than a walk: he seemed strangely hyper, keyed-up and on edge, but at the same time nothing like the time when he'd dropped the fixer in the darkroom. Elliot had never seen him quite like it. It made him nervous. And whatever Ben said, it was still a massive risk being where anyone might see them together.

I was stupid to agree to this.

Thoughts of the selection slithered into his mind. *How the hell do I choose?* There were seven hundred kids to pick from. Most of them he didn't know and couldn't put names to, and the only ones he both knew and hated enough to select were people he couldn't select – except to be punishers. *How do you select one kid out of seven hundred when not one of them's done anything to deserve being chosen?* Richard had talked about those who deserved it, those that asked for it – the ones who forgot their role, like the raw-nosed kid had, apparently, and needed reminding. But it didn't make it any easier.

The voice whispered. *Make a random selection. It doesn't matter who you choose. Just do it.*

'Hey, look at me, Elliot.'

He was startled out of his thoughts. For a moment the setting didn't register properly. Then it did: the brick wall, the earth bank stretching away either side of it, the open sky.

They were at the embankment.

Ben sat on the wall, his arms outstretched, as though welcoming Elliot into his domain.

The Guardians' wall. The Guardians' domain.

Panic gripped Elliot, crushed his chest. *This is a trap. I've been set up.* Wild ideas churned: Ben as a Guardian; or he was a Watcher; or he'd found out about Elliot and was going to blackmail him.

He spun round, stared into the woods, trying to penetrate the trees. The whole school could be waiting for him. The trees were so dense they could be anywhere.

He'd been so stupid. *Stupid, stupid, stupid.* Should never have taken the risk with Ben. Now he was going to pay. Any moment Richard was going to come out and smile that dreadful smile and say gently, 'You didn't actually believe you'd fooled me, did you? You didn't truly think we wouldn't find out about your past? You didn't seriously believe that *you* were going to become a *Guardian?*'

And then the rest of them: laughing, jeering, moving in on him, until he was surrounded, in the middle of the circle, waiting –

Waiting –

Waiting –

There was noise, deafening him, but he couldn't work out where it came from. Then he realised that it was his own breathing – air foaming and roaring like whitewater in his nose and mouth.

There was no one in the trees.

They were alone in the clearing.

Stupid.

Get a grip.

For God's sake.

Ben was still perched on the wall. 'I always wondered what it was like to sit up here,' he called.

Elliot walked slowly over, his breathing subsiding, his stomach unclenching. Sweat congealed in his armpits. He struggled to find his breath. 'What are you *doing?*'

Ben laughed and spread his arms wider. 'I'm *leaving*. That's what I'm doing. *Leaving.*'

'What are you talking about?'

'I'm leaving. As soon as this term finishes. My mum told me yesterday. We're moving house. Away from Holminster.'

Elliot struggled to take in what Ben was telling him. He said stupidly. 'Why?'

Ben lowered his arms and shrugged, still smiling. Elliot had never seen him smile like that before – without a trace of caution or inhibition, without there being any hint of fear behind it. 'It's like my mum said – there's nothing for either of us in Holminster.'

You can't, Elliot wanted to say. *You can't just leave. I was going to take your name off the List: that was the one good thing I could do. Now I can't even do that.*

He realised he was being monstrously unfair. He had no right to blame Ben for anything.

He tried to appear enthusiastic. 'Great. Way to go.'

Ben grinned again. 'Thanks. I can't believe it. No more Holminster. Like my mum said, we're going to make a new start.'

A new start. The words froze the hairs on Elliot's arms. *Shall I tell you?* he thought. *Shall I tell you how it won't be a new start at all? Not unless you become like me? Would I be doing you a favour by telling you?*

'No more Guardians!' Ben yelled into the woods. '*You hear that? I don't care about you any more. You won't get me now!*' His voice was shockingly loud. The words seemed to hang in the air for ever. Somewhere birds rose noisily, thrashing and squawking.

'*Shut up!*' hissed Elliot in alarm. 'Someone could hear you. Come on, let's get out of here.'

Ben laughed in delight and shook his head. 'I don't need to care any more. I'm out of here.' He started yelling again. *'Good riddance, Holminster –'*

Terrified, Elliot thumped him on the leg. *'Shut up, I said!'*

Ben stared at him, startled into hang-jawed slackness. He reached down and slowly rubbed his leg. 'What did you do that for?'

Elliot tried to control his fear and failed. 'You might be leaving, but I'm not, am I?' He struggled to come to terms with what he'd just done. *I've hit someone before. It's not like I didn't. Kevin Cunningham. He deserved it. Self-defence. But that was then – before. Not now. Not Ben. But – Ben could have wrecked everything. Oh my God! What if anyone was around?* He felt weak and shaky. His hands trembled.

Ben let himself down off the wall. He studied the bag hanging from his wrist, water from his wet towel and swimming trunks dripping through a split and on to his trainers. 'You didn't have to get angry,' he mumbled. 'You only needed to say. You didn't need to hit me.'

Elliot couldn't answer, didn't know what to answer.

Ben flinched.

There was silence between them, but it was nothing like the comfortable silences in the darkroom. It stretched on and on, until it seemed to Elliot it would never end. His head ached. He couldn't think properly. All he knew was that at this moment in time Ben was the cause of his fear: Ben, who had brought him out here, having no idea what he was doing, what danger he was creating for him; Ben, who could have destroyed everything simply because he had no comprehension of who he was dealing with; Ben, who had always been a danger, a constant threat, through his childishness, his hanging on, his clinging.

He saw Ben as Richard might have taught him to. Saw, now, how Ben represented so much the new Elliot didn't want – couldn't afford – to be reminded of. Saw in Ben the figure from the past he'd tried so hard to bury.

He heard Ben say, 'We could keep in contact. You could even visit, if you wanted.'

A danger. A threat.

'Elliot?'

He sucked in the fear and took it deep inside him. He knew now that he was still afraid, and that he was more afraid than he'd ever been. Because before Holminster it had been a dull, stagnant fear: knowledge that nothing was going to change, that the torture was going to go on day after day, week after week, year after year, for ever and ever. But *now* – now it was a savage fear, sharp and merciless. Because everything *had* changed, which meant there was the constant possibility that it might change back – and he knew he wouldn't be able to stand it.

He had to get out of here. 'I've got to go,' he said. 'Got stuff to do.'

Ben looked up. He hesitated. 'I thought you'd be – you know, coming back like usual . . .'

Elliot shook his head, struggling to shake off the noise and images raging inside his skull. 'Can't. Not this week. Maybe next.'

Maybe never. A screaming mask. A mask of screams. He imagined a boot stamping down, cutting off the screaming, destroying, obliterating. *I am strong. I am strong. I can make myself fear nothing.*

Ben was speaking to him again. Asking him. Almost pleading. Like the first time they'd met. 'I mean, I thought –' He looked at his feet. 'I've got a photo I thought you'd – I mean, only if you want to.'

'I said I was busy, didn't I?' Fear made Elliot cruel. *Kill. Obliterate.* 'Which part of that didn't you get? You think I haven't got anything else to do but mess about with that stuff all morning?'

He had to do this. There was no choice. The screaming was still there, but fainter now. He stamped down harder, killing not only the noise, but also the pictures: the kaleidoscope of black and white, the images miraculously appearing on blank sheets of paper under the red glow of the safety light, Ben turning to ask a question, telling him something, the two of them talking –

To stop other people hurting you, you hurt them first. You don't let them affect you any more. You are strong. You do not care. You make yourself so you do not care.

'I can bring the photo to school, if you want,' said Ben. 'Only if you want, that is. I mean, I wasn't – not if you don't I mean –' His voice ran out.

Elliot's stomach lurched. 'Don't you dare come near me at school. Don't you *dare!*'

Ben stood there, his head bowed, taking everything Elliot gave him. Like a puppy that had been kicked, kicked again, and still came back for more. *The question is, how many times do you have to kick someone before they get the message?*

Ben whispered something. Elliot could hardly make out the words.

'What did you say?' Elliot's voice came out louder, rougher than he'd intended, and Ben flinched again.

'I won't. I said. I'd never do that.'

The sour smell of leaf-rot filled Elliot's nostrils. A dead smell. Decay. Corruption.

Without looking at Elliot, Ben turned away and began to walk back the way they had come. Elliot fought the urge to shout after him.

I should at least have told him, he thought. *I should have at least told him the secret of survival*. Survival wasn't that difficult. It simply meant cutting off all the bits of you that didn't fit. After a while, your new identity became second nature, as if you'd always been like you were now.

The difficult part was managing and keeping apart all the different people you had to become.

He was about to run after Ben, but the voice brought him back to reality. *Don't be stupid.*

He watched the small figure until the woods swallowed him.

He was a risk. Always a risk. You're better off without him.

He realised his hands were shaking. He dug his fingers into his palms.

You are strong.

I am strong.

I have no fear.

Chapter 14

The first two weeks before the deadline passed with mocking haste, days collapsing into each other until all he could do was let himself be swept along to the fate awaiting him. He had to make the selection, there was no escaping it – but as the time sped away, he was no closer to coming to any decision.

All around him he saw kids who would have fitted the requirements perfectly; they stuck out as obviously as if they'd pinned a square of yellow paper to their blazers. Several times he went as far as asking Oliver or the other Watchers for a name and details – their marks, their habits, their friends – and had his intuition confirmed. But each time he held back from a final decision, hoping against hope that he could find a reason to dislike one of them.

He didn't know why it was so hard. It wasn't as if making the choice was going to change anything. *Everything – the violence, the winners, the losers – it's here already. We don't create, we reveal. Holminster created the Guardians, not the other way around.* If he didn't select, somebody else would, and the only thing changed would be that he wouldn't become a Guardian – and then he'd be dead.

He'd never felt so alone. If he could share his misery with someone – if there was someone who would listen and not judge him while he poured out all the foulness inside him – it would be more bearable. But there was no one.

Louise had noticed his preoccupation and wanted to know what was wrong. He invented excuses: too much homework, a swimming gala coming up, nerves about the end-of-term exams. He lived in terror of her discovering the truth, even though it was impossible to imagine how she would ever find out without Elliot actually telling her. School was about the one thing she hardly talked about. It made it easier for him to be a lie to her. He hated being that, when she was so open and honest. But the voice he'd grown to hate, yet depended on for survival, whispered, *Don't feel guilty. Everybody has secrets. What she doesn't know can't hurt her*.

And she hadn't given up pressing him to read *Nineteen Eighty-Four*.

'You ought to read it.'

It was late on Tuesday afternoon. They were sitting on a bench in the park. Elliot threw the last of a sandwich crust out into the pond and watched the ducks dive for it in an explosion of spray and noise.

'Everybody should read it.'

He said, 'I thought you said that forcing people to do things was fascist?' He was learning to be bolder, more confident. Although he could never defeat her when their opinions clashed, and seldom dared try – he had discovered that she relished it when he took her own arguments and used them against her. It was another of her qualities that he loved.

Her face lit up – she was ready to do battle. 'I said that everyone *should* read it, not that they *must* read it. That's a completely different thing.'

'Oh well, if you're going to use clever word play I can't argue.'

She thumped him lightly. 'I'm not. "Must" means you force someone to do something, you give them no option. "Should" means you get a choice as to whether or not to do something – although in this case you're pretty stupid if you don't. In fact, that's the whole point –'

In the space of a few seconds, she'd switched from half-joking to fully earnest. He tried to deflect her, not wanting to talk about it, remembering Richard quoting dreadful lines. *The point of terror is terror. The point of power is power. You will accept it, welcome it, become part of it.*

'You calling me stupid?' He smiled to show he wasn't serious.

But it was too late. 'No.' She bunched up closer to him. 'The point is, the hero of *Nineteen Eighty-Four* is someone who doesn't have a choice. At least that's how it appears. He thinks he *has* to do what he's doing – which is lying about the past, forging history, never saying what he knows to be true.'

He heard Richard again. *Televisions everywhere. Except they're two-way. Everywhere, everything you do, they're watching you.*

'But the point is,' she said urgently, 'he *does* choose. He chooses to disobey the system. He obeys what he believes and risks everything. So he makes himself free . . .'

She was turning the pages in her mind, not looking at him, not looking at anything, talking to herself as much as to him – almost as Richard did, Elliot thought. But if he said nothing he would be dismissing her, throwing water on her fire, and he couldn't bear to do that. He said clumsily, 'So does he win?'

'No.' She frowned sadly, but not at Elliot. 'No. But that's not the point.'

It seemed to Elliot that it had to be completely the point. If you hadn't won, you'd lost. What else was there to say about it?

She provided the answer – if it was an answer – to his unspoken question.

'They beat him in the end. But until they do, he's made himself free. That's the point. He isn't thinking like they want him to think: it's *him* choosing, not them forcing him. And when they win, when they make him think in the way they want, they don't really win at all. Because the only way they can do it is to destroy him.'

His mind filled with further doubts and confusion, and he could think of nothing to say. He wanted to put out his hand and touch her, brush his fingers against the pale red of her cheeks or stroke her hair, press it behind her ear . . .

She shook her head as if waking herself, and looked at her watch. 'Listen to me go on! Hell! I told Mum I'd be back by now – you should have shut me up.' She got up, hesitated, then sat back down. 'I've been meaning to ask you: d'you fancy going to a film on Friday? They've got some really dumb sci-fi picture on at the multiplex, but it looks like it might be bad enough to be funny.'

It was the first time she'd suggested doing anything more than the after-school walks. Did it mean she wanted them to be more than good friends? Or was it nothing more than that she was keen to see the film? The question of them being officially 'an item' or not had never come up, and he hadn't wanted to be the one to raise it and risk spoiling what they already had. But now Louise had gone a step further.

She got up again. 'It was only an idea.' For the first time since he'd known her she appeared embarrassed. 'Sorry, I know you've got lots on your mind; I shouldn't have mentioned it.'

He was mortified. 'No – please.' He quickly stood up and went to put his hand on her arm, but stopped himself, not sure how she'd react. 'I'd love to go. Definitely. Absolutely. Really.'

'Really? You mean it?' Her expression sent a warm tingle through him and his mouth went dry. She glanced at her watch. 'Look, I've got to go. I'll see you tomorrow.'

* * *

As soon as she'd gone, the warmth faded. He watched the ducks, trying to sort out the turmoil that boiled in him.

The way she had talked about *Nineteen Eighty-Four*, it might have been a different book from the one Richard described. Invariably in the training sessions Richard read a passage from it, but what he quoted, the way he talked about it, was nothing to do with freedom, or making choices, or any of that.

Richard had to be right. He was right about everything else. But Louise had explained it so passionately that he had to believe her too, and also he *wanted* to believe her because he loved her. He had a sense that what she'd said was important, and that he should understand it. But what did she mean when she said the hero became free by losing? Or had she even said that?

His head ached. His thoughts tripped over one another in confusion and, perhaps, in spite. He couldn't think any more; he didn't know how he should be thinking or what he should be thinking; and there was no one to talk to, no one to help him. *What does it matter anyway? Nothing I think is going to change anything. So why bother?*

By the time he got home he was tired and fretful, ready to snap at the next person he saw. As usual, the TV was one. He stopped next to the living-room doorway and looked at the top of his father's head, protruding above the back of his armchair.

I wish you were dead. The thought came quickly, shockingly. *If you were dead, I wouldn't have to see you, I wouldn't have to think about you. I could forget you ever existed. I could get on with my life.*

He was shaken by the force of his hatred. It pulsed out of him, black poison spewing into the air, covering everything it touched. How could his dad not sense it? Terrified, he hurried past and upstairs.

In his room he was safe. He just needed some space to breathe, to escape. *That's all. Then I can think properly.* He lay on his bed, his head on fire. He struggled to blank his mind, stared at the ceiling. *White paint. No patterns to follow. No good. No escape.* His eyes hurt, and he squeezed them shut as if that would extinguish the world.

Behind his eyes was a tumult of shapes and stars and swirls of electric colour. He tracked their movement, concentrating, losing himself in them. Gradually the inferno subsided.

Too soon he had to go down for dinner. As usual, the atmosphere at the table was strained. His mother looked tired – he remembered that last night had been an overnight at the nursing home. If there were no problems there she got a few hours' rest before her morning cleaning shift, otherwise she worked right through from early evening to lunchtime the next day. He ought to ask her if she was feeling OK, but he didn't trust himself to speak.

They ate without talking. He wondered if she'd had another row with his dad. He hadn't heard them.

I don't care.

Later he came downstairs again to grab an aspirin for his headache. His mum was sitting at the kitchen table, sipping a mug of tea.

'I forgot to tell you,' she said. 'I've been asked to work an afternoon shift next Wednesday, so can you make sure you're home by five to put the oven on?'

He panicked. Wednesday was a Guardian evening. 'Why can't Dad do it? He's the one who's here all day.'

She said steadily. 'Because I'm asking you to do it. Because you know I can't trust your father to do it. Because I really don't think it's that much to ask – you've told me all you do is hang around with your mates from school, anyway.'

He had tried, a long time ago, to stop her asking awkward questions. But because he was tired and poisonous, he snapped at her. 'What do you know about what I do when you're not around? Maybe I've got more important things to do that you've got no idea about.' He regretted the words even as they came out of his mouth. But it was too late.

'You obnoxious, ungrateful little *monster!*' Her face was white. 'After every effort, after everything I've done to help you, to get you through everything, you give me *this!*'

Stricken, he tried to repair the damage. 'I didn't mean –'

'You meant it exactly. I'm not stupid, you know. Don't think I haven't noticed the looks you give me when you think I'm not watching, or the fact that you won't even take the trouble to tell me about your day, or ask me about mine. I'm not good enough for you now, I can see *that* perfectly.'

'No, you've got it all wrong –'

She slammed the mug down, breaking off the handle, the body of the mug shattering, tea and shards of pottery spilling over the table. 'Don't you *dare!* Don't you *dare* tell me that as if I didn't know it already!'

'I'm not –'

'You think I don't know? I'm the one who's been wrong all along, aren't I? Everything I do turns out wrong. I marry your dad, he ends up crippled by those – those *evil* – those – I mean, I should have seen that coming, shouldn't I? And of course, I was stupid enough to imagine that we could all make a fresh start here, start all over again and make something better of our lives. *Wasn't I?* Oh, yes, I'm always wrong. Wrong, wrong, wrong. That's me.'

Her voice pulverised his brain, reduced it to cold mush. How could he have realised that she felt like that? He'd known the move was supposed to be a new start for all of them, but he hadn't had the faintest inkling of how important it was for *her*.

She didn't talk to me. How was I supposed to know?

There was a long hush and he thought she might have finished. He didn't dare move or look at her. He looked at the table top, at the wreckage of the mug and the ragged streams of pale brown liquid.

'It's not just you that has a life, you know.' Her voice was quieter, but no less awful. 'I'm not just a robot that does the washing and cooks the dinner and handily isn't around the rest of the time. I have stupid, crazy hopes and dreams, that we might end up with something better than this. You know? I have this crazy idea that one day we might be able to get back to something like the life we used to have.'

Abruptly she stood up and went over to the sink. She began unstacking plates from the drying rack. From the living room came the faint fake laughter of a TV audience. All this while, his father hadn't stirred. Had he even heard? Had he even known that anything outside his head had actually taken place?

There was a smash as two dinner plates shattered on the floor.

His mother stood with her back to him, her head bowed over the sink. 'Go away,' she said dully. 'Get out of my sight. I don't think I could stand to look at you again this evening.'

He went up to his bedroom and lay on his back on the bed. There were vague sounds from downstairs. He shut his eyes and concentrated on nothingness. By concentrating very, very hard, he was able to dissolve every sound, every sensation, every thought, every emotion – to imagine he was nothing but cold, empty space, spreading out for ever.

He woke to pitch darkness. The clock radio showed 02:30. He wrapped the duvet more tightly around himself. But now he was awake, he had the urge to pee. Reluctantly he got up and trod over to the door.

He stopped.

Someone was crying. They were doing it very quietly, small, stifled hiccups and sniffs, obviously not wanting to be heard. There was only one person it could be.

He thought back to her anger, only a few hours old. No, there was nothing he could say that might comfort her. She wouldn't want to see him.

He took his hand off the door and crept silently back to bed, his bladder uncomfortably tight. He tried to get back to sleep. The evening flashed in front of him like a badly edited video. The cup, smashing in slow motion, brown tea and blue shards of pottery exploding across the table, only the handle left intact, still in her hand. Where was his dad? The top of his head, black, greasy hair, protruding over the top of the armchair.

He had a horrible urge to start crying himself. Instead, he put on the headphones and turned the volume up high.

Chapter 15

After each of Richard's terse questions, Elliot heard himself respond. It was as if he listened to another person speak.

'Name your punisher.'

'Sean Ashmore.'

'Name your punishment.'

'Fight.'

'Name your selection.'

'Simon Kilworth. Year Eight.'

Simon Kilworth was short and fat, and never to be seen without the big white handkerchief he perpetually sniffed into. He got high marks and was excused from games. The type most kids, if they had to think about it, didn't like – probably including Simon himself, Elliot thought.

'Fight' meant exactly that: good old-fashioned one-on-one violence. Shirts off to avoid damaged or stained clothing – potential incriminating evidence that might get parents involved. Fists only, no hits above the shoulders – black eyes, facial bruises and split lips were all forbidden, not because of any sense of mercy, but for the obvious reason that they showed. It was probably the least humiliating of all the big punishments, which was why Elliot had chosen it. If Simon was sensible, he'd submit quickly and get it over and done with.

Richard returned his fountain pen to his jacket pocket and closed the leather-bound book used to record Guardian activities. 'Well done. Now all you need to do is inform Oliver, so he can put the name on the notice board. And when it's over, you'll be one of us.'

Elliot felt nothing. He felt nothing most of the time now. The day after the incident in the kitchen he'd gone down to the swimming pool before school, seeking refuge, only to come out after four lengths. In the water, his mind refused to clear. All he'd experienced was a heavy awkwardness in his limbs and the unpleasant sensation of water trickling into his ears. The swimming was pointless: a mechanical movement of body parts, nothing more. It was no longer an escape.

There *was* no escape.

Except for Louise.

When he was with Louise, and when he thought of her, he did escape. She was the only thing that generated any response, any emotion in him. She was the only thing that hadn't been destroyed or despoiled. Seeing her this evening was going to be his first moment of life in three days.

The meeting over, Gareth and Cameron had gone off home. Elliot was about to do the same, when Richard stepped in front of him. He dropped a hand on Elliot's shoulder, smiling in a way that made Elliot uneasy. 'Hey, enjoy your evening. But promise me you won't get over-ambitious, will you?'

'What are you talking about?'

Richard winked. 'I understand you're entertaining a lady friend tonight. A romantic evening, just for two. Very nice. I didn't realise you were a hit with the fairer sex too.'

'Who told you about that?' He was dismayed that it was no longer a secret, although it was really no surprise – the Watchers were everywhere. He wanted to keep Louise totally apart from the rest of his life. For some reason he also felt nervous, although the fact that he was going out was none of the Guardians' business.

Richard raised an eyebrow. 'No need to get defensive. News travels fast in this town – as if you didn't know.'

'Yeah, right.' Elliot recovered himself. 'We're just friends, nothing else. Nothing *ambitious*, whatever that's supposed to mean – if that's what Oliver's told you.'

'Whoah there!' Richard held up his hands in mock surrender. 'Oliver would not dream of even *suggesting* anything of the sort. And for my part, I'm quite sure that with your reputation to consider, you've worked out exactly how you're going to play this one. I just had the idea you might be interested in some expert advice from one who knows – if you know what I mean.'

Elliot was cautious, but the uncomfortable truth was that he hadn't worked out anything – notably because he had no idea what he should expect from the evening. Sex education videos always concentrated on the technical stuff; they had nothing to say about the business of going out with a real live person.

'What sort of expert advice? About what?'

Richard put an arm around his shoulders. 'Elliot, Elliot. You must learn to be less defensive. All I'm saying is that there's certain things you need to know if you want to keep a girl happy – if you know what I mean. You don't want her to be the one that dumps you, do ya? Thought not. So listen up close . . .'

The film wasn't as bad as it might have been – although, as Louise pointed out as the closing credits rolled, the computer-animated mutants deserved an Oscar over the human actors any time. And he would have hated it without her being there.

Going out with a girl was a new experience for him. He'd been unsure of what was supposed to happen in terms of who paid, and whether this was supposed to be anything more than the two of them watching a film while sitting next to each other. In the end Louise allowed him to buy her an ice cream, and then halfway into the film her hand made its way into his and remained there until the end. He had stayed very still, nervous of giving a wrong signal.

When they came out of the cinema, she kept hold of his hand. It was still light, the moon visible, but a faint yellow crescent. Anxious not to be the one to finish the evening, he said, 'I'll walk you home – if that's OK.'

She pressed his hand. 'I'd like that.'

They walked slowly, but it seemed that no time elapsed before they reached the top of her road. Neither of them had spoken since leaving the cinema. He began to panic. Was she expecting him to say something? What was the right thing to say when they parted? 'Goodnight'? No, too formal. 'Thanks'? No, he needed to say something more.

A few doors away from her house, Louise stopped and faced him. She moved closer, until there was almost no distance between them.

The air was warm and still. The road was empty of people.

She took hold of his other hand. There was a hard knot in his stomach. A warm shiver passed through him.

She said softly, 'Don't I get a goodnight hug, then?'

Her voice, her question, her closeness, dissolved him. He couldn't move. He was weightless – as insubstantial as a pollen cloud, his molecules barely clinging together, suspended in air, gently trembling.

She let go of his hands and put her arms around him. He was crushed against her, her hands pressing him into the warmth and soft curves of her body, his face against her neck. He breathed her, tasted her, drank the subtle, unfamiliar scent of her skin, her hair, all of her.

She pressed him closer, and then her fingers gently scraped the back of his neck. He gasped as soft electricity rippled through him.

His defences were breached. The need for comfort was close to overwhelming. He was ready to confess everything, lay himself wide open to her. He was ready to trust that she would understand and tell him that everything was going to be all right, and let him cry into her shoulder like a small child.

Her hold tightened. She whispered, 'I like you.'

The words made him catch himself. He desperately shoved the thoughts away, shuddering inwardly at how close he'd come to blowing everything. Richard's words from earlier in the evening came back to him. *If she says anything at all like 'I love you', or even 'I like you', that's your signal. That's when she's asking you to take it to the next stage. You've got to be ready for it, and as soon as she's said it, you do what she's asking for.*

Richard had then given a graphic, step-by-step account of what the next stage entailed.

He had never felt further away from wanting to have sex. All he wanted was to stay in the same position for the next hundred years, to be held like this and never let go. But it was no use. He knew now, from what Richard had said, that through his naïvety and timidity he'd been holding back their relationship. Louise didn't want to hold back – she'd given him the signal. If he didn't respond, the news would be around school the next day as fast as headlice in primary school: *Sutton can't do it. You know, I went out with him and all he wanted to do was hold hands and stuff. You know, I think he didn't know what to do . . .*

Miserably, he let his hand move off her back to where Richard had instructed.

She ripped away from him. His jaw caught painfully against her shoulder, making him bite his lip.

She stared at him. 'What are you doing?'

He said, stung. 'Isn't that what you wanted?'

'No it flipping well isn't!' She took another step back from him, towards the haze of light cast by the nearest street lamp. 'What on earth made you think it was?'

He tasted blood, and wiped the back of his hand against his mouth. He couldn't believe her sudden change. 'You were the one asking for –' The first creeping uncertainty entered his mind. He tried again, but the words sounded weak, as if he didn't believe them himself. 'I thought you wanted me to –'

He looked down at the dark smear on the back of his hand. A confusion of doubts swirled around him. He couldn't have listened to Richard properly. There was no way Richard could be wrong: he'd described it so confidently, so explicitly.

It was his own fault. He hadn't listened. And now he'd wrecked it, shown himself to be a total amateur. By lunchtime on Monday, everyone at Holminster High would know. He was finished.

Louise was probably already working out who she was going to phone when she got back home. There was no point in giving her more ammunition by begging her to keep it a secret. He said wretchedly, 'I'd better be going.'

She looked at the pavement and shook her head slightly. She said quietly. 'All I wanted was – Oh, what's the point. You had to ruin it all, didn't you? You had to turn out to be exactly like every other bloke.'

'I'm sorry,' he said uselessly.

'Yeah, I bet. Sorry you missed out on a good grope, you mean. And now I suppose to make up for it you'll spread the word amongst all your mates that I'm a lesbian, or frigid, or something equally complimentary.'

It took a while for her words to sink in.

She thinks I'm *the one who's going to win on this one.*

The realisation brought a jolt of shock. With it came the faint hope that, after all, he might have a chance of getting out of the situation intact. He said carefully, 'I'm not going to say anything. That is, I'm not going to say anything if you're not.'

She looked contemptuous. 'Why should I want to tell the world I was stupid enough to think any bloke would have more than one thing on his mind?'

He felt another jolt. *You stupid prat, Elliot? She wasn't expecting anything like that at all.* And suddenly, to his horror, the whole façade he was trying to maintain, his fake air of calm, his pretend understanding of and control over the situation, dissolved into nothing. He blurted, 'I thought that was what I was supposed to do. I thought that was what was supposed to happen – that's what he said.'

Her anger faded marginally. 'What are you talking about? Who said?' When he didn't answer she said, not angrily. 'Are you really trying to tell me that this is all because you believed what some spotty little schoolboy told you? Someone who's probably never so much as touched a girl in his life? Hot sex tips from the boys behind the bike sheds? I thought you were different from all that, Elliot. That's why I wanted to go out with you.'

Self-pity burned his eyes, threatening the last remnants of his self-control. 'I'm sorry,' he said again, hearing how pathetic the word sounded. There was nothing else he could say; all he wanted now was to get out of her sight before he started blubbing.

As if sensing his state of mind she said nervously, 'I've got to get back.' She ducked away from him, half-running down the pavement, the sound of her heels loud in the stillness.

He didn't wait for her to reach her house, but began walking over to the opposite side of the road.

'Elliot?'

He stopped in the middle of the road and looked back. Louise had stopped halfway inside her gateway. She was partly hidden in the shadow of the tall hedge either side.

'You did promise you wouldn't say anything about this, didn't you?' she called. Her voice was hopeful, not threatening.

He said, too eager, too loud, 'Yes – I mean, no. I promise. I mean, I won't say anything.' *You're pathetic.*

She didn't move. She expected him to say something – that must be why she was waiting, and he wanted to say something, but his mouth wouldn't form the words properly. Then, as he was turning to leave again, he heard, 'G'night.'

He whirled round but she'd gone. He called out anyway. 'Goodnight.'

By the time he got home, the night air had helped wash out his head. He lay on top of his bed with the light out, and stared into the darkness.

He'd allowed the old Elliot to reassert control. He'd come a heartbeat away from undoing everything. He couldn't afford to let it happen again. He had to kill the old Elliot, once and for all.

You'll never kill me. How could you? I'm part of you. I am you.

He would find a way. He hadn't come this far to let *him* back in control, wrecking everything.

Wreck what? You aren't exactly doing wonderfully without me, are you? If you'd let me speak earlier tonight, none of this would have happened.

She said goodnight, didn't she? She can't have been all that mad.

You were lucky she didn't scream the street down.

But she didn't.

Listen to yourself! You don't believe what you're saying.

I'm not listening to you any more.

He drifted in and out of uneasy unconsciousness, images swimming in and out of vision: Louise tearing apart from him, face distorted in shock and fear. (Or was it only shock? Had he imagined the fear?) Richard leering, his eyebrows contorting into impossible shapes like some obscene animal, and whispering, 'What you've got to do is *this* . . .' (But Richard couldn't be wrong – it was his own fault, he hadn't listened.) Mrs Davidson shouting, 'Were you trying to *communicate* something? (But how could she have seriously expected him to tell the truth?) Ben, his arms pinned by Kevin Cunningham, his face distorted, screaming at Elliot, *'I'll get you! You could have saved me. You'll wish you never met me –'*

Finally, exhausted, he slept.

Chapter 16

All weekend he agonised over whether or not to phone Louise. Several times he went as far as dialling her number, then panicked and cut the connection before it rang. In the end he decided that it was better to let her have time to calm down. But he didn't want to leave it too long – the longer he didn't speak to her, the harder it was going to be.

He caught up with her at morning break on Monday, as she was about to go into the library and computer block. She saw him, hesitated, then moved away from the door and turned properly to face him.

'Hi,' he said cautiously, not sure what reaction to expect from her.

'Hey,' she said softly, folding her arms over the folder she carried. Her eyes flickered, catching on Elliot for a moment, then down to the ground, to the side, catching again on him, before coming to rest on the folder in her arms.

Elliot looked around, hoping that no one was watching, wanting no one to intrude. He said nervously, 'About Friday night. I – I don't know why I did that. I was – anyway, what I mean is, I'm really and truly sorry and – I wouldn't blame you for a second if you told me to get lost now, but – I mean . . .'

He couldn't say what he meant. He meant, *Do you still want to see me? Do you still want to talk to me, make me happy, make me amazed with the pictures you paint in my head? Do you still want me to listen to you, talk to you, ask you questions, be stupid, be amusing, annoying? Do you still want me to be anything at all to you? Would you ever consider touching me again as you did on Friday night, your fingers on my neck, on my head, your body close to mine, so close that we might almost have been not two people but one?*

But he didn't know how to put it into words that could be spoken out loud and that Louise might accept. Was she looking for a grovelling apology – for him to get down on his knees and beg forgiveness? It had never been her style before, but this was a whole new situation, and maybe the rules were different.

Or was she looking for him to pretend nothing was changed between them: that nothing had happened that shouldn't have happened; that nothing had happened that had possessed any real significance; that nothing had happened that mattered any more than being something to laugh about and put down to experience; that nothing had happened that couldn't, shouldn't and wouldn't be ignored or forgiven or forgotten?

He looked at her, trying to search her face for any hint of what she was thinking, what she was preparing to say to him.

After what seemed like a year she said, still looking at her folder, 'I'm sorry too. I – I shouldn't have said what I said on Friday. At least, not all of it.'

The last sentence was just a hint of the Louise he knew, the Louise who was sparky and fierce and self-confident, and his stomach flipped slightly.

But then she looked at him properly, and he saw that it still wasn't Louise. It was Louise's eyes and hair and mouth – all the physical characteristics he knew and loved – but the something that made her more than that to him wasn't there.

She breathed out. 'I thought a lot about what I wanted to say, and I don't know if this is going to come out right, but hear me out, OK?' She could have been reading off a script.

141

'I know you're a boy, and that boys are only ever supposed to be after extended foreplay – I'm hardly unclued up about that sort of thing. And I was hardly thinking you wanted to just talk to me for ever. But you –' either he imagined it or she gave a small shudder – 'you seemed to be this sweet-natured, gentle person; you were almost –' She laughed shakily, embarrassed. 'I thought you were almost *innocent* or something like that. I don't know – I mean, you weren't constantly putting your hands all over me, or eyeing me up, or buying me presents and then – and that night, we were so close, and I didn't know if you were thinking you might kiss me, and I thought that if you weren't – I'd have to kiss you – I mean, I *wanted* you to kiss me – and that –'

She clutched the folder to her defensively. 'That was all I was ready for. That was all *you* made me ready for. And then when you – when you did *that*, it was if there was suddenly a totally different person there, and it was like – I can't explain properly what it was like, but it was – and I freaked. I mean, I totally did. I didn't know what to expect next. I didn't know what you were going to do. It was like being with Doctor Jekyll and having him turn into Mister Hyde.'

He'd never before seen her so unsure of anything. He was used to her certainty, her highs of anger, sadness, joy, melancholy, her clean, sharp, beautiful emotions. Never as if she didn't know what to think. *Never like me*.

He said, miserably, 'I wasn't going to do anything. I'd never have – not like *that*. Don't you believe me?'

She shook her head. 'Maybe. Probably. Oh, I don't know, do I? I do now, after you've said it, but afterwards I'm going to think about what happened, and then –' She hesitated. 'I was stupid, I was naïve, and I suppose you could accuse me of leading you on. Is that what I was doing? Was that what you were thinking?'

He couldn't believe she was speaking like this. 'I didn't say you were doing anything. I said I was sorry. I meant it. I don't want to accuse you of anything.' He cringed inwardly at the pleading in his voice.

She shook her head again. 'That isn't really what I meant, anyway. I'm not accusing you of being some weirdo but –' She took a deep breath. 'Everything at Holminster is so – so *mean* – so *vicious*, somehow. I hate it. The stupid Guardians – all the boys waiting for those horrible little squares of yellow paper to appear. And the girls aren't much better, with their catty gossip and spitefulness. They're all just *blobs* – you could exchange them tomorrow for a new set and it'd be hard to know the difference. Apart from the geeks. And they're no good – you can't talk to them, at least not about anything that doesn't involve modems or why the theory of relativity was wrong, or why we should all be living on the moon –'

He loved her when she started on like that. He wanted her to keep going, to be like she usually was. But she stopped almost as soon as she'd started.

'I wanted you to be different,' she said. 'I didn't want you to be like everybody else. And I thought you were. And now – I don't know who or what you are any more.'

She stopped, as if the script had come to an end.

I'm whatever kind of person you want me to be, he thought. *Anything at all. Give me the mask and I can wear it.*

She stood there, sorrowful and uncomprehending. The same as that night, he wanted to explain to her – to tell her the truth. But he knew even more surely now that there was no way he could.

When she had mentioned the Guardians, for a moment – the briefest moment – hope had flared inside him. She knew about the Guardians as, he supposed, probably all the girls knew – but she didn't understand even the first thing about them. By calling them 'stupid' and comparing them to girl fights she'd shown that. So even if she found out he was involved, it might not be a disaster. She would be disappointed by the fact that he wasn't as 'different' as she wanted, but she wouldn't necessarily reject him out of hand.

Then, as quickly as it had grown, the hope died. If she didn't know the true nature of the Guardians, he could never tell her about the fear that lay at the heart of him, that was always ready to rise and engulf him. He could never explain to her the choice he was faced with – to be either a victim or a Guardian – and that though he hated the thought of being a Guardian, he couldn't endure being a victim any more. Only if he told her the truth about the Guardians could she come to understand him. And if he did that, she would hate him and he would lose her for sure.

All he could tell her was a lie. All that he could be to her was an invention, a fiction, another mask.

She said, not looking at him, 'I need some time to think, that's all.'

He said, 'Right. Fine. Whatever you think's best.'

He heard her say, 'I'm not saying I don't want to see you. I just mean – not for a bit, OK?'

He heard himself say, 'That's fine. Whatever you think's best.'

It was as if a gap was opening in the air between them, distancing them, severing them, until they could no longer see or hear each other properly. All he could do was stand and uselessly mouth words at her; all she could do was stand there and hear nothing.

Now they were just any two people talking.

He was unsurprised at how little emotion he felt. The cold and hard inside him had been growing and spreading for a long while now, until he had become almost totally pain-resistant – immune to feeling, to sensation, to caring.

He listened to her and heard himself speak to her for a short while more.

He watched her walk off.

He waited, knowing already, but somehow still wondering, to see if she would look back.

At the door to the science block she paused.

His heart didn't leap.

She opened the door, walked inside, let the door close after her.

After a long time, he moved away.

He was caught in a dream, trapped inside a memory. He knew it was a dream, and he wanted to be anywhere else, and he struggled to wake up – but it was no good.

He was back at his old school. On the worst day.

Last bell had gone. He was almost out of the gates. And then they grabbed him and took him to the changing rooms at the side of the school. Kevin Cunningham. John Sanders. Steven Watson. Any one of them was bad enough. The three together were beyond his worst imagining.

They held him with his back against the wall, pinning his arms. Kevin came up close, until his breath was on Elliot's face.

'Hello, Elliot. Were you thinking we'd forgotten you?'

He said nothing. Responding could only make it worse.

'Answer when you're spoken to.'

'No.'

'No what?'

'No – I hadn't forgotten you.'

'You're a loser, Elliot, you know that?'

'I . . . know that.'

Kevin smiled. 'There's a place for people like you, Elliot. It's called the rubbish tip. Why do you keep on turning up for school? You know we're always going to be waiting, ready to put you back where you belong.' He reached forward and ripped the front breast pocket of Elliot's blazer. It hung like a dead tongue.

Then he did the same to the other pockets.

For a moment, Elliot felt nothing. Then something inside him shifted. Suddenly, terrifyingly, like nothing he'd experienced before, white-hot rage erupted. It consumed him, uncontrollable, an exploding fire-storm, lunatic fury. He tore free of the hands pinning him and hurled himself at Kevin and hit him, hit him again, again, again —

I'll *kill* you, I'll *kill* you, *kill* you, *kill* you!

They wrenched him off and threw him against the wall. The back of his head smashed against the tiles, and he felt sick.

Slowly Kevin got up. He wiped blood off his mouth. 'You're going to wish you never did that.'

Elliot's rage was gone. Instead, he was blissfully numb. Everything was clear to him now. He would be dead very soon. But really, they'd already killed him a long time ago. So they couldn't hurt him any more.

He said, 'You can't kill me. I'm already dead.'

The first punch was right over his heart, and didn't hurt at all.

You can't hurt me. I'm dead already. Dead.

But then came the second punch, in the side of his head, and the third, right where the first one had landed.

Pretty soon it did hurt.

But you can't hurt me, he thought, *I'm dead already.*

It hurt more: a spreading pattern of warm pain.

Then a thermonuclear blast obliterated the top of his head, and he was falling, down, down. And mercifully, he died.

He wanted to wake up, but he was still inside the memory. He remembered someone saying that you couldn't feel pain in dreams. They were wrong.

He didn't know how long he'd been dead or why he was back here now. The tiled floor was cold against his cheek. He let his tongue explore his swollen lips and poke into the hole where a tooth had come out. He didn't want to move anything else; so far, his body was a mass of numbness, and everything would be fine if it stayed that way. He carefully opened his eyes. Somewhere in his vision, blurring in and out of focus, was a copper pipe. He was in the shower room.

He watched the cloudy pink water flowing across the floor and into the drain. He thought, *It looks like cough mixture, like diluted cough mixture*. He thought of Kevin slowly emptying a bottle of cough mixture into the water. The laugh came up from inside him – he couldn't stop it, and he was forced to draw breath, to move, and the movement made something shift in his chest.

When the pain had receded slightly, he tried more careful movements. Breathing shallowly and not letting his chest bend, he got himself to his knees.

His clothes were underneath a shower. He realised that the roaring in his ears wasn't his blood surging round after all, but the noise of the water. He crawled over to them. The first thing he had to do was recover some decency by getting dressed, even if it killed him.

The realisation hit him like another nuclear blast. *I'm not dead at all.*

His T-shirt and shorts were sodden with sweat. The duvet was on the floor. The clock radio said 04:38.

He lay there, not moving.

What was it Louise had said about *Nineteen Eighty-Four?* 'To make him think like they wanted . . . they had to destroy him.' It hadn't meant anything then, but now it did.

I survived. I survived being killed.

But inside, I was already dead.

But if you're dead, you can't feel. So maybe – maybe I wasn't then.

But how about now?

Chapter 17

The square of yellow paper was sandwiched between a call for new chess club members and an advert for the end-of-term swimming gala. To Elliot it appeared far larger than previous selection notices: conspicuous and accusing. Every time he passed the notice board he saw people around it.

The punishment was scheduled for tomorrow. It would be officially witnessed by Oliver, who would then report back to the Guardians. Guardians were never seen in the company of actual violence. Elliot supposed he should be thankful for that. It was far easier to make decisions when you didn't have to witness what those decisions did to people.

He moved through the day without effort, people and time and space flowing easily around him. He noticed something that until now he hadn't properly thought about: the world had no colours in it. He had assumed, because superficially it was obvious, that reality was made up of reds and yellows and greens and blues and purples – a rainbow's worth of colours. But in truth reality, when you looked – really looked – had more grey in it than anything else. Faces, people, walls, trees, sky – they were all made up of countless shades of grey.

The effect wasn't unpleasant, it just *was*. It didn't matter, it was just how things were. It did, however, make it more difficult to separate things. The greys leaked into each other, blurring edges and boundaries, making it not so obvious where one thing ended and another began. If he wasn't careful, there was a danger of forgetting that he had to distinguish his own, personal grey from all the other greys. He wondered what would happen if he did forget. Perhaps he, too, would blur and leak – perhaps his grey atoms would mingle with the other grey atoms until there was no longer any difference between the greys that made up the world and the grey that was him. No longer a world separate from him – just perpetual, endless grey.

Yes, that might be OK. That might be not unpleasant – if he cared about anything enough to mind one way or the other.

Back home, dinner was spaghetti bolognese. Once it had been his favourite food, now it was purely a substance to chew, swallow and digest. More greyness. They ate without talking, as they'd done every evening since *that* evening.

As soon as she'd finished eating, his mum got up and grabbed her coat from the hook on the door. 'I'm late for work – I'm working an extra half shift tonight. If it's not too much trouble,' – she drenched the words in acid – 'could you manage the washing up?'

When she'd gone, his dad stood up, his movements like an old man. Without looking at Elliot, he went into the lounge. Seconds later, Elliot heard the creak of his armchair and then the laughter of a studio audience – some rubbish game show.

He didn't hurry with the washing up, rinsing the plates and dishes carefully, filling the sink with very hot water, adding too much detergent. He scoured the plates, then tackled the remains of spaghetti bolognese welded to the bottom of the saucepan.

The water was scalding. He deliberately went more slowly, keeping his hands and wrists immersed. He focused on the heat, letting it hurt and burn, feeling it travel up his arms, spread out and intensify.

He pulled out his hands. The skin was red and angry. Pain wasn't grey. It was a reminder that at least part of him still existed. And pain helped block out everything else – including thinking about tomorrow's punishment.

Later he mechanically brushed his teeth and packed his school bag. He remembered he needed a towel for swimming practice, and went back downstairs to grab one from the airing cupboard in the kitchen. The living room light was still on, although there was no sound from the TV. His dad must have gone to bed and forgotten to turn it off. Elliot went in to turn it off himself and saw that although the TV was dead his dad was sitting in his chair – or, rather, slumped in it, which was why he'd been invisible from the doorway.

His dad was asleep, his chest rising and falling, his face trembling slightly with each breath.

Elliot looked at him – at the receding greying hair pushed back by ragged triangles of scalp, at the folds under his eyes, the weight of the skin pulling down the shape of his face. Remembering.

You can do anything if you put your mind to it.

Then why didn't you, Dad? Why didn't you put your mind to it and get better? Why did you just give up and leave us?

I followed your advice, though. I put my mind to it. I got all the way. Right to the top. What would you say to that, Dad, if you knew? 'That's the way – that's the only way'?

But he couldn't feel anger any more. Or hate. Or anything.

Who are we? he thought. *Me and Mum and you? Do I know us at all any more?*

He was suddenly desperately tired. He wanted to leave, go to bed, obliterate everything. But his legs were plasticine – he didn't have the strength to walk upstairs or even out of the room. He managed to stumble to the sofa. He collapsed on to it and closed his eyes.

Please let me never wake up. That way, all this will go away. Or let me wake up and make it four years ago. Let it never be tomorrow. Please.

'Elliot?'

Someone was calling him.

'Elliot?'

'Uuum.' Elliot struggled to consciousness. His eyes were sore, gritty, his arms and legs heavy and lifeless.

His mum was bending over him. She shook his shoulder again. Her face was blurred. She smelt of the old people's home: lasagne, floor polish and stale lavender.

'I've put the kettle on,' she said. 'What do you want?'

He shook his head drowsily. 'S'OK. Tired. Need to sleep.' He looked over at his dad's chair. Empty.

'He's in bed,' his mum said. 'Where you and I should be. But I want us to have a talk. Now, tea, coffee or chocolate?'

He couldn't focus his mind enough to answer.

'Hot chocolate,' she said. 'It'll do us both good.'

She went through to the kitchen. Elliot fought to wake up fully. As his brain churned sluggishly into motion, currents of panic began to circulate. *What 'talk'? What about?*

She came back in with two mugs, handed one to Elliot, then sat at the opposite end of the sofa.

They said nothing for a while. Elliot focused on his mug of chocolate. He wondered if he was expected to start off the conversation.

Abruptly his mum started talking. 'I thought it would be enough, coming here. New house, new school, new town. New start. Now . . .' She sighed. 'I don't know. Doesn't seem to have worked out all that well, does it?'

Elliot guessed it was one of those questions that wasn't intended to elicit a response. And if it was supposed to, what was he supposed to say anyway?

'Elliot?'

He knew she was looking at him, willing him to look at her. He didn't want to. He wanted her to shut up and let him go to bed before he said something he didn't mean in order to make her leave him alone.

'Elliot. Look at me. Please.'

He looked but at the same time didn't look, concentrating on the patch of skin between her eyes – the trick Richard had taught him.

She was smiling – a sad smile. 'Seems a long time ago that we last talked,' she said. 'Properly, I mean. Suddenly you look – different. More grown up, I suppose. Not the –' She looked down. 'I couldn't expect you never to change.'

Oh, I'm different all right. You wouldn't believe how different I am.

The smile slipped. 'I don't blame you if you're angry with me, Elliot. I've had so much to do, so much else to worry about – keeping some money coming in, looking after your dad, everything – I just hoped you'd be able to sort yourself out. I'm sorry. I really am.'

I could make you angry as well as sorry, he thought tiredly. *I could make you wish you'd never asked me. I could make you go away and cry. I'm good at doing that to people. Haven't you heard? Please don't make me do it to you. Just leave me alone.*

'*Please*, Elliot. I can't bear seeing you in this state. Bottling everything up, the same as you did before. I won't let that happen all over again. Can't you see that?'

'It was different then.' He'd intended to say it casually, nonchalantly, brutally – like Richard would have been able to do. But the words choked in his throat and instead came out in a croaking whisper. He gulped the hot chocolate, the thick liquid sliding greasily down his throat.

'No, it's not different.' Her voice trembled. 'It's not different at all. A lot of things have changed, but I'm still

153

the woman who gave birth to you, who's watched you live and grow, and you're still my son, still part of me. That doesn't change, whatever else does. And that means I'm not going to let you push me away – I'm not going to give up that easily, so don't think I will.'

Her voice tore at him, blackmailed him. He tried to shut it out, pretend he couldn't hear her, wasn't listening to her. *I'm not here. You're not here. Get lost. Leave me alone.* To his horror he found he was crying, tears spilling down his face unbidden, and he didn't have the energy to fight them back or even wipe them away.

I am strong. I am strong. I am –

He felt her take the mug out of his hands, then sit down next to him. She drew his head towards her until it was resting on her shoulder. He felt his crying soaking the sleeve of her dress, but couldn't move, couldn't do anything but sit and let her hold him as if he was a small child again.

'Please, Elliot. Wouldn't it be better if you told me what was wrong?'

'Are you – is it school? Only – if you're being bullied again –'

It would have been wonderful, so wonderful, if he could have answered 'yes'.

She gently combed her fingers through his hair, making little *tch* sounds. 'Why do you have to use all this gel? It makes your hair all dry and horrible.' But she said it as if she didn't mean it, as if it was simply something to say, and she didn't stop her fingers moving.

He took a deep, shuddering breath. 'I can't tell you. You'd hate me. You'd hate me for what I've done.'

'I won't hate you, whatever it is. I could never hate you.'

'You think that now.'

'I'll always think that. Whatever you've done, I won't give up on you. The same as I will never give up on your dad. Surely you know that?'

154

He wanted to say, *That's not true, is it, that middle bit?* 'That's not – I didn't think you – you and Dad – That's not what it looks like from here.'

She was quiet for a moment, and he thought he'd said the wrong thing and that she was angry again.

Then she said, 'I'm not going to pretend there aren't – I don't know how many days I want to give it all up and leave and get out and truly start all over again. But your dad did everything he could for us when he was able . . . and now he's not, through no fault of his own, it's my turn to do everything I can for him. Which – which might include screaming and shouting and – That's how it works. At least, that's how I *want* it to work. We've got through things so far, helped each other so far, and I can't let all that go. Not without a fight. For me, it's like your dad says: "That's the way – that's the only way." '

He said, croakily, 'It's not the same with me, though, is it?'

'Isn't it? I don't know. If you won't tell me, only you can know that.'

'It isn't. It's not like that. I'm able. I just – I just can't make myself stop it. I want to – I want to make it all stop – but whatever I do – I can't stop being scared, and then –' He stopped, terrified that if he went on it would all flood out.

For a while, all he could hear was his own breathing.

'Sometimes –' She hesitated, 'sometimes, other people can help you with your battles. But if they can't – or for some reason you won't let them – and you think you're on your own, fighting can be the hardest thing on earth. And nothing I can say is going to make whatever you need to do any easier. But I want you to understand this: I will never give up on you. Not while I'm still standing and breathing.

'Do you understand?

'Whatever happens, whatever you've done, I will *never* give up on you.'

Chapter 18

He got up early, showered, dressed and went down to the kitchen. He managed a cup of tea for breakfast, but couldn't face eating.

He swilled out his mug and went quietly upstairs. He picked up his school bag from his bedroom, hesitated, then put it down. He went back downstairs and outside, closing the front door behind him.

When he reached the school there were a handful of small kids playing football in the playground – probably from one of the buses that picked up from outside the town. They stopped and watched him as he walked past them.

Do you know who I am? he thought. *Do you know what I could make happen to you? Do you know that you should be afraid of me?*

He looked away from them and went on towards the main school building.

Inside he glanced at the notice board, saw the small square of yellow paper nestled between the other notices. His stomach tightened, but he walked on down the corridor.

He still had the chance to change his mind – to not do it. He tried to push the thought away.

I can still go back. I can still turn around, walk out of here, save myself.

The fear rose.

There had been chances before, every step of the way. But every step of the way he'd had to fight his fear. And every step of the way the fear had won.

He didn't know why it should be any different now.

The voice might have told him, but the voice was silent. It wasn't going to help – or hinder.

His footfalls echoed off the wood-panelled walls, off the glass-fronted portraits of former headmasters, off the hi-tech plastic floor. The noise was like laughter, mocking him.

Go away, little boy. How can you think you can do anything? We have history to defend us: you have only yourself.

His stomach cramped violently, making him lurch and almost fall. He tried to lock his insides together.

What am I doing? he thought. He knew he couldn't do it. He didn't have the strength to stand up to one person, never mind the Guardians. The Guardians and all the forces they commanded or that otherwise served them. Power. Violence. Fear.

We didn't create Holminster, Elliot. Holminster created us.

He knew he possessed strength of a kind; the strength that had enabled him to become – almost – a Guardian. For good or bad it was part of him. But it wasn't the kind of strength he needed now. Now he needed a strength that would enable him to forfeit the first kind of strength. The strength that allowed you to stop a handhold below the summit of Everest, lean back into emptiness – and let go.

I've never had that kind of strength. Never.

Too quickly, the headmaster's door was in front of him. He fought the urge to run for the toilets and be sick.

He closed his eyes. Tried to fortify himself. Silently repeated the words from last night: *I will never give up on you. Do you understand? Whatever happens, whatever you've done . . .*

But you can't help me here, he thought. *It's like you said – some battles you have to fight alone.*

No one can help me here.

He saw again the figure held against the tiled wall of the changing room. Saw again Kevin's fists pounding, over and over. Saw again the body on the floor, broken and bleeding.

His chest tightened. It was hard to take a breath.

Life or death, he thought. *That's the choice. And who would choose death?*

He realised he already knew the answer.

I would. I'm dead already.

He had pushed away and cut himself off from everything that mattered – everyone he cared for and who cared for him.

I'm dead already.

Yet, he suddenly saw, at the same time part of him had chosen not to die. The old Elliots – the Elliots he'd done his utmost to kill – had stubbornly clung on to life. Must have, because he was still afraid.

Not dying after all my efforts, he thought. *That, surely, takes strength.*

Before he could lose the moment, he raised his arm to knock –

He hesitated.

The school was quiet. The only sound came from behind the door: a cough, the faint shuffle of papers. But something had made him stop.

And then he knew what it was. His mouth was dry as tissue paper, his stomach had all but dissolved, sourness rose in his throat – and yet, despite all that, he was . . . calm. That was the word: not good, not happy, but calm. A deep strong, quiet calm he had never experienced before.

He thought, *I'm afraid, but I'm still going through with it.*

He didn't remember ever being able to do that before.

It made him think of Louise, and Ben.

I could tell you, now, who I really am, if you wanted to know me after this.

What was it Louise had said when she'd talked about the hero in *Nineteen Eighty-Four*? She'd said, 'He chooses to disobey the system. He obeys what he believes and risks everything. So he makes himself free . . .' He hadn't understood it at the time, but he did now. It meant that what was important, what mattered, was not the fact of being afraid but rather what you did, the choices you made, when you were afraid. And maybe that was something to do with being alive – or staying dead.

He would have liked to dwell longer on the thought, but now was not the right time. He knew, somehow, that it would not lose itself easily.

He brought his hand up again, and this time he didn't hesitate.

The best in classic and

Jane Austen

Elizabeth Laird

Beverley Naidoo   Roddy Doyle

Robert Swindells

George Orwell

Charles Dickens

Charlotte Brontë

Jan Mark

Anne Fine

Anthony Horowitz

○ B S E R V E R S

CASTLES

Brian K. Davison,

BA, FSA, MIFA

with 46 line drawings by
Jasper Dimond,
12 black and white illustrations
and 3 maps

BLOOMSBURY BOOKS
LONDON

PENGUIN BOOKS

Published by the Penguin Group
Penguin Books Ltd, 27 Wrights Lane, London W8 5TZ, England
Penguin Books USA Inc., 375 Hudson Street, New York, New York 10014, USA
Penguin Books Australia Ltd, Ringwood, Victoria, Australia
Penguin Books Canada Ltd, 10 Alcorn Avenue, Toronto, Ontario, Canada M4V 3B2
Penguin Books (NZ) Ltd, 182–190 Wairau Road, Auckland 10, New Zealand

Penguin Books Ltd, Registered Offices: Harmondsworth, Middlesex, England

First published 1979
Reprinted 1980
Second edition 1988
Reprinted 1988

This edition published by Bloomsbury Books, an imprint of
The Godfrey Cave Group, 42 Bloomsbury Street, London, WC1B 3QJ,
under licence from Penguin Books Limited, 1993

1 3 5 7 9 10 8 6 4 2

Copyright © Frederick Warne & Co., 1979, 1986

Originally published as *The Observer's Book of Castles*
in small hardback format

Printed and bound in Great Britain by
BPCC Hazell Books Ltd
Member of BPCC Ltd

ISBN 1 85471 194 6

The Observers Series
CASTLES

About the Book

Most people are attracted by the brooding majesty or pic-
turesque ruins of castles. This book provides a wealth of
detailed information about them, explaining how and why
castles were built, and how much they cost. It examines
their role not only in war, but also in peacetime when they
were the centres of estate management and local government. It sets out the development of military architecture
between the 11th and 16th centuries, and the changing
methods of siege and defence. For the visitor, the compo-
nent parts of castles, such as keeps, gate-houses, hall and
kitchens, are individually described. There is a gazetteer of
examples of castles in the British Isles, all open to the public,
and an invaluable site list denoting where good examples of
particular features may be viewed. The book is well illus-
trated with plans, drawings, photographs and maps.

About the Author

Brian Davison is an Inspector of Ancient Monuments for the
Historic Buildings and Monuments Commission for England, and has directed excavations at the sites of several
early Norman Castles, as well as at Hampton Court, Windsor
Castle and the Tower of London. An established authority
on early Norman fortifications in England, he is currently
preparing the first comprehensive survey of early castles in
Normandy. He was brought up in Northern Ireland, but now
lives with his family in Sussex.

The *Observer's* series was launched in 1937 with the publication of *The Observer's Book of Birds*. Today, over fifty years later, paperback *Observers* continue to offer practical, useful information on a wide range of subjects, and with every book regularly revised by experts, the facts are right up-to-date. Students, amateur enthusiasts and professional organisations alike will find the latest *Observers* invaluable.

'Thick and glossy, briskly informative' – *The Guardian*

'If you are a serious spotter of any of the things the series deals with, the books must be indispensable' – *The Times Educational Supplement*

CONTENTS

ACKNOWLEDGEMENTS

Thanks are given to the following copyright owners and photographers for their kind permission to reproduce photographs in this book:
Musée de Condé, Chantilly, France (photograph, Photographie Giraudon), page 12: Crown Copyright Reserved, pages 13, 26, 70, 75 (pages 13 and 75 by permission of the Welsh Office, and page 70 with permission of the Controller of Her Majesty's Stationery Office): Copyright Reserved, page 20: Estate of the late Alan Sorrell, pages 23, 31, 97: The National Trust, page 87: The Phaidon Press Ltd, page 57: The Trustees of Sir John Soane's Museum, page 67.

ILLUSTRATIONS

PREFACE

I have always enjoyed looking at castles. Few buildings are so dramatic in their appearance and so evocative in their ruin. I hope that this book will help others to enjoy castles and to look at them with a greater understanding of their meaning in the landscape.

Many people have helped in the writing of this book—though they may not always have realized it. I owe a debt of gratitude to Martyn Jope, who first taught me how to look at castles. Among many later colleagues and friends I would like to single out Reginald Allen Brown, Peter Curnow and Derek Renn. I am also deeply indebted to Jasper Dimond for his illustrations.

In a book of this sort it is not possible to acknowledge the source of many statements. It would be wrong, however, not to mention the published works of Patrick Faulkner on domestic planning in castles.

Finally, I would like to thank my wife Sheila and my three daughters Roisin, Grainne and Fionnuala, who have shivered in the rain and fallen into overgrown ditches more times than anyone should be asked to endure—usually without complaint!

Brian K. Davison

I LOOKING AT CASTLES

Today the medieval castles of Britain lie about the land-scape like stranded whales left high and dry by a receding tide, reminding us of an earlier and very different world. Only a few castles retain anything of their original role. Windsor has remained a royal residence throughout the nine hundred years of its history, and at Lincoln the Crown Court still sits in the bailey of the castle, where the king's officers have given judgment since 1068. For the most part, however, the castles lie in ruins, almost a part of the natural scenery.

It was quite different in the Middle Ages. Then the castles dominated the landscape. Whereas the modern citizen must look hard to find his Town Hall, the medieval centres of power and authority were plain to see. The castles dwarfed the surrounding houses of the merchants and peasants in a way that is difficult to appreciate in an age accustomed to tall buildings on every side. Some idea of the effect can be got from the coloured illustrations in French manuscripts of the time (see page 12). While we cannot be certain that every castle looked exactly like those shown—most British castles were probably more squat and sombre—the illustrations do tell us how the medieval nobles who built these castles liked to think of them.

Even now, castles are often seen as symbols of an age of romance, suggesting chivalry and glory. In reality, however, they bear witness to an age of violence, reminding us of rebellion and repression. We may enjoy exploring their remains. We should not lament their passing.

The French Castle of Saumur, from a 15th-century
manuscript: the vision...

... and the reality: the small 13th-century castle of Castell Coch in South Wales, as rebuilt in the 1870s

Castles and Historians Historians' attitudes to castles and the part they played in medieval life have varied greatly in the past—and no doubt will continue to do so in the future. This is particularly so in respect of early Norman castles. The first castles were the product of the Norman Conquest, and the Conquest has intrigued, puzzled and exasperated historians for centuries. It was the last time the British (or, in this case, the English) were defeated on their own ground by an invading army. Opinion has been divided as to how this subjugation could ever have come about, but most historians are agreed that castles played a major role. A modern historian who thinks that the Norman Conquest was, on the whole, a 'good thing' will tend to portray the castles of the new Norman king and his knights rather as the Victorians saw the colonial works of the British in Africa and India—as symbols of civilization and order. A historian who is less impressed by the Normans will portray their castles as the symbols of tyranny—built by forced labour and used to enforce an alien regime.

These opposing views of the medieval castle can be seen (and enjoyed, if you like a good fight) in the writings of J. H. Round and E. A. Freeman at the end of the last century. The furore they caused then has died down somewhat by now, but echoes can still be found in most books on castles. Differences of approach must be expected if you wish to pursue the subject in greater depth than can be done in this book.

Visiting The medieval castle was first and foremost a private house, the heavily defended residence of its lord. A considerable number still remain in private hands: these castles are usually open to the public for at least part of the year, and most will have some form of guide-book on sale to visitors.

The National Trust owns about 20 castles in England,

Wales and Northern Ireland. Details of these, with hours of opening and admission prices, are to be found in *Properties of the National Trust*, available from 36 Queen Anne's Gate, London SW1H 9AS. Details of castles owned by the National Trust for Scotland can be obtained from 5 Charlotte Square, Edinburgh EH2 4DU. Guide-books are available in most cases.

Many of the larger and more ruinous castles are in the care of the following bodies, from whom details are obtainable:

England   English Heritage, 15–17 Great Marlborough St., London W1V 1AF (or at any English Heritage site).

Wales   CADW, Brunel House, 2 Fitzalan Rd., Cardiff CF2 1UY.

Scotland   Scottish Development Department, 3–11 Melville St., Edinburgh EH3 7QD.

Northern Ireland   Department of the Environment (N. Ireland), 66 Balmoral Avenue, Belfast BT9 6NY.

Republic of Ireland   Office of Public Works, 51 St Stephen's Green, Dublin 2.

How to Use this Book   Many of the books in this series are concerned with recognition. There are reference books to enable you to identify any flower, bird, aircraft, etc., you may come across. This approach is hardly appropriate for medieval castles. For one thing, you don't come across all that many castles in the course of a day's outing: for another, most of those you do come across will have their own guide-book telling you all you need to know about the place—who built it, and why, who besieged it, and so on.

This book sets out to explain something about the people who built castles and why they found it necessary to do so. There is a brief outline in Chapter III of the main trends in military architecture from the 11th to the 15th centuries. Chapter IV describes the methods of attack and defence practised during the relatively brief periods when castles came under siege, while Chapter V attempts to give some idea of the pattern of life during those longer periods of peace when castles were centres of domestic life, estate management and local administration. Chapters VI and VII, together with the illustrations, should enable you to make your own guess as to when a castle was built, when it was altered, and what sort of activities went on inside it.

The Gazetteer at the end of the book lists a number of castles in Britain and Ireland open to the public. Some of these were built 'all of a piece', and demonstrate the best that the military architects of that time could achieve. Others were altered regularly over several centuries, and so demonstrate not only the changing requirements of their owners, but also developments in the art or science of fortification.

In order to avoid cluttering up the text by quoting examples of each type of tower, gate or chapel, numbers have been placed in the margins of the pages. These refer to the castles listed in the Gazetteer. Finally, the Site Lists on page 184, where the numbers similarly refer to the Gazetteer, should enable you to work out which castles to visit if you want to see a special type of keep, for example, or a particular period of building.

Further Reading   If you wish to pursue the study of castles further, these books will help you:

Armitage, E. S., 1912. *The Early Norman Castles of the British Isles.* John Murray. Republished 1971 by Gregg International Publishers

Renn, D. F., 1973. *Norman Castles in Britain.* 2nd Edition. John Baker

Brown, R. A., 1976. *English Castles.* 3rd Edition. Batsford

Cruden, S., 1960. *The Scottish Castle.* Nelson

Leask, H. G., 1941. *Irish Castles and Castellated Houses.* W. Tempest

II THE KNIGHT AND HIS CASTLE

One of the results of the collapse of the Western Roman Empire in the 4th and 5th centuries under the assaults of the barbarian Huns, Franks, Saxons, Goths and Vandals, was the disappearance of a paid army distinct from the domestic retinues of the aristocracy. In the ensuing Middle Ages, armies were composed largely of groups of individuals led by those to whom in peace they owed economic or political allegiance. The aristocrat had become of necessity a professional fighter, a war leader; his private house—suitably defended—had become his fort and, in effect, part of his equipment as a warrior.

To understand how this came about it is necessary to look at Germany and France during the five centuries or so following the end of the Roman Empire. In this 'dark age' the greatest of the Frankish rulers, Charlemagne, attempted to restore something of the political and cultural order of the Roman Empire: but under the attack of a fresh wave of barbarians—this time the Vikings—his sons were forced to entrust the defence of the coastline and the rivers which led into the heart of France and Germany to the landed aristocracy of those areas. As communications broke down and the central authority waned, the rich, the powerful and the unscrupulous came to occupy positions which combined social and economic patronage with military and legal authority. A chain of command evolved which depended not on service to the state but on service to one's lord—a hierarchy of personal relationships. So was born the form of society which later historians were to call 'feudal'.

As society changed, so too did the methods of fighting. Against marauders from the sea, who could strike swiftly and unexpectedly in places far apart, the best weapon was cavalry. The basic fighting unit of the early Middle Ages was thus the heavily armed cavalryman. But the cavalryman, when dismounted, was as vulnerable as the infantryman. His horse—the most expensive part of his equipment—was even more vulnerable. Some form of protection was needed for man and horse when off duty. The fortified houses of the aristocracy gave both protection against surprise attack and a base from which mounted war bands could strike back. Thus the vital combination of knight and castle was forged.

In Anglo-Saxon England, Viking attack brought, not a breakdown in public authority, but rather a strengthening of it. The army bases of the Saxon kings of the later 9th and 10th centuries were fortified towns rather than the fortified private houses of the nobility. Only during the last two or three generations before the Norman Conquest, when the Saxon defence system crumbled under the onslaught of the Danish kings Sweyn Forkbeard and Canute the Great, do the Saxon aristocracy seem to have sought security by fortifying their houses.

Beyond England, however, lay the Celtic lands of Wales, Scotland and Ireland. Here, in the absence of any developed concept of the state, society was again organized round the persons of the aristocracy. Chiefs and petty kings held court in houses fortified through the labour of their subjects according to customary law. In these centres—*llys*, *dun* or *rath*—they heard disputes and dispensed justice. Here taxes were paid and the king's will made known. These private fortified residences were the 'castles' of the pre-feudal nobility.

The Normans in England Into this world burst the

Norman knights. Descended originally from Vikings who had settled in northern France, by the end of the 12th century they were established from Sicily in the south to Scotland in the north, and from Ireland in the west to the Holy Land in the east. The word *knight* is curiously enough not a Norman one, but Saxon—it means simply a young man; and initially the Norman knights were merely men (vassals) bound to serve as cavalrymen. *Chivalry* at this stage meant men who fought on horseback (the origin of our word 'cavalry'), and hence came to denote a code of behaviour appropriate to such men. It was a code of war, not of peace, and only in its later days did it cover the behaviour of men towards women.

The Norman knight held his land in return for serving his lord as a cavalryman. He was also required to advise his lord in court, to safeguard his interests, and to refrain from injuring him in any way. In return, his lord agreed to assist him if attacked, to stand by him in court, and to arbitrate between him and his fellow knights in the event of a dispute. This 'contract', which combined personal, military and economic relationships, was the basis of feudal society. As the knight owed service to his lord, and received assistance from him, so did his lord owe service to the king and expected assistance in return.

This hierarchy of personal loyalties determined the way in which the castles built by these men were used. It was through their castles that the Normans gained control of England, and it was through their castles that their descendants kept that control and extended it to Wales, Scotland and Ireland. According to later legal theory, the right of an individual to build a castle was delegated by the king, who had inherited the state monopoly on fortification imposed by the Romans. Seen in this light, no castle was completely private. Castles built by Norman barons to guard the lands they

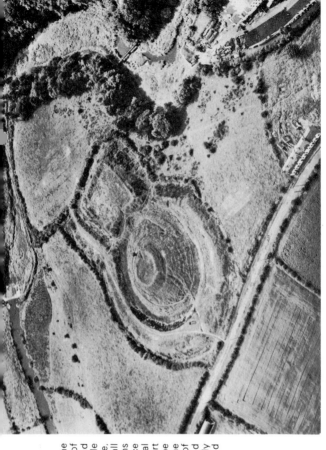

The earthworks of a motte and bailey castle at Dromore, Co. Down: all that remains of a once substantial wooden fort of the type used in the conquest of England and subsequently of Ireland

had been given thus extended the king's power, but only for so long as he could enforce the feudal 'contract'. On occasions when there were rival claimants to the throne, the system of service to an individual rather than to the state caused chaos; loyalties became blurred, and each baron sought to enhance his own position during the confusion. Castles then became private bargaining counters, chess-pieces in the game of war, symbols of political ambition and pretension.

Sporadic outbreaks of revolt and subsequent repression during the first two centuries of Norman rule produced a monstrous crop of castles. Some were built according to a strategic plan; William the Conqueror planted castles in every major Saxon town in the years following 1066, and Stephen blockaded the Isle of Ely in 1140 by planting castles around the edge of the fens. Others were built singly in response to some local emergency; thus in 1165–7 Henry II built Orford Castle in Suffolk in response to the revolt of the Earl of Norfolk. For the most part, however, castles were built as fortified country seats of the new Norman aristocracy, and their distribution reflects the economic interests of their owners rather than any grand concept of strategy.

27, 30 44, 80 83, 85

58

By the 13th century the main pattern of castle building in England was complete. Shifting allegiances among the barons might result here and there in the rebuilding of a castle on a grander scale; the enrichment of a hitherto politically unimportant family by war or marriage might lead to a demand for an appropriate status symbol; but it was the 13th-century invasions of Wales and Scotland on the one hand, and the Crusades to the Holy Land on the other, which spurred the later development of the medieval castle.

Wales The Normans moved into Wales relatively early from Marcher lordships based on Monmouth, Montgomery and Chester. By 1090 Earl Hugh of

21

Chester had reached the shores of the Menai Straits, and Cardigan (the subject of a Norman raid early in the 1070s) had a Norman settlement backed by a castle by 1093. Bernard of Neufmarché had pushed through to Brecon in mid Wales by 1094, and there was a steady penetration of the southern plain of Glamorgan throughout the later 11th century.

Royal control of the castles built by Norman lords in Wales must always have been remote, and most of the castles built during the 12th and early 13th centuries were the response by lords both Welsh and Norman to local confrontations. The last decades of the 13th century, however, saw one of the most remarkable campaigns of strategic castle building in Europe.

In 1277 the last native Prince of Wales, Llywelyn ap Gruffydd, broke the uneasy truce between the two countries. The punitive expedition mounted by Edward I was intensified after Llywelyn's death in a skirmish in 1282. What followed was a deliberate attempt by Edward to bring Wales firmly under the control of the English crown. Between 1277 and 1297 ten royal and four baronial castles were begun with all the resources that the English feudal state could muster. Motive, means and opportunity combined to produce some of the most prodigiously powerful castles ever built. Never again would these circumstances combine to such a degree, nor would the function of the medieval castle as the instrument of royal control be so vigorously expressed. Caernarvon in particular, with its echoes of the old imperial city of Constantinople, was intended to mark the dawning of a new age in Wales, in which further castle building by the English would not be necessary, and by the Welsh would not be tolerated. In the event, it was not until a century and a half later that anything on this scale was even attempted in Wales.

A reconstruction by Alan Sorrell of Edward I's castle at Conway, Gwynedd, as it must have appeared about the year 1300

Scotland   No account of British castles should omit
145 a reference to the *brochs* of Scotland. What form of
society it was that produced these graceful dry-stone
towers in about the 1st century AD is far from clear,
but it is unlikely to have been feudal in the medieval
sense. For this reason it is perhaps unwise to term the
brochs 'castles' in the sense that Caernarvon is so called.
Nevertheless, they show that the principle of the isolated defensive tower or keep is an old one, and not
necessarily the product of a feudal society.

Following the Norman Conquest of England,
border raiding led to Norman settlement in Lowland
Scotland. Scottish kings such as Alexander I encouraged
the establishment of Normans under feudal tenure, and
the south-western lands in particular, where the royal
power was weakest, saw an eruption of private castle
building at the turn of the 11th century.

Working out the date when a castle was built in Scotland is often difficult, since there was less use of written
documents than in England—or, at least, fewer have
survived from the medieval period. Moreover, because
good freestone was scarce, and many sites were already
defended by nature, castles were often simple in design
and devoid of diagnostic features which might aid the
historian or archaeologist. Where adequate evidence
does exist, however, it would seem to suggest that the
Norman and Scots lords of the Lowlands at least kept
abreast of contemporary developments in castle build-
37, 142 ing. Along the western seaboard, however, lie castles
44, 153 which reflect the struggles of the Scottish kings to
extend their influence over areas formerly under Norse
control. These castles may date from the 13th century
or even later; but in appearance they resemble the castles
of the late 11th or early 12th centuries in England.
Although castles are known to have been built throughout the 12th and early 13th centuries by the Norse, few
131 surviving castles can be certainly attributed to them.

24

Uncertainty about their builders similarly attends the great castles of the later 13th century. The invasions of the English King Edward I saw much building and rebuilding of castles, in which it is difficult to disentangle the work of successive Scots and English lords. 127, 128

The failure of Edward I to impose a lasting peace in Scotland left as a legacy three centuries of border warfare, lasting until the union of the two crowns in 1603. Warfare brought its inevitable consequence, however, and after the climacteric of Edward's wars few Scottish lords could afford to build the great fortresses demanded by contemporary military fashion. The 14th and 15th centuries saw the evolution of a type of keep—the 'peel' or 'tower house'—more appropriate to 129, 130 the reduced resources and needs of the feudal aristo- 152 cracy. Since the effective power of the state developed more slowly in Scotland than in England, partly because many kings came to the throne as minors, the tower house was retained and elaborated long after such works had been abandoned in England and Wales.

Ireland In Ireland, as in Scotland and Wales, the earliest Norman castles were built against a background of earlier, simpler fortifications, the 'castles' of the pre-feudal native aristocracy, whose internal dissension had provided the opportunity for Norman intervention in the 1160s. Thereafter the pattern of castle building followed that seen in England, Wales and Scotland, though offset by a century from the date of the Norman conquest of England.

In a place as remote from the English royal court as Ireland, royal control was difficult to maintain, and the Norman lords in Ireland achieved a degree of independence vastly greater than that achieved in Wales and Scotland. To be sure, there were royal attempts to regain control, and King John was forced to lay siege to one of the castles of the self-styled Earl of Ulster, John 158

The unsettled state of Scottish politics in the 15th century is shown by Sir William Borthwick's keep-like tower house at Borthwick in Lothian, built in the 1430s

de Courcy, in an attempt to assert at least the theory of feudal overlordship.

As in the early stages of the conquest of England and Wales a century earlier, much use was initially made of castles of earth and timber. They were built not according to any overall strategic plan, but rather to protect the homes of individual lords and to form the visible centre of their new landholdings. These early castles sometimes incorporated the earthworks of the native aristocracy—possibly indicating that in all the confusion of war at least the old administrative centres were retained. 157, 190·

The castles were clustered most thickly, as might be expected, along the line of the interface between Norman and Irish territory. As this frontier moved westwards in the 13th century, so it left behind it to the east the fossilized frontiers of earlier stages: as it retreated eastwards in the 15th century it left the outlying castles 'stranded' among the Irish. 158

The Irish chiefs were not slow to copy the castles of the invaders, possibly for reasons of prestige as much as anything else. As in Scotland and Wales, the 'habit of vertical building', which characterized early Norman military architecture, was taken up avidly and with it, it would seem, the association of lordship with the strong tower.

Tower houses thus came to characterize Irish and Anglo-Irish castles in the 15th century as they did castles in Scotland, and probably for the same reason—they were the most appropriate form of fortified dwelling for a lord of limited means who feared the sudden raid more than the formal siege; and, as in Scotland, the type was retained and elaborated for as long as such conditions continued. 161, 169 170

Cost and Resources The form and extent of a castle represented a compromise between three conflicting

27

factors: the desire for comfort, the need for security, and the resources available for the job. An earthwork castle of the sort used by the Normans during the early years of conquest in England, and later (in much the same circumstances) in Wales, Scotland and Ireland, was relatively quick and cheap to build. The operative word here is 'relatively'—earthwork castles could be made from materials ready to hand with largely unskilled labour, whereas stone castles might require the transport of materials and certainly the use of more skilled craftsmen. Royal accounts of the middle of the 12th century show that a great stone tower or keep such as that at Newcastle-upon-Tyne might cost £1000, spread over the nine years of building. The keep at Dover cost more than £3000, but this was exceptional; Henry II built himself a complete new castle at Orford for £1400. Most impressive of all the 12th-century castles was Château Gaillard in Normandy, the masterpiece of Richard I, and his favourite castle. Built extraordinarily quickly in a mere three years, the castle cost over £11,000. Half of this sum was spent on getting materials—stone, lime, timber, iron and ropes—and on bringing them to the chosen site; the other half of the money was spent on the actual construction of the castle.

These sums must be weighed against the resources available at the time. When Château Gaillard was built at a cost of £11,000, less than a dozen English barons had an income of more than £400 per year, and of these the richest had no more than £800. A knight might live quite comfortably on an annual income of £20. The total ordinary revenues available to the crown for private use and for affairs of state (including defence) did not exceed £12,000 per year at that time. Yet Henry II and his son Richard I often spent one tenth or more of this each year on castle building.

A century later, when prices had risen, Edward I

spent enormous sums on his great Welsh castles. Harlech cost £9500, Conway £14,000 and Caernarvon a staggering £27,000—though this last sum was spread over a good many years. In all, Edward probably spent about £100,000 in twenty-five years of intensive castle building in Wales. To convert them to present day values, it would be necessary to multiply these sums by a factor of at least three hundred. 88, 99 109

The details of Edward's building programme are recorded in some detail in the royal accounts. Huge numbers of men were employed each summer. At Harlech in 1286 the average weekly labour force was 100 men: Harlech, Conway and Caernarvon between them employed 2500. Beaumaris was a 'rush job', and for this 3500 men were employed during the summer of 1295. 86

The gathering of such numbers of men was a major task in itself, and the prodigious efforts made to secure an adequate work force showed clearly the importance set by Edward on his new castles. Craftsmen and labourers could be conscripted for the king's work, though they had to be paid. Thus ditchers were rounded up in Norfolk, Suffolk and the Fenlands; masons from the Cotswolds, Yorkshire and the West Midlands; and carpenters from all the Midland counties. Parties of men were escorted across England by the royal officers, assembling at Chester before moving on to the construction sites. Iron for fittings and timber for scaffolding were sent by sea from the Forest of Dean. Most important of all, money was raised in various parts of the country and sent under security guard for the payment of wages on site.

This last item often presented difficulties when consignments of money failed to arrive in time. At Builth in Wales, work on a new royal castle stopped suddenly in August 1282 'for want of money'. Twenty-one years later, during his Scottish wars, Edward was to find his sheriffs unable to provide the 60 carpenters and 200 ditchers required for work on the new castle at Dunfermline, since the men concerned complained that they had not been paid for earlier work at Linlithgow. Nor were such labour disputes new even then: the Bayeux Tapestry (an almost contemporary record of the Norman Conquest) shows two of the workmen employed to build Hastings Castle settling a difference with their shovels.

Building work was usually limited to the summer months, when materials could be moved more easily and mortar would set more quickly. Under these conditions, while an earthwork castle might take six to nine months to construct, a stone castle could take as many years. Thus, Henry II's new castle at Orford took eight years to complete, Dover ten years, and this seems to have been about the average as regards speed of construction. Château Gaillard was most unusual in being completed in three years—Caernarvon was still unfinished after forty-five years!

The Decline of the Castle Consideration of the ever-increasing cost of building castles, in terms of both money and time, helps to explain why they ceased to be built. Consideration of their function explains why most of those already built ceased to be occupied.

A castle was essentially a house, the home of its lord. During the Middle Ages social and political conditions demanded that a lord should use his house as a weapon. By the 14th century, however, developments in warfare had made a truly impregnable castle beyond the means of most men, however rich. The invention of gunpowder played little part in this: not until the following century were guns powerful enough to breach a castle wall. English society was changing, however, and men demanded more comfort in their houses—if necessary, at the expense of security. Even the battles of the Wars of the Roses (1455–87), a time when some

A realization of the true potential of artillery is shown by Henry VIII's gun forts, such as this one at Deal in Kent, seen here as reconstructed (on paper, at least) by Alan Sorrell

great lords held excessive power, were fought for the most part in open country, not round castles, and by the end of the 15th century the change was complete. Castles went out of use simply because the form of society which produced them had itself become defunct. Army officers occupied Henry VIII's new gun forts because they were paid to do so, not because the forts were their homes. A strong monarchy ensured internal peace, and while the nobility continued to build great houses for themselves, these were no longer fortified.

In Scotland and Ireland such conditions did not obtain until much later, and so castles continued to be built and occupied throughout the 16th and 17th centuries. In particular, many of the best known castles of Scotland date from this period. Elsewhere, however, the need for private fortification had vanished, and while some castles continued to be occupied by their owners for reasons of sentiment or tradition, others fell into disuse and decay. It is ironic that in so many cases it should be the State which now preserves them, for it was the gradual emergence of the idea of the State in the later Middle Ages which brought about their demise.

III THE DEVELOPMENT
OF THE MEDIEVAL CASTLE

When the Normans invaded England in 1066 the idea of private fortification (i.e., castles as opposed to fortified towns) was still quite new, and very few types of building had been evolved specifically for the purpose. The Conquest itself, however, brought together men from many parts of Europe—from Normandy and Brittany, Flanders and Anjou, even perhaps from Southern Italy. Each of these areas had its own traditions of fortification. There followed a virtual explosion of castle building in which new ideas were tried out and, if found successful, were quickly applied elsewhere. Fortification by rampart and ditch gave way to complex constructions of stone with high walls, towers, battlements and a host of ingenious devices aimed at deterring an attacker. Many of these ideas had already been developed by the Romans a thousand years earlier. Much of the history of medieval castle building is the history of the rediscovery or reinvention of old techniques.

Castles of the Conquest When the Normans landed at Pevensey their immediate need was for rapidly constructed bases from which their cavalry could operate. (It has been claimed that the prefabricated parts of timber castles were brought over from Normandy. No chronicles of that time mention this, but prefabricated castles were certainly taken to Ireland a hundred years later.) After William's coronation the need was for royal garrison posts in all the major towns. At the same time knights and barons settling down in

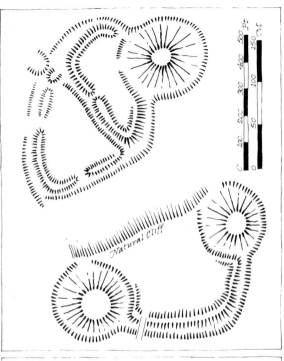

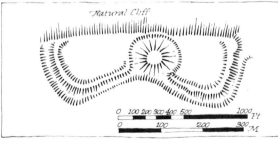

Earthwork castles of motte and bailey type. Schematic plans based on Brinklow and Lewes (top) and Windsor (bottom)

the countryside to enjoy the lands given them as spoils of war needed some means to protect themselves against sudden uprisings. Speed was vital, and so the earliest castles built by the Normans were constructed from materials available close at hand—i.e., from timber and earth. Nearly 100 castles are known to have been built by the time of the great Domesday inquiry in 1086, and these were almost all of earth and timber.

The most common form of earthwork castle was that known as the **motte and bailey.** The main buildings— hall, kitchen, chapel, stables, barn—were grouped within a courtyard (the 'bailey') protected by a rampart and ditch, the rampart being fronted by a palisade of timber. Overlooking the bailey was a huge pile of earth (the 'motte') supporting a timber tower and again fronted by a palisade. Occasionally, however, the motte is missing, the element of height being provided by a tall timber gatehouse, and it may be that these simpler castles, known as **ringworks,** represent an older type of Norman castle, before the motte was invented.

65, 77
134, 157

30, 64
74

Earthwork castles present the modern visitor with something of a problem, for while the earth banks remain to impress us by their size, it was probably the timbering which took the eye in the 11th century. Indeed, it may be wrong to think of earthwork castles as fundamentally different from those built of stone. In some cases, at least, the earth was revetted in timber; wood was plastered and painted to look like stone. It is possible, therefore, that earthwork castles were just cheap versions of stone ones. The rotting away of the timber facing has left exposed the earth core, which has then been eroded by wind and rain to give a profile much less dramatic than that of a stone wall or tower. The difference might not have been so apparent in the 11th century.

Such, then, were the castles of the Conquest. For all their simplicity, they were effective against surprise attack, and the towers on the high mottes dominated the landscape, announcing the arrival of a new regime. How effective they were is shown by their widespread use in England, Wales and Scotland, and by the fact that when the Normans moved on to Ireland in the late 1160s the motte and bailey castle—by then almost obsolete in Britain—was revived and used extensively in conditions that closely resembled those of the conquest of England a century earlier.

The Period of Consolidation   While the earthwork castle might be made to look like a stone castle, it was much more vulnerable to attack by fire, and great efforts were made to replace the timberwork with stone as soon as conditions and resources allowed.

Since any attack was usually concentrated on the bailey gate in the first instance, this was often rebuilt first,
4, 43   in the form of a stone tower. Sliding gates and draw-
61   bridges completed the protection of what was otherwise the weakest point in the defences. (At this stage the drawbridge was simply a bridge which could be withdrawn: lifting bridges came later.)
10, 16   Palisades, too, were replaced in stone to form **curtain**
60   **walls,** although many castles still had timber-palisaded baileys in the 13th century. To increase the effectiveness of the curtain wall, provision was often made for the erection of overhanging wooden galleries (*hourds*) along the parapet. Factors controlling the conversion of timber palisades into stone were the availability of good building stone (or the proximity of a river along which stone could be transported), finance and local military need, and it is difficult to see any strategic pattern determining which castles were first rebuilt in stone.

As the palisades around the bailey were rebuilt in
4, 79   stone, so too were those around the summits of the
90   mottes. In such **shell keeps** it is often possible to see
36

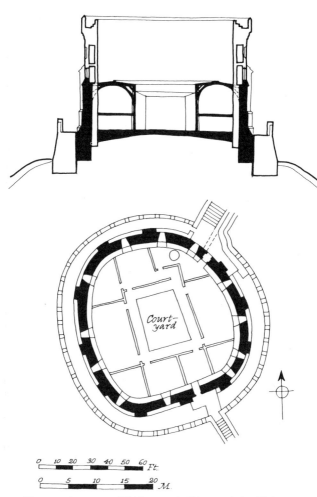

The round tower at Windsor: a shell keep of the 12th century, heightened in 1828–32, and with timber internal buildings of 1354–61

64, 75 where timber or stone buildings were ranged against
84 the inner face of the new wall, leaving an open space
at the centre. Shell keeps occur sporadically during the
12th century: their very simplicity makes it difficult
to determine when individual examples were built,
and it is not possible to say for how long the idea re-
147 mained fashionable in England and Wales. In Scotland,
shell keeps were still being built in the 13th century.

Curtain and Keep Not every castle went through
this process of 'timber into stone'. If good stone was
ready to hand, castles might be built in this material from
the start. Where they survive, these early stone castles
30, 46 give to the **gatehouse** a prominence far beyond what
66 was necessary for military purposes alone. It is possible
that the reasons for this lie in an association of a tall gatehouse with rights of justice and lordship—an association
going back to the 9th and 10th centuries (it may not
be entirely coincidental that the great west portals of
Norman cathedral churches were the setting for
sculpted scenes of judgement).

These early castles with their stone gatehouses and
curtain walls are the stone counterparts of the earthen
ringworks with their timber gatehouses and palisades.
They represent a tradition in castle building which runs
throughout the Middle Ages, though eclipsed for a
while by a shift of emphasis to the motte and its stone
counterpart, the keep.

Rivalling the gatehouse in importance—though for
different reasons—was the **hall.** This, the formal centre
of the medieval household, similarly carried overtones
of lordship, since it was here that the lord of the castle
would preside in court or council. By the eve of the
Conquest, bitter experience on the Continent had
shown the value of building one's hall in stone, and of
setting it at first-floor level. Such a building was both
fireproof and capable of being defended should the

38

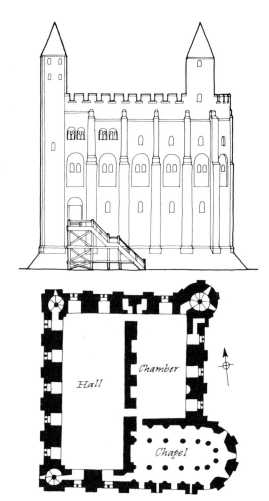

The White Tower in the Tower of London. Elevation of S side and plan of main residential floor

bailey defences be stormed. Stone halls at first-floor level thus appear in some early English castles and may once have been more common. A necessary ancillary to the formal and public hall was the private chamber. Placed side by side at first-floor level, hall and chamber formed a compact block of masonry capable of containing most, if not all, of the space necessary for the lord's household. Herein lay the genesis of the **keep**—a fortified house of more than one storey, incorporating hall, chamber and chapel, standing foursquare within its bailey and forming a final place of refuge.

Experiments were made with this form during the first decades after the Conquest, and the basic type continued to be built well into the 12th century. Even that most famous 'keep' of all—the White Tower, which gives its name to the Tower of London—is of this hall and chamber type, though magnified to the proportions appropriate to the residence of the Conqueror.

With the 12th century, however, came an increasing insistence on height, possibly as the lessons learned during the wars between Henry I and his brother Duke Robert of Normandy at the beginning of that century were translated into stone. The new keeps were taller, having three or more storeys, and the stairs leading up to their entrances were enclosed within forebuildings. In some cases, earlier lower buildings were heightened to meet the new requirements. Elsewhere, great towers were built from scratch, mainly at royal or episcopal command, but also by the richer barons: the death of Henry I in 1135 brought a disputed succession, and a number of baronial keeps probably belong to the subsequent period known as the Anarchy, 'when men said openly that Christ and his saints slept'.

The restoration of royal authority under Henry II from 1154 saw the building of some notable keeps with increasingly sophisticated interior planning, culminating in the building of the royal keep at Dover during

40

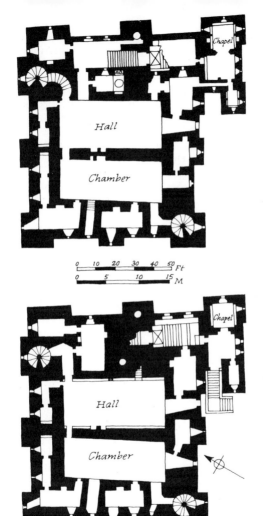

Dover: floor plans of the upper (top) and lower (bottom)
suites in the keep

the 1180s. This great block of masonry measured 29 × 28 m (95 × 91 ft) in plan, rising some 28 m (91 ft) high, with walls up to 6 m (19 ft) thick. Within this palatial cube were two main floors providing accommodation, above a basement. Each main floor was served by a separate chapel, contrived in the forebuilding over the entrance stairs and thus perhaps adding the protection of God to that afforded by drawbridge and barred door. Above ground-floor level—and thus beyond the reach of battering rams—the walls were built hollow to provide small chambers which might serve as closets, bed-chambers, wardrobes and the like. Latrines were similarly set in narrow passages running in the thickness of the walls. A well enabled water to be drawn to the second floor whence it was piped to various parts of the building—though in this sophistication Dover seems to have been unique.

60   But not every keep formed so self-contained a residence, however. Some are devoid of fireplaces, which is a sure sign that the lord of the castle did not envisage a great deal of time being spent in the keep, which thus served as a place of temporary refuge rather than as a house.

    At the same time that Dover was being built as the largest and most expensive keep of its day, experiments were being made with other ground plans. Circular ground plans, giving cylindrical towers, are known 51 from the middle of the 12th century. By the end of that century the fashion for such cylindrical keeps was all-87, 103 pervading. Wales in particular, where the deteriorating 120, 123 military situation of that time necessitated new major 124 works, saw a plethora of such keeps. The change is usually attributed to a determination to eliminate projecting corners, since these were vulnerable to bombardment and mining alike. An example often quoted 68 is Rochester, where King John rebuilt in rounded form the corner of the keep he had undermined and brought

42

crashing down during the siege of 1215. Nevertheless, keeps continued to be built from square and rectangular ground plans well into the 13th century, particularly in Ireland; and, indeed, it can be argued that the rectangular keep was never really forgotten so long as castles needed to be built. The choice between curved and rectilinear forms was thus not dictated solely by military needs, nor does it reflect a simple chronological succession. Fashion, the availability of freestone for corners and the type of accommodation planned within the building must also have been taken into account. 160, 184 190

The 12th century thus witnessed the rise of the keep. Keeps were built in rectilinear or curved forms throughout the remaining centuries of the Middle Ages and continued to serve a lower level of society in Scotland and Ireland at least until the 17th century. However, experience in attacking castles, whether gained in Britain, France or the Holy Land, led to a growing realization that passive defence was not enough. The later 12th and 13th centuries saw increasing efforts being made to keep attackers away from the base of the keep and indeed out of the bailey altogether. Even so, while new building might concentrate on gatehouse and curtain wall, most castles in existence by 1300 boasted a keep of some sort, even if only one 'left over' from the 12th century. 33, 48 80

Wall Towers The translation into stone of a wooden palisade might make it fireproof: it did not necessarily make it more effective as an obstacle. Once an attacker had crossed the ditch and gained the foot of the wall it was difficult for a defender to dislodge him without leaning so far over the parapet as to expose himself to the fire of archers still standing on the other side of the ditch. Two solutions were adopted. The simpler was to 'bend' the curtain wall into a series of projecting rectangular salients from which counter-fire could be

Late 13th-century wall towers at Conway, Gwynedd

directed along the outer face of the wall. The earliest
surviving example of this approach is Carisbrooke on
the Isle of Wight, a work of the 1120s. Long before this,
however, the practice was known of incorporating
towers into the curtain wall in such a way that they projected forward from its line. By the 1160s and 1170s
towers were beginning to be placed sufficiently close
to each other as to afford mutual protection, each tower
serving to cover the 'dead ground' of its neighbour. In
this they revived ideas already fully developed during
the later Roman Empire. They may also have bor-
rowed from designs tried out in timber during the intervening centuries, examples of which no longer survive.
Certainly, walls interrupted by projecting towers were
44

to be seen in many parts of England, France and Spain, whether protecting abandoned Roman forts or re- 63, 80 vived Roman cities, and it seems strange that the ad- 90 vantages of the design took so long to be appreciated.

The advantage of the wall tower was that, in addition to providing the opportunity to direct flanking fire along the outer face of the curtain, it could be built high to command the wall head itself, in case this should be taken. It also formed something of a redoubt should the bailey be overrun and the defenders unable to escape into the keep. The effect of such building was to increase the defensive fire power of the castle to such a degree as to make it almost offensive. From arrow-loops at ground level, from the wall head, and from the tower top archers could pour a withering fire on troops gathering for an attack. Simple assault became a hazardous undertaking, and new methods of attack had to be devised.

The earliest wall towers to survive are rectangular in plan, suggesting a derivation from timber originals. By the early 13th century, however, rounded forms were 8, 27 being introduced, echoing the change made in the prevalent form of the keep a generation or so earlier. As with the keep, however, rounded forms never completely ousted rectangular ones, and it was the disposition of the wall towers rather than their form which determined their effectiveness.

Gatehouses This emphasis on the defence of the curtain brought a renewed concern for the protection of the gate, potentially always the weakest point of the defences. Hitherto the entry into a castle had been through a passage contrived in a square tower, which thus became a gatehouse, and the early association of the tall gatehouse with the idea of lordship has been 27 noted. Henry II's new works at Dover in the 1180s show a new idea being born. The entrances into the inner bailey were set between closely spaced pairs of wall towers from which fire could be brought to bear on those attacking the gates. The next stage, achieved by the 1220s, was to join the towers on each side of the gateway with a linking room above the gate passage, so forming a single twin-towered structure. (Here again the medieval castle builder had arrived at a solution adopted by Roman military architects a thousand years earlier.) Once invented—or rediscovered—this type of gatehouse continued to be built with square, rounded or polygonal projecting towers until the end of the Middle Ages and beyond.

It is over the gate, towards the end of the 13th century, that we find the earliest British examples of **machicolation,** the replacement in stone of the temporary timber 'hourds' which were applied to keep and curtain wall alike during the 12th century. Further protection was provided by adding a small outer enclosure or **barbican** with its own gate, lying beyond the main ditch and often encircled by a ditch of its own.

Wall tower, barbican and gatehouse enabled the defenders of a castle to keep the enemy at a distance— so long as he remained above ground. The enemy below ground presented a greater problem. Undermining by tunnelling was, in the long run, the most effective way of bringing down a wall or tower. To combat this it was necessary to raise the natural water-table in the vicinity of the castle, so that any tunnel would automatically flood, drowning the miners. This was the original purpose of the castle **moat.** There were of course, other advantages to be gained from it. A moat made it difficult for an attacker to bring ladders and wooden assault towers close to the castle walls. It provided a supply of water in case of fire. It could even be stocked with fish. But primarily it existed to discourage tunnelling.

By the first quarter of the 13th century the main ele-

A machicolated gatehouse of the late 14th century: Bodiam in Sussex

ments of English castle building—curtain and wall tower, keep, gatehouse and moat—had been assembled. Few castles showed any great regularity in the disposition of these elements, most having been pieced together by the twin processes of adoption and adaption. Further development could come only when motive and means for new building could be found.

The Concentric Castle Motive and means were found most dramatically in connection with Edward I's Welsh wars at the end of the 13th century, when

47

completely new castles of royal or even 'national' status were required and when the full resources of one of the richest countries in Western Europe could be put to their building.

Rarely can foreign influence be identified so readily as it can in Edward's Welsh castles. From 1270 to 1272 the future king was on crusade in the Holy Land. What he learned there cannot be asertained, though it would appear that he was struck by the 4th-century walls of Constantinople, since the walls of his castle of Caernarvon were later modelled on them to enhance echoes of imperial rule enshrined in local legend. What is known, however, is that on his way home he called on his great-uncle, Philip I of Savoy, and there met Philip's architect,

Caernarvon: Edward I's attempt to capture the imperial echoes of Constantinople

Master James of St George. This man became Edward's master builder and had a hand in almost every major castle built by Edward during the next two decades.

The most dramatic of Edward's Welsh castles are those which rise from irregular rocky sites. All the elements of fortification developed by earlier generations are here concentrated in a frightening display of 'overkill'. More enlightening perhaps are the castles built on flat ground, since here the will of the architect was dominant, not the terrain. Rhuddlan, Beaumaris and Harlech show what has been called the 'concentric plan of fortification' in that the buildings of the castle are protected by two closely spaced curtain walls, the outer overlooked and protected by the inner. Beaumaris, the latest of Edward's Welsh castles, shows a ruthless regularity of design and can justly be called a piece of military precision engineering. Gone is the keep; the lordly accommodation is contained within twin gatehouses of massive size. Huge wall towers dominate the inner curtain and command a narrow strip of ground between it and the lower outer curtain. A moat encompasses the whole.

The idea of such 'concentric' fortification was not entirely new at this time. It had been used by the Egyptians 2000 years before the birth of Christ, and achieved its most monumental form in the Theodosian land walls of Constantinople in the 4th century AD. The walls of Constantinople were first seen by western knights in the 1090s during the First Crusade, yet they were not copied in Britain until after the Eighth Crusade almost 200 years later. Once again, it would seem that earlier precedent went ignored until medieval man had gone through his own slow process of trial and error.

The principles applied in Edward's Welsh castles can be found elsewhere, though rarely on so vast a scale. The royal castles in Wales show what could be achieved by the medieval military architect in exceptional

88, 99

86, 109
122

86

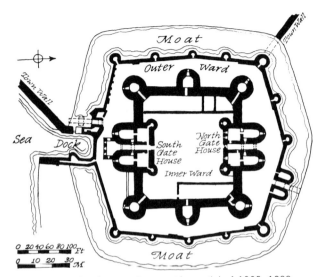

Beaumaris, Anglesey: a 'concentric castle' of 1295–1300

circumstances. Elsewhere the opportunity for complete
rebuilding, as for building anew, was rarely present, and
most often a compromise had to be made between what
was fashionable and what was inherited from earlier
generations. Only in Scotland, where Edward directed
his energies after 1295, were castles built on anything
approaching the scale of the royal works in Wales.

The Later Middle Ages   Not even Edward I could
afford to build castles continuously on such a scale. The
14th century saw a levelling off in castle building, if only
because most of the needs of kings and barons had by
then been met. As money became available individual
lords rebuilt the more outdated parts of their castles, but
even so many castles remained very simple in form
throughout the Middle Ages.

50

The French Wars of 1337–1453 enriched some families sufficiently for them to aspire to a more lordly residence than had hitherto been possible, and hence we occasionally find at this time new castles being built 14, 55 which embodied the newest techniques. However, the vaunting ambition of a family which has just 'arrived' can best be seen slightly later at Raglan, where in the 121 1460s Sir William Herbert—newly created Chief Justice and Chamberlain of South Wales in return for his support of the victorious House of York—built one of the most stupendous castles of the later Middle Ages. Significantly, Sir William chose to emphasize his new-found status by reviving the old idea of the keep as the most appropriate form of residence for a magnate: a keep hexagonal in plan and crowned with a massive machicolation.

This revival of the keep would at first glance seem surprising, given the direction taken by castle builders of the 13th century. However, even Edward I's castles sometimes include a keep, and the long-standing sym- 107 bolic association of the keep with the trappings of lordship continued to influence building practice during the 14th and 15th centuries. Thus, where new castles were required or old ones rebuilt during this period some form of strong tower is usually to be found, though few 5, 40, of these latter-day keeps had the defensive capabilities 47, 82 of 12th-century Rochester or Dover. The desire for real comfort, combined with the appearance of strength, took precedence over military zeal. In some cases even the machicolations, which are such a feature of these 76 towers, are bogus.

The later Middle Ages also saw the development of gunnery, and this is often held to have been a major factor in the decline of the castle. Certainly, guns attracted a great deal of attention. James II of Scotland conceived a passion for them which led to his death at Roxburgh in 1460, when 'a mis-formed gun brake in shooting, by which he was stricken to the ground and died hastily'. However, when first introduced in the early 14th century, guns were small in size and discharged only iron darts. Not until the mid-15th century were guns big enough to project missiles capable of smashing the walls of a castle under siege, and even then they were cumbersome to transport and difficult to use. By the 1370s small guns were being used for the defence of castles, and loops designed for their discharge can be found from then onwards. Apart from this, the introduction of gunnery brought about no great changes in castle building during the Middle Ages. Only Ravenscraig, built just before his death by the over-enthusiastic James II of Scotland, shows any serious attempt to adapt the castle's defences for the discharge of heavy guns. For the rest, guns took their place among catapults and crossbows, frightening friend and foe alike, but contributing little to the real business of siege warfare.

The full panoply of later medieval fortification is perhaps best seen at Warwick. Here in the 1380s Thomas Beauchamp, 12th Earl of Warwick, rebuilt the eastern facade of the castle to incorporate a great gatehouse and barbican, flanked by two huge wall towers—all in the latest French style. Elsewhere, the major building works of the 14th- and 15th-century nobility were centred on their domestic buildings. The period saw the gradual evolution of a new type of fortified house in which the formerly separate 'houses in the castle' were gathered into closely integrated ranges of buildings set round a courtyard, rather in the fashion of the contemporary but unfortified Oxford and Cambridge colleges. The exterior walls might present a more or less warlike appearance, but the natural development of this type of building was towards the great country house of the Tudor period, in which battlemented parapets, gatehouse and moat were retained as the outward symbols of wealth and power, but without serious intent.

52

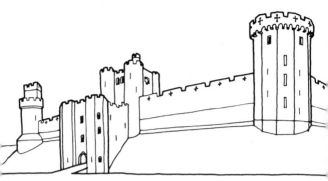

The east front of Warwick Castle, rebuilt in grandiose style in the later 14th century

By contrast, the fortifications built for national defence by the emergent State in the early 16th century took full account of the new weapons of artillery and a paid army. Nothing could demonstrate more clearly than the forms of these barrack-like gun forts the gradual but fundamental changes in society that took place at the close of the Middle Ages.

In Northern England, Scotland and Ireland, however, where raiding was almost endemic, keeps (suitably scaled down to meet the resources available and often called **peels** or **tower houses** by modern historians) continued to be built in large numbers: indeed, their remains often outnumber those of the medieval castles which inspired them. In 1429 the government of the young Henry VI deliberately encouraged the building of small keeps within the area of English settlement in Ireland:

> 'It is agreed and asserted that every liegeman of our Lord the King who chooses to build within the next ten years a castle or tower sufficiently embattled or fortified, to wit 20

53

feet in length, 16 feet in width and 40 feet in height, the Commons of those counties shall pay to the said person to build the said castle or tower £10 by way of subsidy.'

Such towers were the bare minimum, however. English and Irish alike frequently built larger towers, usually protecting a small walled yard or **bawn**. In Scotland in particular the late medieval tower house enjoyed a veritable 'Indian summer' of popularity, the simpler forms of the 15th century giving way to the more elaborate, even fantastic, skylines of the 16th and 17th centuries in the style familiarly known as 'Scottish Baronial' but derived from French castles of the Renaissance.

In this chapter the main trends in castle building during the Middle Ages have been described. What constitutes a castle is, and was, largely a subjective matter. A minor lord might accept as a 'castle' something his king might reject as only a 'fortified manor', and the dividing line can rarely have been clear to either. Emphasis has been laid on the private and residential aspects of the castle, yet even these can be exaggerated. Caernarvon was hardly private in any real sense and the idea of the garrison fort was never entirely absent during the Middle Ages. Nevertheless, the Middle Ages did see a unique combination of house, fort and administrative centre, and when changes in society demanded that this combination be broken up, the 'castle' ceased to exist except as an abandoned shell.

IV   CASTLES AT WAR

No matter how much money and time might be spent on building a castle, it was only a shell designed for the protection of those inside. The defenders of a castle were always more important than the castle itself. An unreduced castle might contain a field force of mounted knights; it had be made to surrender in such a way as to neutralize the striking power of the field force it contained.

Reducing a castle held by a determined garrison was an expensive undertaking. An army had to be assembled, miners recruited for tunnelling, timber felled for making assault apparatus, stone quarried for missiles, and food and water laid on for the besieging force. To put a castle on a war footing was to invite your opponent, be he king or baron, to consider the cost of all this. If he did not know the extent of the defenders' resources, the element of bluff, ever present in warfare, was increased.

If the challenge was taken up, the bluff was called. Then the defenders could only hope for one of two things: that relief would come, causing the siege to be raised; or that diversionary raids by allies elsewhere would cause the besiegers to turn their attention to their own castles. If neither happened, then slow starvation would eventually enforce surrender.

In the event, few castles were held to the bitter end. Sieges such as those of Rochester (13th October–30th November, 1215) and Bedford (June–August, 1224) were unusual, and attracted attention for that reason. After the keep of Rochester was mined and the defenders starved out by King John's forces, it was

Early Norman warfare! The motte at Dinan in Britanny is taken by Duke William in 1064. This scene from the Bayeux Tapestry shows the first cavalry charge, the attack by fire and (on the right) the surrender of the keys to the castle

hoped that 'few would put their trust in castles' (though here the medieval chronicler was over-optimistic). Nine years later, at Bedford, political motives, combined with the vast trouble he had been put to in assembling the besieging army and the casualties inflicted on it, caused the young King Henry III to hang the garrison after he had burned them out. Usually, however, a garrison might expect to march out with full honours, the game of bluff having been played according to the rules, and lost. In many cases, castles were never put to the test, but passed their days in peace, their bluff never called.

Early Tactics and Weapons By and large, earthwork castles were not expected to withstand protracted sieges. Long sieges did occur in the 11th century: the young Duke William (later to be called the Conqueror) took two years to starve his uncle out of the Castle of
56

DINANTES: ET:CVNAN: CLAVES:POR REXIT: HIC:WILLELM: DEDIT: HAROLDO ARMA

Arques in Normandy, and the defenders of Brionne held out on their island in the river for three years. But these were exceptional cases. Earthwork castles of the 11th and 12th centuries were designed rather to withstand surprise attacks, and in particular to withstand the onset of cavalry. Even so, the timber defences of ringworks and the baileys of motte and bailey castles were limited in height and vulnerable to attack by fire. The high motte was more defensible, but it afforded a very limited space for men and provisions, and it was useless for the protection of the vital horses.

The 'hit-and-run' nature of early castle warfare is shown with all the vividness of a contemporary strip cartoon on the Bayeux Tapestry, commissioned to celebrate the conquest of England and made within the lifetime of those who took part in it. The attack on the Breton Castle of Dinan in particular shows the full sequence of the sudden appearance of the Norman cavalry, the defence of the timber gate leading through the palisade round the summit of the motte, the attempt by two dismounted knights—once the surprise attack by cavalry had failed—to set fire to the timbers of the palisade, and finally the surrender of the castle, with its keys held out on a lance. The strength and weakness of the earth-and-timber castle are here made plain.

Fire was the main weapon of attack once the element of surprise had been lost, and against it the covering of exposed timbers with wet hides had only a limited effect. The necessity for replacing timber palisades with stone curtain walls as soon as the opportunity offered could hardly be more clear.

Once a castle had been provided with stone defences, then new methods of attack had to be devised. Chain mail was proof against sword cuts, but not against a well aimed bolt from a crossbow, and a good archer sheltered behind the battlements of a stone curtain wall or tower could pick off enough of the besiegers to discourage those remaining. Large wicker or hide-covered shields (called *pavises*) and movable huts (called *mantlets*) were necessary to protect the attacking force. Behind these, ladders could be brought up for direct assault and timber towers (known as *belfreys*) could be assembled. From these last, archers could fire over the curtain wall and—if the towers were brought close enough—attackers could leap onto the wall head itself without having to endure a perilous ascent by ladder. To move such towers close to the walls, the ditches had first to be filled with bundles of brushwood or anything else that came to hand.

A simpler, though possibly more hazardous procedure was to attack the gates by battering-ram or by fire. The increasing emphasis on the defence of the gate by elaborate flanking towers and barbicans in the 13th century bears witness to many earlier desperate but unrecorded hand-to-hand engagements round splintered and burning wooden gates.

The *ram*, sheltered beneath its protecting cover (or 'cat'), could also be used, though more laboriously, on the walls themselves. Even slower was the *bore* (or 'mouse'), a pointed ram, which nibbled away at exposed corners. Slowest of all was the use of crowbar and pick. One account of a Norse assault on a castle in Scotland relates how the stone defences were attacked with axes!

In the last resort, it was always possible to blockade a castle, starving its defenders into submission. For such protracted operations a more comfortable base for the besiegers was necessary, and temporary *siege-castles* were built. These might be of earth and timber, or they might incorporate an existing building which could be modified for the purpose. In some cases church towers were pressed into service in this way, much to the annoyance and disapproval of priest and bishop. Even nunneries and monasteries were sometimes taken over for warlike purposes. (The Abbot of Ramsey retaliated by setting fire to the tents of the soldiery encamped within his precinct.) Once a suitable base had been established, and pickets set round the besieged castle, the attackers had only to wait for time, the shortage of food and water, and the inevitable onset of disease to do their work for them.

Later Tactics and Weapons   From the chronicles of the 13th and 14th centuries it is possible to learn much about the methods of warfare currently in use. From illuminated manuscripts, and from the increasingly detailed royal accounts, a picture can be built up of the weapons themselves.

The main methods of attack were: (i) direct assault over the curtain; (ii) bombardment leading to a breach in the defences through which an assault could be made; (iii) mining; (iv) insinuation; (v) blockade; and (vi) propaganda.

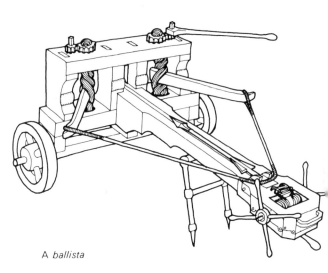

A *ballista*

Of these, direct assault still relied on the old established ladder and belfrey, ram and bore, in the use of which not much improvement could be made. Bombardment, on the other hand, was rapidly becoming more effective as machines known to the Romans and still used by the Byzantines came into use throughout the West.

The *ballista* was a form of giant crossbow mounted on a stand. It was designed for the discharge of long iron darts, and as such was primarily an anti-personnel weapon. The *mangonel*, on the other hand, was a catapult capable of hurling stones and other heavy missiles for the breaking of gates and walls. The power came from a skein of rope about the lower end of the main arm of the machine. This could be tightened and twisted by windlasses while the arm itself was locked in the lowered position and the missile placed in a cup on the end of the arm. On release the rope skein was

60

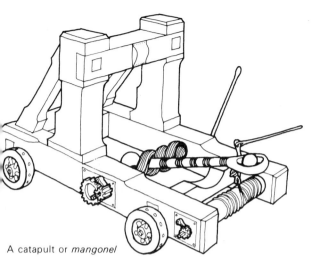

A catapult or *mangonel*

free to untwist, and in doing so it brought the arm up and over rather like a cricketer bowling a high lob.

The mangonel thus had a higher trajectory than the ballista. Its rope skein was also liable to be affected by damp. For these reasons its range was difficult to estimate, and so a second high-trajectory throwing machine was developed that relied on gravity for its power and was thus more constant in operation. This was the *trebuchet*. In the principle of its action it was rather similar to the mangonel, except that its missile was delivered from a rope sling attached to the end of the swinging arm rather than from a cup, and the arm was swung by means of a counterweight rather than by twisted ropes. The trebuchet was capable of discharging considerable loads, and was the howitzer of its day, being able to hurl a stone weighing some 150 kg (nearly 3 cwt) at least 100 m (*c.* 110 yd). A large trebuchet could hurl a dead horse!

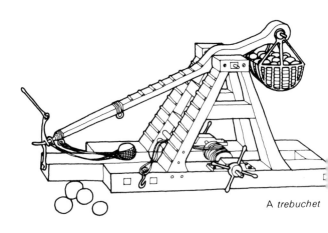

A *trebuchet*

Mangonel and trebuchet appear in the royal accounts as *petraria*, i.e., 'stone throwers'. In the field, however, they seem to have enjoyed more personal names such as Malvoisin, which means 'bad neighbour'. Indeed, the vicious business of siege warfare was concealed behind a veritable Noah's ark of animal names. Thus, walls were attacked by the 'ram' or the 'mouse', both of which sheltered beneath a 'cat' or 'sow'. The word mangonel means a 'mule' or 'nag', the machine being so named from the way it kicked up its heels on discharge. Other machines were named after successful engagements. The great belfrey made in Glasgow for Edward I in 1301 was so successful at the siege of Bothwell that it was taken (in 30 wagons) to the siege of Stirling in 1304, where it was known as 'le Bothwell'.

Of all the missiles discharged by these machines, the most dreaded was Greek Fire—a medieval version of the modern napalm bomb. Of little use against stonework, it was deadly against men and horses, or against timber gates, roofs, barns and the like. Ostensibly it was a Byzantine secret, but it was used occasionally in the

West in the later 12th and 13th centuries, though it would seem only by royal artificers.

The logical successor to the trebuchet was the gun. Guns appear as experimental ancillary weapons in the early 14th century. The French brought to the raid on Southampton in 1338 one gun, three pounds of gunpowder, and some four dozen iron darts—hardly a decisive combination. By the mid 15th century, however, the 'foul stinking bombards' were powerful enough to breach a castle wall, though few castles seem to have been taken by this method.

The most feared weapon, because it was the most effective, was the tunnel or mine. A tunnel was started out of bowshot from the castle and continued under the foundations of the wall or tower it was desired to bring down. Brushwood was then piled round the shoring and set alight. As the shores burned through they collapsed, bringing down the roof of the tunnel and robbing the wall or tower above of its foundation.

Such a tunnel brought down the corner of the keep at Rochester in 1215. On occasion, the successful completion of a tunnel was itself enough to bring about the surrender of the castle in question. The point having been made, it did not need to be proved!

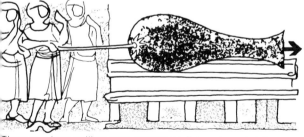

Three cautious artillery men prepare to fire an iron dart from a gun: a scene from a 14th-century manuscript

An altogether simpler, and apparently just as effective way of gaining entry to a castle was to insinuate a small group of men into the castle by means of a latrine chute or some other unguarded opening. Thus Château Gaillard, which represented the culmination of 12th-century castle building, was taken in 1204 by a few French soldiers who, under cover of darkness, climbed up a latrine chute and then in through a chapel window. The defenders fled, hearing the noise and thinking the whole French army had got in. To encounter unexpectedly at night someone who had just climbed up a stinking latrine shaft would indeed be an unnerving experience!

The unsavoury nature of medieval latrines could lead not merely to unpleasantness, but also to disease. In a castle under siege, disease could spell disaster. In 1088 the defenders of Rochester surrendered the castle when the smells became overpowering—presumably because the smells presaged infection.

Such conditions lay behind every blockade, and it was the hope of inducing at least the fear of them that led an attacker to initiate a blockade. A blockade was not always easy to effect, however. For one thing, the attacker could never know the quantity of provisions stored within a castle, and so could not gauge exactly how long they would last. A well provisioned castle with a good internal water supply could hold out for several months. This might prove longer than the attacker could maintain his forces in the field to operate the blockade. Apart from the sheer cost of maintaining the besieging army, there was always the possibility that his own castles or lands might be attacked in his absence. Finally, the complex nature of feudal relationships often created a confusion of loyalties, and the political situation might change radically within the time needed to starve out a well provisioned castle.

Confused loyalties could also be exploited by psychological warfare. During the siege of Kenilworth in 1266,

Prince Edward persuaded the papal legate to stand below the walls and, from a safe distance, pronounce the excommunication of the defenders. His words, we are told, were greeted with jeers and rude gestures! The garrison, by way of retaliation, dressed up their surgeon as another legate, and he in turn excommunicated Prince Edward's forces. Less dramatically, there was always the possibility that someone could be bribed to open the postern gate and let in an attacker. Harlech, otherwise almost impregnable, was taken by Owain Glyndwr in 1404 'in return for a sum of money'.

The Defence of the Castle A garrison expecting attack often attempted to strike first, ambushing their opponents in open country some distance from the castle. Thus in 1144 Geoffrey de Mandeville, Earl of Essex, seeing himself gradually being bottled up in the Isle of Ely by King Stephen's new castles round the edge of the fens, struck at the half finished castle of Burwell in an attempt to break the ring before it closed. (Unfortunately for him, it was a hot day and he had unlaced his coat of mail and tilted back his helmet. A well aimed spear terminated both his life and the attack.)

Even after the siege proper had begun, a sudden sally could bring good results, and cavalry encounters between the lines were quite common. Occasionally, such sallies proved disastrous. It was during a sally from Bamburgh Castle in 1095 that Robert de Mowbray, Earl of Northumberland, was captured by the garrison of one of William II's siege-castles. A threat to blind the Earl if Bamburgh were not surrendered brought the required submission.

Against the constant pounding of the stone-throwing engines the best defence was to build thicker walls, but this could hardly be done at short notice. Counter-barrage from stone-throwing machines mounted on top of the wall towers was more practicable. At Kenilworth in 1266 we are told that the missiles discharged by both sides often collided and splintered in mid-air, so great was the rate of fire.

The more insidious miner could best be thwarted by a moat. Failing this, recourse had to be had to the dangerous expedient of the countermine—a tunnel dug by the defenders themselves to ambush the miners of the besieging party. The terrors of a hand-to-hand struggle below ground in almost total darkness can be imagined.

Against direct assault certain measures could be taken. With the aid of long forked poles assault ladders could be pushed away from the walls and eventually toppled over. Mats could be lowered to take some of the shock of the battering ram, or an attempt could be made to catch its head with a grapnel. Timber 'hourds' erected on beams projecting from the wall head not only changed the whole appearance of a castle, giving it a more martial air, but allowed the defenders to discharge missiles and pour liquids on those below. (Boiling oil and molten lead are, alas, figments of the novelist's imagination: against a man in armour scalding water would be effective enough, and much less expensive.)

Should the attackers manage to reach the wall head, it was usually possible for the defenders to retreat into the neighbouring wall towers, which were sometimes provided with a barred door and portcullis and thus formed miniature keeps from which further defence might be conducted.

Other devices, though occasionally spectacular, had only marginal effect. Thus, at Ludlow, King Stephen and Prince Henry of Scotland were walking round the castle walls, planning their attack, when Prince Henry was neatly hooked by a grapnel dangled by one of the garrison, and was very nearly hauled up into the castle and captured. Fortunately, the King caught hold of the

Later medieval siege craft

Prince's legs and managed to hold on until the rope could be cut!

Starvation was the one form of attack which could not be countered, though it could be mitigated by strict rationing and the turning away of non-combatants. The fate of these last could be cruel. During the siege of Château Gaillard in 1204 King John's garrison was forced to drive out all non-combatants who had taken refuge in the castle. Denied access through the lines of the blockading French, the refugees starved for three winter months, even turning to cannibalism in their desperation. Eventually the few who remained were allowed through, though even these died after being given food. There was precious little 'chivalry' apparent here.

No matter how the food might be rationed, it was bound to give out sooner or later. The castle must then be surrendered, unless a relieving force could break the blockade and bring fresh supplies to the starving garrison. Without such relief the garrison could only sue for whatever terms it could get. Usually, these were honourable: the cases of the starved refugees at Château Gaillard and of the hanged garrison at Bedford were exceptional. Often terms were agreed in principle well before the food ran out. At Kenilworth the garrison eventually offered to surrender the castle, which they had held for over four months, if relief was not forthcoming within 40 days. The offer was accepted, and when the time was up and relief had not been sent, the castle was duly surrendered. The '40-day' period was a common arrangement, and derived from the basic feudal contract whereby a vassal was required to serve his lord in the field for 40 days each year if required. The obligation to assist was equally binding on man and master, however. If the lord failed in his duty to protect his vassal, or to come to his relief when besieged, the vassal was considered to be in turn released from his obligations and was justified in suing for an independent peace.

Provisioning Any lord intending to garrison his castle and hold it against an attacker had first to consider the acquisition of supplies. Most castles had their own mills for grinding corn and at least one well. Salted meat and fish could be bought in and stored in bulk, and just before the attack cows, sheep and goats would be driven into the outer bailey or courtyard. From these milk (for cheese) and fresh meat could be obtained to augment the diet of salted flesh. The loss of the opportunity for hunting must have been sorely felt, since many medieval households relied on the chase for much of their meat.

The importance of the castle well can perhaps be gauged from a post-medieval example. In 1648 the Commonwealth forces attempted to seize Pembroke castle. They took the bailey, but could not take the keep. Eventually, the source of the water supplying the well in the keep was revealed through treachery. The Parliamentarians poisoned the water and the defenders of the keep surrendered—but not before they had discovered who had betrayed them, and dropped him down the well!

Perhaps for this sort of reason, beer and wine figure prominently in the royal accounts relating to the stocking of castles. More prosaically, such items as firewood, candles, charcoal and iron (for the repair and replacement of weapons), and timber and ropes for making catapults and other armaments, could make a vital contribution to the defence of the castle.

Garrisons The form of a castle reflected the level of manpower expected to be available for its defence. A Roman fort or a castle like Caernarvon presupposed the presence within its walls of a field army, whereas a

The square keep at Rochester, Kent, built *c.* 1127–40: a stark symbol of power and authority

motte and bailey was designed to be held by a relatively small number of men.

A medieval magnate travelled from place to place accompanied by his retinue, which included mounted knights. If he decided to put his castle into a state of defence, his knights were available for that defence. Should he have more than one castle, however, these men were not available for the defence of those other properties.

The standing garrison of a medieval castle was often quite small. Burton-in-Lonsdale, on a 'care and maintenance' basis in the 1130s, contained one knight, ten sergeants, a watchman and a porter—a garrison which cost £21 a year to maintain. More usually, a garrison in time of peace would house the constable and his family, together with a few domestic servants, a chaplain (who might also act as clerk and book-keeper), a smith or armourer, a watchman, a couple of sergeants and a dozen or so men-at-arms. Even at a larger castle like Conway, the standing garrison in 1284 comprised only the constable and his family, a chaplain, a mason, a smith, an armourer, a carpenter, 15 archers and 15 others including watchmen and servants. The garrison of Harlech was 37 men when it was betrayed to Owain Glyndwr for that 'sum of money', but it may have been under strength at the time. The major 'set piece' sieges, on the other hand, occurred where defenders had been concentrated in a single castle. Thus Rochester, at the time of the great siege of 1215, held 100 knights and men-at-arms. Dover, the same year, contained 140 knights, plus an unknown number of sergeants and men-at-arms—a small army, bottled up in the castle by the invading French.

Even in times of peace, the logistic arrangements for garrisoning a castle such as Dover could be quite complex. The eight major landowners owing 'castle guard' at Dover in the 12th century had each to provide a quota of knights for periods varying between 20 and 32 weeks each year. Since the number of knights whose service was due depended upon the number of smaller estates making up the main holding, and varied from five to twenty-five, the constable must have spent considerable time working out his guard rotas.

Because of complexities such as these there was an inevitable move to commuting the feudal duty of castle guard into a money payment, known as *scutage*. With the money so gained, professional men-at-arms and archers could be hired. Thus, at Dover in 1216, after the abortive siege by Prince Louis of France, it was decided that the old arrangements would have to be scrapped. In the words of the official report, 'every knight due for one month's guard duty should pay ten shillings, and henceforward both knights and foot-soldiers should be hired for guarding the castle'.

Professionalism of this sort must have eased the problem to some extent. Nevertheless, there was always the danger that a swift pre-emptive strike would carry a castle before it could be put into a state of defence, since few lords could afford to pay for large permanent garrisons all the year round. Thus it was possible in 1140 for Ranulf, Earl of Chester, to establish himself firmly in the Castle of Lincoln, having gained entry while ostensibly on a sociable Christmas visit.

The Effectiveness of Castles   Earl Ranulf's successful coup raises the question of why such apparently impregnable fortresses changed hands so readily in time of war.

Firstly, it must be remembered that while a medieval magnate travelled almost incessantly from castle to castle within his domains, he could be physically present in only one of them at any one time. He was thus forced to rely on the loyalty of his constables for the safe holding of his other castles. Even where the owner was resident, he himself might have doubts as to where his loyalties lay; the political issues might be unclear, or his lord might have forfeited claim to his loyalty. It was not unreasonable for William the Lion, King of Scotland, invading England in 1173, to ask Roger de Stuteville, constable of the border Castle of Wark,

> 'how he would act:
> whether he would hold it or surrender:
> which course he would pursue?'

A cautious man, with a wish to stay alive, Roger asked for a 40-day truce, the intention being that if relief were not forthcoming within that time he would surrender the castle on terms. It is significant that the Scots accepted this, and moved on to attack Alnwick, possibly in the hope of taking at least that castle by surprise.

Surprise was always the most effective weapon. The sudden, if treacherous, acquisition of Lincoln by the Earl of Chester has been mentioned, and when war or rebellion broke out it was always something of a race to gather provisions and defenders on the one side, and siege engines and attackers on the other.

Few castles seem to have fallen by direct assault. The bailey gate could often be fired, or the curtain wall scaled, but the great keep was usually proof against assault. In the two great sieges fought to the bitter end— Rochester (1215) and Bedford (1224), it was mining that laid the keeps open to assault. The two methods of attack most likely to succeed in the long term were thus the mine and the blockade. Of these, the quicker was the mine, but even this relied to some extent on slow drawn out psychological effect. One never knew when a mine would be fired and one's defence (and home) demolished, and the waiting and the uncertainty must have been hard to endure.

The effect of being under siege is hard now to imagine, but the psychological pressures must have been great, exacerbated as they were by privation and disease. As weeks and even months went by and relief did not come, the garrison was forced to remain always upon the defensive. The initiative lay at all times with the attacker, and this fact in itself must have taken its toll of the defenders' morale. No doubt it was to retain the illusion of offensive action, as much as for any real gain, that sallies were undertaken.

In the last resort, a well-built castle could hold out for as long as the will to resist remained—or at least, for as long as the defenders thought it worthwhile to resist. War fought face to face is always more sparing of life than war fought by remote control, and the object of medieval wars was not to destroy life, but to gain control of land and of the wealth that came from the land. Castles had to be taken because they sheltered the knights who controlled the lands under dispute. A quick negotiated surrender was preferable from the point of view of both parties to a bitter, long drawn out blockade.

To end on a more personal note, we may listen to Jane Pelham, besieged at Pevensey in 1399 by adherents of Richard II, and writing solicitously to enquire after the health of her absent husband, a supporter of the future Henry IV.

> 'My dere Lorde, I recommende me to your hie Lordshippe with hert and body . . . and thanke yhow, my dere Lorde, of your comfortable lettre that ye send me from Pownefraite that com to me on Mary Magdaleyn day; ffor by my trowth I was never so gladde as when I herd by your lettre that ye warr strong ynogh with the grace off God for to kepe yow fro the malyce of your ennemys . . .

It is only at the end of the letter, and almost incidentally, that we hear of her own predicament.

> . . . and my dere Lorde, if it is lyk yow for to know off my ffare, I am here by layd in manner off a sege with the

The 13th-century round keep at Tretower, Powys, standing within an earlier shell keep of the 12th century built to consolidate the Anglo-Norman hold on mid Wales

Counte of Sussex, Sudray and a greet parsyll off Kente, so that I ne may nogth out, nor none vitayles gette me but with myche hard. Wherefore, my dere, if it lyk yow by the awyse off yowr wyse counsell, for to sett remadye off the salvation off yhower castell … Farewell my dere Lorde, the Holy Trinyte yow kepe fro your ennemys, and son send me gud tythyngs off yhow. Ywryten at Pevensey in the castell, on Saynte Jacobe day last past, by yhowr awnn pore

J Pelham'

The letter is addressed 'To my trew Lorde'.

V   THE HOUSES IN THE CASTLE

The presence of Jane Pelham at Pevensey serves to remind us that the medieval castle played a domestic role as well as a military one, for (as already noted) a castle was essentially a fortified house—albeit a house built on a large scale.

Today the domestic role is often less apparent than the military one. While the curtain walls and towers may survive to bear witness to the threat of siege and the need for defence, the less massively constructed buildings known in medieval times as 'the houses in the castle' have frequently collapsed or been removed. Many castles played no great part in the military affairs of their day, remaining peaceful residences and the administrative centres of large estates. It is ironic that so much of what remains should relate in so many cases to such a small part of the castle's lifespan, the longer periods of peaceful use being represented only by tumbled foundations. Yet just as the shell of a crab may be found lying on a beach long after the organism it was designed to protect has rotted away, so the outer walls of a castle may remain long after the decay of its internal structures.

The primary function of the medieval castle was thus from the start a dual one. A base for mounted troops, it was also the private residence of the leader of those troops, and once the military situation had created the need for a castle, other elements of the social and political structure came to be centred on it. A castle was thus not only a military base and fortified house: it was also a centre of local government and justice, an armoury, a prison and a bank. It might also be a toll station or frontier post. Within the protective shell of its walls and towers, the castle builder had to make provision for all these activities, reconciling so far as was possible the virtually irreconcilable requirements of comfort and defence. The balance achieved varied from castle to castle at any one time, and from time to time within any one castle, according to the competence of the designer and the brief given him by his patron.

While a minor lord might possess only one castle and reside there all the time, a magnate travelled from castle to castle accompanied by his 'household'. This might be a large and complex affair comprising (in addition to his knights) his family and their domestic servants, his chaplain, his treasurer, several apprentice knights in the role of esquires, cooks, falconers, grooms and huntsmen—in all 50 people or more. The king and his major barons might be accompanied by much greater numbers. On reaching their destination all these required accommodation within the castle. Between such visits, on the other hand, the castle might be occupied by only the score or so of people who made up the permanent garrison. As society became more highly organized, and the desire for a greater degree of comfort came to be expressed at all levels, the castle builder was required by his patron to provide accommodation not only for the patron's own household, but also for the households of visiting lords. Gradually, during the 13th and 14th centuries, architectural skills increased and 'the houses in the castle', at first separate and scattered within the castle bailey, came to be integrated with the defensive shell itself; gatehouses carried suites of rooms in their upper storeys and wall towers acted as high-rise apartment blocks. Ultimately the domestic buildings became the castle, enclosing a courtyard defined by their inner walls, while their outer walls formed the curtain.

The Hall   Over and above his need for a comfortable
house, the medieval lord had a need for a large room
in which he could discharge his public duties. This room
was the hall. Contrary to popular belief, at high levels
of society the hall was not the centre of domestic life,
being reserved rather for the holding of courts and
formal receptions. Thus the kitchen serving the hall
was not necessarily that serving the apartments in
which the lord lived with his family: hall, kitchen, buttery (where drinks were kept) and pantry (for dry
goods) formed a unit brought into use only on special
occasions. However, since such special occasions reflected—and could be made to emphasize—the lord's
status in society, the hall and its attendant rooms usually
formed the most eye-catching element within the
castle's defences.

The most obvious example of this is the keep. In
many cases the keep shows, arranged vertically, the
same sequence of rooms as are to be found elsewhere
arranged horizontally at ground level. By the 13th century, however, there was usually a separate great hall
for formal purposes standing in the bailey. This might
be one of two basic types, distinguished by the position
of the hall, either raised above or placed at ground level.
In its earlier and simpler form the hall was placed at first- 20, 10
floor level above a storage basement or undercroft. At 163
one end was a small chamber entered from the hall itself
and sometimes also from a separate stair. It was in this
latter chamber that the lord lived with his family. In
the more grandiose examples this chamber might be
served by a latrine and have its own chapel. Sometimes
the ground floor was used, not as a store, but to provide
accommodation similar to that provided above at first-
floor level: in such cases, the upper complex of hall and
chamber was the more luxurious.

This 'doubling up' of halls indicates that provision
was being made for the accommodation of more than

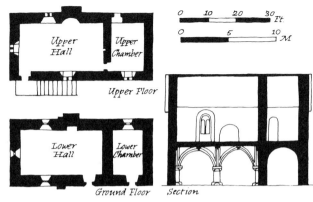

Plans and section of a 12th-century 'house' incorporating two superimposed halls, each with its own chamber

one household within the same castle. Usually the lower and less luxurious hall and chamber would have been used by the constable and his family, while the upper hall and chamber were reserved for the lord himself when in residence.

The larger keeps of the 12th century occasionally show the same arrangement, with suites of rooms 27, 68 placed one above the other, each forming a self-contained residence. Again, the lower, or lowest suite would have been used by the constable, since this suite had the easiest access and was thus appropriate for someone concerned with the day-to-day running of the castle. The upper suite (or suites), being more remote and hence more private, would then have served the lord, his family and his guests. This assumption, that on occasion several distinct households would occupy a single castle, each with a hall and chamber for its use, characterizes all medieval castle planning, though it is seen most dramatically in the great works of the 14th and 15th centuries.

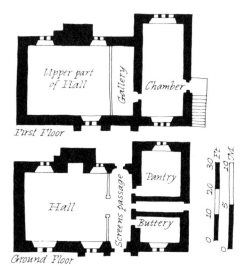

Plans of a 13th-century 'house' with single hall rising through two storeys and two-storey chamber/service wing

An alternative, and from the 13th century a more common form of disposition of hall and chamber was to place the hall at ground level, with its attendant chambers arranged in two storeys at one end. Frequently there was very limited access between the hall and the chambers, bearing out the contention that the hall was not regularly used by those occupying the chambers.

Where extra space was required, or the status of the owner demanded, the hall might be aisled. Doors were usually placed opposite each other in the side walls towards one end of the building and a screen was often erected so as to create a corridor across this end of the hall: this became known as the *screens passage*. From this passage there was access to the hall, at the far end of

24, 99
163

5, 24
109

which a dais might be placed to emphasize the dignity of the lord and his closest associates. Heating was provided by an open fire, often burning in the middle of the hall floor. With the fire in such a position there could be no chimney, and so the smoke escaped (or failed to escape) through a hole in the roof topped by a chimney pot or louvre. By the 14th century, the fire was more usually laid in a specially built fireplace, set at one side of the hall where it could be served by a chimney.

On the further side of the screens passage lay the 'service rooms', the pantry and buttery. Kitchens, for obvious reasons, constituted a fire risk and were usually built detached, but near the pantry and buttery. In the 14th century a second corridor was often contrived at right angles to the screens passage, running between the pantry and buttery to a door at the end of the building from which the separate kitchen could be quickly reached.

11, 72
163

The hall itself was open to the roof in a single tall storey (i.e., there was no ceiling). Above the service rooms, however, there was space for a second storey, and here could be placed the lord's chamber or chambers. Pantry and buttery could thus be made to serve the lord's chambers above on a daily basis and the more formal hall on special occasions. This complex of rooms at one end of the hall thus constituted a virtually independent house, to which the hall was attached, the various rooms functioning together in a variety of ways according to the importance of the occasion.

Domestic Planning So long as the domestic buildings of the castle were considered as separate entities, standing free within the bailey, it was possible for the layout described above to be followed fairly exactly, and it is where the constraints of military security were least felt that the plan was most logically set out. The form is thus not confined to castles, but may be found in undefended manor houses and the houses of the gentry. Echoes of it can still be found in the great houses of the 16th century and in the lesser houses of the 17th century. Where the space available was limited by the terrain or by the dictates of the military architect, however, modifications had to be made. Then the hall might be built against the curtain wall and a convenient wall tower might be made to serve as a chamber block. As the overall plans of newly built castles became more geometric, and the desire for comfort increased, halls, chambers, kitchens and service rooms became ever more intricately disposed within the rigid frame dictated by the defensive elements of the castle.

This development did not occur suddenly, but was spread over a century or more. The requirement for separate residences—'the houses in the castle'—was of long standing, and the accommodation provided in response to it was still relatively loosely scattered in most 13th-century castles. Even within symmetrically conceived castles like Beaumaris and Harlech the domestic 86, 109 accommodation was simply tacked onto the defensive shell, overflowing into the gatehouse and wall towers, without any real integration of the twin requirements of domesticity and defence. During the 14th century, however, the increasing formalization of social life, to be seen in the creation of knightly orders of chivalry, resulted in a demand for quite elaborate and sophisticated layouts.

A good example is Bodiam in Sussex, built by Sir 11 Edward Dalyngrigge at the end of the 14th century. Sir Edward had done well out of the French wars earlier in the century, but now the tide of war had turned and his lands in Sussex were vulnerable to French raiders. In 1385 he received a licence to fortify his house 'with a wall of lime and mortar', these being the usual terms of a royal permit to build a private castle at this time.

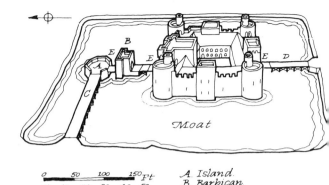

$$
\begin{array}{llllll}
0 & 50 & 100 & 150 & Ft \\
0' & 10 & 20 & 30 & 40 & 50 \ M
\end{array}
$$

A. Island.
B. Barbican.
C. Bridge.
D. Bridge to Postern Gate.
E. Drawbridges.

Bodiam, Sussex: Sir Edward Dalyngrigge's dream castle, set in its moat

The castle he built was almost square in plan, with round towers at the corners and square ones in the middle of the intervening walls. The whole was set round by a moat as a protection against mining.

Sir Edward evidently demanded that the new castle should incorporate at least seven separate halls. One was to be the Great Hall, reserved for ceremonial occasions: it was equipped with a screens passage and service rooms placed either side of a central passage running through to a kitchen beyond, with a great chamber above the service rooms. This complex, the symbol of Sir Edward's station in life, was placed on the main axis of the castle facing the visitor directly across the court-yard from the gateway. A second hall, at first-floor level in the neighbouring east wing, was apparently for Sir Edward's personal use, having an anteroom, three smaller inner chambers and a tiny private pew opening into the south side of the chapel. Below this suite was a third hall with two chambers opening off it. If the

84

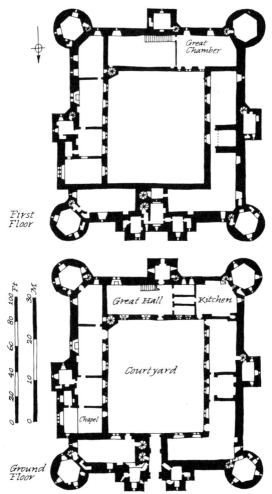

Great Chamber

First Floor

Great Hall *Kitchen*

Courtyard

Chapel

Ground Floor

Bodiam, Sussex: plans of the ground and first floors

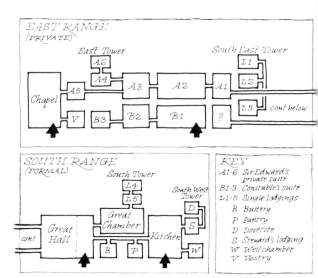

Bodiam, Sussex: diagrammatic representation of the accommodation in the east and south ranges

12th-century usage was still retained, this lower suite would have been for the use of the constable. We thus find the lord of the castle ensconced in a fairly luxurious suite of six rooms at first and second-floor level, above a simpler constable's suite at ground level, with an elaborate arrangement of great hall, pantry, buttery and great chamber reserved for formal occasions.

Accommodation for guests of a status comparable with that of Sir Edward was provided in four further halls. In the east part of the north wing were two halls at ground-floor and first-floor levels, with chambers opening off them in the north-east tower. Similarly, two halls were built one above the other in the south part of the west wing, where there was another kitchen. Since the arrangements in the north-west angle of the castle cannot now be determined, there may have been

Part fantasy and part reality—Sir Edward Dalyngrigge's moated 'dream castle' at Bodiam in Sussex disguises a large and comfortable country house of the 1380s

even more accommodation than has already been listed.

These four suites of rooms were evidently for the simultaneous entertainment of up to four visiting magnates, each of whom might expect to arrive, and to be accommodated, with his own household about him. Even so, there would be others who were not so accompanied and for whom a single room would be sufficient, providing it was well heated and equipped with a private latrine. For such guests there were at least nine single-chamber lodgings placed in the various towers, plus two suites of three small rooms in the gatehouse. Some of these single lodgings, however, may normally have been occupied by the regular inhabitants of the castle. Thus the single lodging in the south-west tower may have been for the steward, who would need to supervise affairs in the nearby kitchen, buttery and pantry, while one of the lodgings near the chapel must have been used by the chaplain unless he slept in the vestry. It is possible also that one of the halls in the west range may have been for the use of the domestic staff rather than guests.

Where the cooks, scullions, grooms and stable-lads slept is far from clear. Possibly they were expected to sleep in the places where they worked. On great occasions, when all the guest accommodation was taken up, the corridors, kitchens, storerooms and stables must have been crowded with people looking for somewhere to lay their heads. Squires would have been expected to sleep together, and so would the maids, ladies-in-waiting and the like. For the latecomer, it must sometimes have been easier to put up at the local inn.

Furniture and Décor A modern visitor, entering a medieval apartment, would probably be struck by the rather bare appearance of the room. At that time floors were covered by rush mats; carpets, when they were first imported from the East, were hung on the walls like tapestries. Tapestries were the usual means of decorating walls, absorbing sound and generally softening the harsh contours of stonework. Alternatively, walls might be plastered and painted. In 1240 Henry III ordered the Queen's Chamber in the Tower of London to be panelled and whitewashed and painted with roses, a decoration that must have been a welcome relief from Henry's favourite design of gold stars on a green background. A panelled screen was to be built between the chamber and the latrine, and the latrine itself was to be tiled. For himself, he ordered that 'the chamber where the King washes his head' was to be painted with the story of the king who was saved by his dogs from the treachery of his subjects.

Such scenes were also wrought in stained glass. Chaucer, writing of John of Gaunt's first wife, describes the feeling of being woken by the song of birds in the early morning, and on looking around—

> '...sooth to seyn my chambre was
> Ful wel depeynted, and with glas
> Were al the windowes wel y-glased
> Ful clere, and not an hole y-crased,
> That to beholde hit was gret joye;
> For hoolly al the Storie of Troye
> Was in the glasyng y-wroght thus—
> Of Ector, and Kyng Priamus,
> Of Achilles, and of Lamedon,
> And eke of Medea and of Jasoun;
> Of Paris, Eleyne and of Lavyne—
> And al the walles with colours fyne
> Were peynted, both text and glose
> With all the Romance Of The Rose.'

Panelling, wall-hangings, painted plaster and coloured glass thus transformed bare stone chambers into apartments worthy of a queen or duchess. Poorer lords, however, might be able to aspire to only one or two hangings, or a more restricted scheme of painting, and in many castles the walls were simply whitewashed.

Furniture was scanty by modern standards. According to an inventory made in 1397 there were in the great hall of the house in question three trestle tables, one fixed table, two chairs, three benches and three stools. There were two cushions for the chairs, and two short lengths of tapestry to hang over their backs. There were also two brass wash-basins, two large pots, two pieces of crockery and three fire-irons. No other furniture is mentioned, though it is possible that some had been removed before the inventory was taken. We might have expected to hear of a cupboard and a chest or two for storing linen, drinking vessels and so forth. Apart from this, the inventory is fairly typical. Even the apartments of the rich, while they might be bright with colour, were sparsely furnished.

Such movable furniture was of course augmented by stone benches built into the arched embrasures of windows. These window seats allowed work such as sewing, embroidery, fine carving and the like to be carried out in good light and fresh air. In general, however, and particularly in winter, air and light were in short supply. Although by the later 14th century John of Gaunt's duchess might have glazed windows in her bedroom, glass was not common. Windows might be covered against draughts by movable screens of oiled linen, which if not transparent was at least translucent. Broadly speaking, it was possible to have warmth or natural light, but rarely both.

Bathrooms and Latrines   Henry III was unusual in having a separate chamber where he might 'wash his head'. For the most part, bathrooms as such are conspicuously lacking. Washing, when done at all, was done in large tubs close to the fire. King John took at least 12 baths in 1209. We know this from the royal accounts, which record the 4 pence paid on each occasion to the man who gathered wood and heated the water: by the end of the year, however, the price had gone up to 5 pence, about £15 in present-day terms. Bathing was thus not to be undertaken lightly. Even Edward, 2nd Duke of York and a grandson of Edward III, describing the joys of hunting at the end of the 14th century, seems to have regarded washing as one of the grim necessities of life. When the huntsman returns, we are told, 'he shall doff his clothes and his shoes and his hose, and he shall wash his thighs and his legs... and peradventure all his body'.

Latrines, on the other hand, were important items. The communal latrines of large monastic houses often vented into a stream culverted below the building, so that they were constantly flushed. Such refinements were not to be found in most castles. Small latrines, known as garderobes, were contrived in the thickness of the outer walls of buildings, or in specially built towers projecting from the main structure. Their open shafts vented into pits which were emptied from time to time, or into the castle ditch or moat. Latrines of this sort were thus limited to those parts of the castle where a vent was possible, and not everyone would have access to them. Chamber pots do not seem to have been used during the Middle Ages, and so a long walk to the communal latrine or 'jakes' in the bailey was necessary for many people. Perhaps the most remarkable latrines of all were those built at Conway in 1286 at a cost of £15 [99] (in today's terms, perhaps some £4500). Close to the walls of the new town adjoining Edward I's great castle stood 'the king's wardrobe', the building housing his private secretariat. This was the administrative hub of the royal household. For the Keeper of the Wardrobe and his clerks a battery of no less than 12 latrines were built projecting over the battlements of the town walls. Why so many latrines were necessary, when other people had so few, is not clear. Perhaps a certain view of the Civil Service prevailed even then!

Prisons   As the seat of a royal sheriff or a major magnate enjoying rights of justice over the surrounding area, a castle might often serve as a prison. Some castles were regularly used in this way. Thus St Briavels, for example, was the administrative centre for the royal Forest of Dean: here were imprisoned those who infringed the laws of the Forest.

A castle might also house prisoners of noble birth. Charles d'Orléans spent many years in honourable captivity in the Tower of London after his capture at Agincourt in 1415, while James I of Scotland was interned at Windsor. For the most part prisoners of high rank were treated well. After all, the object of capturing them was usually to extort ransom, and who would pay for a dead prisoner? Only persons awaiting trial, or legally condemned to imprisonment, would be kept under lock and key.

Nevertheless, the modern visitor will be shown a 'dungeon' in almost every castle. Usually this will be a small, ill-lit, underground chamber. The use of the word dungeon for a prison is incorrect. 'Dungeon' is just a corruption of *donjon*, the medieval word for a keep, and reflects the fact that while keeps were designed to keep people out, they could also be used to keep people in. The ground-floor room of a keep, which could be entered only from above and which had narrow windows placed high up in the walls, could thus be used not only for storage but also for the confinement of prisoners if necessary. Cold and dark such rooms might be, but only because all storerooms were cold and dark. By no means all castles boasted a custom-built prison.

Where such prisons do exist they are rarely, if ever, underground. Often they are in the gatehouse, since there would always be guards on duty there no matter how empty the rest of the castle might be. Most Tower Houses had at least one small prison chamber, built

92

either in the thickness of the wall or above the springing of a vault, to bolster the owner's claim to be lord of the surrounding lands.

Kitchens and Stores The lowest storey of the keep, being cool and dark, was usually the place for the bulk storage of beer, wine, salted meat and fish, and flour. Other foodstuffs, probably fairly quickly consumed, required little in the way of long-term storage. When visitors were expected, of course, huge quantities of food might be required. When King John spent Christmas at Winchester in 1206, the Sheriff of Hampshire was instructed to lay in 1500 chickens, 5000 eggs, 20 oxen, 100 pigs and 100 sheep!

For great occasions like this the large kitchens adjoining the great hall would be brought into service. Huge fireplaces with ovens built into their walls allowed the roasting of meat on spits, the baking of bread and the simmering of stews to be carried on simultaneously. On less formal occasions, when only a score or so of people might be present in the castle, there was little point in kindling such fires. Then cooking was probably done in smaller rooms over braziers. The 16th-century household book of the wealthy Percy family records that breakfast 'for my lord and lady' might consist of 'a loaf of bread in trenchers' (i.e., in slices), 'a quart of beer or wine, and two pieces of salt fish, herring or sprats'. Such meals needed no special rooms set aside for their preparation, though occasionally a small kitchen or servery can still be detected by the survival of a sink or drain for slops.

Water was drawn from wells, of which a large castle might have several. The vital importance of ensuring a good supply of water is shown by the effort which often went into the making of wells. In a motte and bailey castle the well-shaft was sometimes built upwards from ground level as well as dug downwards, so that

11, 46
89, 113
126, 133

23, 58

it rose like a chimney through the motte itself, enabling water to be drawn to a windlass on top of the motte. Where castles were set on rocky outcrops, the wells might have to be dug through solid rock to a depth of 60 m (200 ft) or more. In the case of a very deep well, the weight of the long rope, added to the weight of the water in the bucket, might be more than a man could manage, even with the aid of a windlass: in such cases a treadmill might be used, worked by a donkey or mule.

Nearly always there was a separate well in the keep. Again, as with some mottes, the well shaft was built up through the walls of the keep so that water could be drawn off at each floor. At Dover, water was drawn to the well-head at second-floor level and there tipped into a cistern: from this lead pipes built into the walls distributed the water to taps in the various rooms—an unusually lavish system, fully in keeping with general standards in this, the greatest of Henry II's keeps.

Colleges and Chapels Every castle boasted at least one chapel. This might be a free-standing building in the bailey, or it might be contrived in one of the wall towers or in a chamber adjoining the hall. Where there was a keep, however, there was always a separate chapel within it for the use of the lord of the castle when he resided there. Often the chapel occupied the upper part of the 'forebuilding' which protected the entrance to the keep. That this was not just a matter of convenience is suggested by the way in which chapels were also built in the upper parts of gatehouses protecting the entrances of walled towns. A common dedication was to St Michael, a warrior saint, whose aid might be invoked when the castle came under attack. Where the keep offered accommodation for constable and lord on separate floors, each apartment might be provided with a chapel in which the sumptuousness of the carving varied in accordance with the status of the user. These

94

small chapels were thus private ones, meeting the needs of a single household or a single family.

Where such private chapels existed there were also more public ones for the use of others in the castle. A few churches now used parochially were in origin castle chapels; these stand not in the centre of a village, but in the bailey of a now deserted castle.

The founding of a church or chapel was an act of piety, and some of the richer lords went so far as to establish within their castles chapels served by whole colleges of priests. The best known is probably the Chapel of St George which stands in the outer bailey of the royal castle of Windsor. Here, in 1240, Henry 84 III established a college of seven chaplains to serve his new chapel. A century later, Edward III rebuilt this chapel, increased the number of priests to 26 and added 26 'poor knights' who (in return for their food and shelter) were required to attend mass and pray for the souls of the King and the Prince of Wales and of the 24 newly created knights of the Order of the Garter. Only the west end of Edward's chapel survives: the present Chapel of St George was built at the end of the 15th century.

Almost as grandiose was the scheme planned by the Percy Earls of Northumberland at Warkworth. Devised 82 by the 1st Earl at the end of the 14th century and put into effect by the 2nd Earl in the middle of the 15th century, the idea was for a college of secular canons to be established in the bailey. A huge church was begun, blocking the whole northern end of the bailey: but the scheme was too grandiose for even the Percys' finances, and the building was never completed. More practical schemes were carried out elsewhere, however, the buildings of the new college being erected sometimes within the bailey and sometimes outside it. 76

Gardens Surrounding the castle, or tucked away in

odd corners of the bailey, were gardens and 'plea-saunces'. Herb gardens were planted not merely for pleasure: the herbs grown were used for cooking and for preparing medicines and potions. For these reasons the herb garden in the eastern barbican at Conway was planted at a very early stage in the building of the castle. The castle was hardly begun before March 1283, yet already by July of the same year turf for the Queen's lawn had been shipped up river to the castle, the garden plot had been fenced round with staves from empty wine barrels, and an esquire, Roger de Fykeys, was being paid three pence to water the newly planted garden. There were gardens in both the upper and lower baileys at Windsor, and Henry II ordered a garden to be made before the window of his chamber at Arundel, which was in his hands at the time. Vine-yards, too, were a source of pleasure, as were dovecotes.

External Appearance Because a castle was as much a home as a device of war, its owner was likely to take pride in its appearance as well as in its strength. That this was the case is borne out by a number of medieval descriptions of castles which lay emphasis on the impression made by the combination of walls and towers, the play of light and shadow on the stonework, and the sounds of domestic life.

One factor affecting the appearance of a castle was the whitewashing of its walls. Little evidence for this survives now on the walls themselves, but faint traces can occasionally be seen in places sheltered from the weather. However, the accounts kept by the constables of royal castles often refer to sums of money spent on whitening the external walls; the great keep of the Tower of London, for instance, was regularly white-washed during the medieval period—hence its name, the White Tower. Such treatment of the walls would help preserve them, but it would also have the effect

The arrogant panoply of late medieval life is made plain at Raglan in Gwent, built in the 1460s to mark Sir William Herbert's meteoric rise to power under the House of York (Reconstruction by Alan Sorrell)

of making a castle stand out more sharply against its background, increasing its domination of the landscape.

A second factor, the effect of which is more difficult to judge, was the form of the roofs—and especially the roofs of the towers. The miniature paintings of castles to be found in medieval French manuscripts show gleaming white castles with towers capped with conical roofs like witches' hats. Only one such roof of medieval date survives in France, and none in Britain, so it is difficult to be certain how prevalent this form of roof really was. Many castles 'restored' in the last century were

94 given conical roofs to their towers, and Castell Coch shows the two types of roof then thought to be characteristically medieval. One covers the entire top of the tower, the 'brim' of the hat-like roof covering the battlements and converting them into unglazed windows. The second type is contained within and behind the battlements, so that an open wall-walk is left between the slope of the roof and the battlements themselves.

No positive evidence of medieval date survives for either type in any British or Irish castle. At Caernar-

88, 99 von, and Conway, however, it is clear that if the towers were ever capped by conical roofs, those roofs did not cover the battlements, since these were provided with small finials or pinnacles which were evidently intended to stand free and to be seen. It is unfortunate that more than this cannot be said, since a castle provided with conical roofs on its whitewashed towers would have presented an appearance very different from that presented today.

It may be fitting to close this chapter with the words of two medieval writers, the one Welsh, the other French. Geraldus Cambrensis was immensely proud of

116 his family home, Manorbier Castle in south-west Wales. When Gerald wrote in the 12th century Manorbier was quite strongly defended, but his pride lay in

its homeliness as much as in its martial appearance—

> 'The castle called Maenor Pyrr is distant about three miles from Pembroke. It is excellently well defended by turrets and bulwarks, and is situated on the summit of a hill extending on the western side towards the seaport, having under its walls to the north and northwest an excellent fishpond, as conspicuous for its grand appearance as for the depth of its waters, and a beautiful orchard on the same side, enclosed on one part by a vineyard, and on the other by a wood, remarkable for the projection of its rocks and the height of its hazel trees. On the right hand of the promontory, between the castle and the church, near the site of a very large lake and mill, a rivulet of never-failing water flows through a valley, rendered sandy by the violence of the winds. Towards the west the Severn sea, bending its course towards Ireland, enters a hollow bay at some distance from the castle.'

The 13th-century French writer, Jean de Joinville, was equally fond of his family home. Leaving his castle to join Louis IX's Crusade, he tells us,

> 'I dared not look back towards Joinville, for fear lest my courage fail on leaving my two fine children and my fair castle of Joinville—which I loved in my heart.'

VI THE ELEMENTS OF THE CASTLE

In the preceding chapters an attempt has been made to answer such questions as 'Who built castles? How much did they cost? Why did they cease to be necessary?' The castle has been considered both as a device of war and as a home, and the main developments in military building from the 11th to the 15th centuries have been traced. The purpose of this chapter is to help the reader to recognize the different types of building which together make up a castle, and also to predict some of the features a visitor may expect to find inside those buildings.

EARTHWORK CASTLES

Castles of earth and timber require the greatest effort of imagination on the part of the visitor, for they have suffered the most at the hands of time. Much of their detail can be discovered only by archaeological excavation and is not apparent at first sight.

1, 30 57, 74 **Ringworks** These represent the earliest and simplest form of a castle. The domestic buildings of the lord's residence were encircled by a rampart and ditch, both of which will usually survive, though often in a highly eroded state. Norman ringworks in such a state are difficult to distinguish from the works of earlier ages, especially in Ireland where similar earthworks protected the houses of the pre-Norman chiefs. Often it is only the strength of their defences that marks them out. To qualify as a 'castle' in the later 11th century the lord's house had to be protected by a ditch at least 3 m (c. 10 ft) deep: if the spoil from such a ditch was piled along the

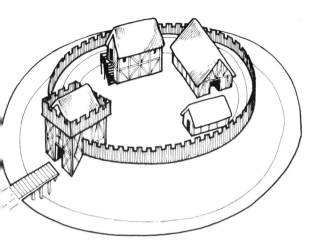

Reconstruction of a small ringwork with timber gatehouse
and domestic buildings

inner edge to form a rampart, the combined obstacle
would have been 6 m (*c.* 20 ft) high, with a timber
breastwork adding a further 2 m (6–7 ft). In some cases,
and perhaps in most, the earthen rampart was encased
in timber to form an earth and timber wall. The evidence for this use of timber remains, after the timber
had decayed and the earth has slumped, in the form of
stains in the soil that can be revealed only by archaeological excavation. The casual visitor must use his
imagination to restore the wooden walls topped with
battlements.

The entrance through the defences was protected by
a gatehouse. Traces of wooden gatehouses have been
found by archaeologists, and from the few stone
examples still standing we may envisage wooden 30, 64
towers at least 5 m (*c.* 16 ft) square in plan and standing
8 m (26 ft) or more in height: in some of the larger
ringworks the gate towers may have been as much as

10 m (c. 33 ft) square and 15 m (c. 50 ft) high. From the room above the entrance passage a portcullis could be worked. The drawbridge at this stage was probably just a removable section of a wooden bridge over the ditch.

This system of defence could enclose a courtyard large or small, according to the requirements of the owner. Some ringworks protected the manor houses of relatively impecunious lords, and were correspondingly small in diameter—perhaps some 40 m (c. 130 ft) across: others were royal castles and were considerably larger. Within the defences the basic requirements were a hall and chamber for the lord's use, a kitchen and a well, a stable, a workshop and perhaps a chapel. Other buildings, such as barns, might stand outside the defences. Sometimes a second 'ringwork' served as a bailey to the first.

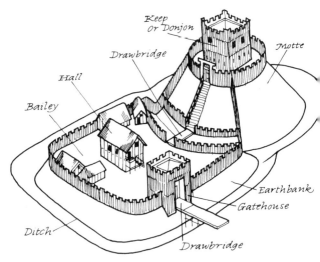

Reconstruction of a motte and bailey castle

As the simplest form of castle, ringworks continued to be built for several centuries, gradually sliding down the scale of importance as new methods of defence were perfected. The earliest Norman ringworks were built at the time of the Conquest, when the type could qualify as a royal castle: by the 13th century ringworks were being built only by minor lords whose resources could not rise to anything more sophisticated.

Motte and Bailey Castles   The motte and bailey castle is one of the distinguishing marks of early Norman military activity. The **motte,** a conical mound, may be made of piled earth or rock derived from an encircling ditch, or by scarping the sides of a convenient knoll. The ditch was essentially a quarry providing materials for the mound: although it might become flooded in wet weather, it was in no way a moat, and many mottes were surrounded by dry ditches. Some mottes were huge, reaching a height of 20 m (*c.* 65 ft). 77 Most, however, were much smaller, piled to a height of 5 m (*c.* 16 ft) or so above the underlying ground surface. The area of the summit, largely for practical reasons, tends to vary inversely with the height of the mound. Thus, the lower mottes often have room on top for a large building, whereas the taller mottes could have carried only a small tower. Very occasionally there is more than one motte in a castle, an arrangement of 43, 44 which the exact significance is not known; it may be that the lordship of such castles was shared in some way, each lord having his own motte. Such instances are rare, however, since the construction of a motte was a lengthy business involving months of work rather than days.

Accommodation on a motte, whatever its size, was bound to be limited. Most of the domestic buildings of the castle were, therefore, built at ground level nearby, within a **bailey** defended by a rampart and ditch. Often the defences of the bailey have been obliterated or hidden by modern buildings. Occasionally, however, it would seem that there was never a bailey, and hence never a proper residence. In such cases the motte was probably the symbol of an absentee lord, a place where his bailiff might hold court or receive rents on his behalf. Some of the more important castles boasted two or more baileys, but whether this represented a change of plan or a deliberate division between 'private' and 'public' areas is not clear.

The bailey was often kidney-shaped in plan, so that all parts of it were within bowshot from the motte. However, the shape of the terrain frequently dictated other plans and we find triangular, square and oblong baileys as well. Where the earthworks of some earlier age were being adapted, they would impose their own constraints on the choice of a plan. Probably there was no ideal plan, each lord devising his own on the basis of past experience.

The ramparts were sometimes encased in timber, like the ramparts of some ringworks, and it may be that the intention with earthwork castles was always to form a wall of some sort, even if only of earth and timber. More dramatically, it would appear that some mottes were similarly encased in timber. In such cases no earth was visible at all, the castle apparently being made entirely of timber. Behind the scenes, however, the timber frame was filled with earth as a protection against battering rams.

On top of the motte there was usually a palisade and a tower. In some cases this tower was merely a strongpoint for archers. Ensconced in such a tower on top of a high motte a few crossbowmen could command the bailey and hold out against everything except fire and starvation. Some mottes, however, carried more grandiose buildings. Indeed, it is possible that the motte and the tower on its summit were to some extent regarded

Reconstruction of the motte at South Mimms, Hertfordshire

as a single entity. This might be expressed structurally by burying the lower part of a tall tower in the mound so that the two were built up together, the mound buttressing the tower and acting as a fireproof plinth. At South Mimms in Hertfordshire archaeological excavation has shown that in the 12th century the motte (now a grass-grown mound) supported a timber tower at least 20 m (65 ft) tall, the lower part of which was buried in the earth mound. The mound itself was encased in timber, while the tower was plastered and painted. The result was an integrated structure having some of the characteristics of a keep. This could not have been guessed without excavation, the present shape of the motte giving no clue as to its former appearance.

Not all mottes were necessarily so constructed, but that the buildings they supported might be veritable keeps is clear from a number of contemporary descriptions. In Flanders, Arnold of Ardres built upon his motte in 1117 a timber house which was 'a marvellous example of the carpenter's craft ... he created an almost impenetrable labyrinth, piling storeroom upon storeroom, chamber upon chamber . . . extending the larders and granaries into the cellars and building the chapel in a convenient place overlooking all else from high up on the eastern side'. There were, apparently, three storeys in this building. On the ground floor were the storerooms, on the first the main living accommodation and kitchen, and on the second the bedrooms. Such towers, plastered and brightly painted, and hung with banners on special occasions, must have created quite a spectacle looming over the roofs of the peasants' houses.

Of the buildings in the baileys of earthwork castles, less is known, though archaeology is beginning to reveal some traces. Most seem to have possessed a hall for formal use, a kitchen, a forge and armoury, stables and barns—in short, much the same facilities as occurred in a ringwork. Indeed, the motte and bailey castle was in effect a ringwork to which a motte had been added.

Access to the motte was deliberately not made easy. The Bayeux Tapestry shows 'flying' bridges springing from the edge of the motte ditch and rising on pillars to reach the summit of the motte. Traces of such bridges have been found by excavation. Other mottes were scaled by steps cut in their sides. At South Mimms there was a tunnel through the lower part of the timber-sheathed motte into the basement of the tower: a similar method of entry may have been used in other castles of this sort.

The earliest mottes were built within two or three years of the Conquest. By the end of the 11th century most castles boasted a motte, though some early ringworks and stone castles were never so equipped. Mottes continued to be built in England as late as the 1170s, and the type was used well into the 13th century in Ireland, where there was a renewed demand for castles that

106

could be built relatively quickly and cheaply to consolidate newly won territory.

KEEPS

Shell Keeps In its simplest form the shell keep results from the rebuilding in stone of the timber palisade round the summit of a motte. Its diameter is thus controlled by that of the motte, and may vary from 15 to 45 m (*c.* 50 to 150 ft). In alternative form the wall is built up from the base of the motte, encasing it in stone: this represents a translation into stone of timber revetments of the South Mimms type.

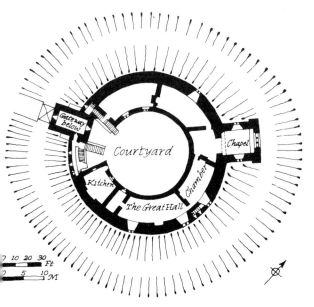

Restormel, Cornwall: an 11th-century ringwork converted to a shell keep

In plan the shell keep may be circular, oval or polygonal, in this again echoing the shape of the motte. The walls may rise from 6 to 10 m (c. 20 to 33 ft) in height. The masonry is rarely of fine quality, the stones being usually uncoursed and often undressed. Sometimes the stones are set diagonally, at 45°, alternate courses sloping different ways to give a 'herring bone' effect. Occasionally evidence may survive for a timber lacing within the wall, designed to spread the weight of the stonework and prevent cracking. Only in a few instances do battlements survive, but it is likely that the tops of most shell keeps were battlemented originally.

The entrance to a shell keep is usually just a simple doorway in the wall. Rarely, there may be a small tower commanding the entrance. Wall towers projecting from the shell wall can also be found on occasion, and may once have been more common.

Within the shell wall the interior buildings have usually disappeared, though later medieval structures may preserve an echo of original timber buildings grouped against the shell, leaving an open courtyard in the centre. At Restormel in Cornwall the 'shell keep' is really a glorified ringwork, being set at ground level: but here in the 13th century the internal buildings were rebuilt in stone and survive, so that we can see, arranged on two storeys round an open courtyard, features such as the hall, kitchen, chamber, chapel and storerooms, that are missing in other examples.

Shell keeps were built to replace wooden palisades on mottes within a generation of the Conquest. How long they continued to be built is less clear, but some examples may date from the later 12th or even the early 13th centuries.

Square Keeps   At its simplest, the square keep takes the form of a stone hall raised to first-floor level and entered at this level from an external flight of wooden

Cut-away view of the White Tower in the Tower of London, built *c.* 1088–1100

or stone steps. Built on a sufficiently large scale, and with its thickened walls penetrated at ground level only by slit windows, such a hall could function as a keep.

By placing a large chamber adjacent and parallel to the hall a more compact plan was achieved, resulting in a building almost square in plan and two storeys in height. Such early **hall keeps** are fairly plain on the outside, the main mass of the building being enriched by pilaster buttresses and broken only by the projecting apse of a chapel. Spiral stairs are placed in the corners, running from the entrance floor (i.e., first-floor level) downwards to the ground-floor basement, and upwards to the battlements. In one case the accommodation is

109

doubled, giving two storeys above the basement.

22, 80
1 Until recently, only two such early 'hall keeps' were known. A third has now been discovered by excavation. On such restricted evidence it is impossible to generalize about details. During the 12th century, 54, 67 however, two further lavishly decorated hall keeps were built, continuing the idea of a large house of two (or, at the most three) storeys, with its entrance at first-floor level and its ground-floor windows kept narrow as a security measure. Again, however, it is difficult to generalize about these buildings.

About the same time, however, the **tower keep** was being evolved. This covers a smaller area of ground (usually 20–25 m or 65–82 ft square), but is taller, rising through three or four storeys to a height of 30–35 m (98–115 ft). As with the earlier 'hall keeps', the external 24, 34
52 walls are decorated (rather than buttressed) by pilaster strips rising from a splayed plinth. The plinth not only spread the load of the walls, but provided additional protection at ground level against attack by battering ram. Missiles dropped from the battlements would also ricochet off the sloping plinth in a disconcerting and dangerous fashion. The corners of the tower may be strengthened by closely placed pilasters or buttresses, or 27, 38
156 they may be encased within square corner turrets which rise above the main roof level.

The roofs are generally of very low pitch, almost flat in fact. A square keep would need two parallel roofs, since timbers to span more than 10 m (c. 33 ft) could not easily be found. The outer faces of the walls are carried up above the level of the roof to protect it against fire arrows and to serve as a parapet. This may be battle- 67, 142 mented, and may also have sockets for timbers to carry a hourd. (Care must be taken to distinguish such sockets from simple drainage holes, and from the 'putlog holes' resulting from the removal of timber scaffolding used in the construction of the keep: these last form a regular

110

Castle Hedingham: a square keep of the mid 12th century

pattern up the walls of the keep from plinth to wall head.)

Windows are tall and narrow where they open through the outer face of the wall, especially at ground and first-floor levels. Not every tall narrow opening was an arrow-loop. Where the sides of the opening splay gently towards the interior of the building, the opening is best interpreted as a window designed to admit the maximum amount of light consistent with

111

keeping the exterior opening small enough to prevent unauthorized entry. For an archer to be able to use his bow effectively, an embrasure for him to stand in had to be hollowed out of the inner face of the wall.

Entry is almost always at first-floor level, approached by a stair against the outer side of the keep. Occasionally the stair may rise to the second storey so as to prolong the ascent and allow extra defensive measures to be taken. Either way, the stair is usually encased in a 'forebuilding' projecting from the side of the keep. The entrance to the forebuilding is protected by a door and portcullis, and further doors and portcullises may be added within it. A further refinement is the interruption of the stair by a pit crossed by a drawbridge. The sites of these drawbridges can often be detected even when the bridge has gone. The portcullises slid up and down in grooves cut in the stonework on either side of the entrance: a few stones with this characteristic groove cut in them usually survive to show where the portcullis once worked. All important doors, such as the door of the keep itself, would be locked by wooden bars sliding back and forth along a socket cut in the door jamb just behind the door itself. On one side the socket will be deep enough to accommodate the whole length of the bar when withdrawn: on the other jamb will be a socket just big enough to take the end of the bar when slid across behind the door.

From the top of the stair within the forebuilding the visitor enters the main body of the keep. This entrance floor forms the main public hall of the building, and may sometimes be entered through a small lobby. In the larger keeps this floor and the basement beneath may be divided by a cross-wall. This may be solid, or opened up by arches to form an arcade. Sometimes a well-shaft is built within the thickness of the cross-wall. A common pattern of access is for it to be necessary to cross the hall to reach an internal stair leading to the

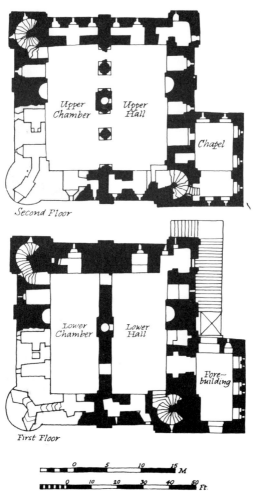

Upper Chamber | Upper Hall

Chapel

Second Floor

Lower Chamber | Lower Hall

Fore-building

First Floor

0 5 10 15 M
0 10 20 30 40 50 Ft.

Rochester, Kent: floor plans of the upper and lower suites in the keep

other floors. The stair will lead down to the ground-floor basement, which may occasionally be vaulted for extra strength and as a protection against fire, and upwards to the main residential floor above.

Where there is a cross-wall, this will usually be opened up by arches at the upper level. The rooms on this floor may be twice the height of those below, with narrow passages running in the thickness of the outer walls at two levels, the upper one reached by a stair and forming a gallery looking into the upper part of the room. These passages lead to small rooms, which may have been private bedchambers, or to latrines. The windows in this upper floor will be larger than in the lower floors, and may be provided with window seats built into the jambs. Heating was by fires set in fire-places, the flues rising in the thickness of the walls to the level of the roof. Kitchens can sometimes be distinguished, but large and elaborate kitchens were confined to the bailey. The upper part of the forebuilding, which is entered from this floor, may contain a chapel. Sometimes there will be more than one chapel in the keep, each serving a different floor and hence a different household.

Square keeps were built throughout the 12th and 13th centuries. The last one to be built on any great scale in England was Dover, a work of the 1180s. However, smaller versions were built in the 13th century in England by lesser barons, and Greencastle (County Down)—a royal work of the mid 13th century—has a large rectangular keep. In Ireland in particular it is often difficult to draw a line between the smaller square keeps of the 13th century and the tower houses of the 14th and 15th centuries.

Round and Polygonal Keeps There would seem to be no significant difference between keeps built in the round and those built from a polygonal ground plan.

114

Henry II's 'experimental' keep at Orford, Suffolk

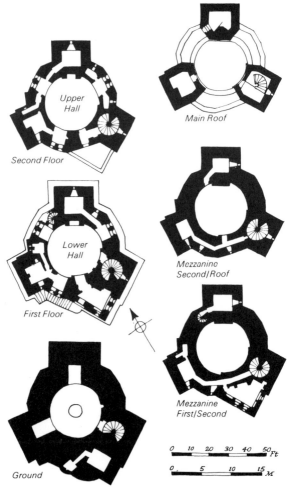

Orford, Suffolk: an elaborate exercise in domestic planning

Most keeps of either sort show much the same interior layout as square keeps, with which they overlap in time.

The diameter may vary from 10 to 20 m (*c.* 33 to 66 ft) and the height from 15 to 25 m (*c.* 50 to 80 ft). Those towers built from a circular ground plan present the plainest exterior, being cylindrical in form and undecorated in any way. Some polygonal keeps have pilaster buttresses, resembling those found on square keeps, running up the angles. Most remarkable of all are those so-called 'transitional' or 'experimental' types, where large rectangular turrets project from the wall of the keep after the fashion of square keeps such as Dover. Smaller semicircular turrets continue the idea, and the two together produce some remarkable multilobed plans in the mid 13th century. The form of the roofs is not known, but they are likely to have been conical in shape and low pitched. One keep retains a stone vault to its top storey, and it may be that other keeps once had the same, though no evidence for this survives.

Entry is at first-floor level, as in most square keeps. Occasionally there is a forebuilding, but such buildings were difficult to adapt to the circular form, and a simple stair—perhaps interrupted by a drawbridge—is more common. The sequence of rooms is as in the square keep. There is a basement at ground level, entered only from above and lit (if at all) by a few narrow windows. The entrance floor is the public hall and is better lit. The cylindrical form does not lend itself to elaborate internal planning, and so the upper floors tend to repeat the arrangements of the entrance floor. Usually the arrangement of the stair is simpler than in the square keep, a single spiral in the thickness of the wall leading from basement to battlements. Floors are of timber, although occasionally the basement may be vaulted. The upper rooms are equipped with fireplaces, windows (sometimes with window seats) and latrines

18, 56
78

23, 58

45
62, 70
85

120

18, 58

23, 120
141

23, 185
45, 103

117

similar to those found in square keeps. No kitchens can be identified other than at Orford, though small sinks can sometimes be found. Identifiable chapels occur only at Conisburgh and Orford, and here both are accommodated within the main body of the keep. Only at Orford is there an upper gallery in the thickness of the wall, such as can sometimes be found in the upper hall level of square keeps. Indeed, by making full use of its forebuilding and three projecting turrets, Orford achieved a sophistication of domestic planning unequalled in any other round or polygonal keep.

No clear chronological succession can be seen in the building of round or polygonal keeps. The earliest non-rectangular keep (New Buckenham, a work of the 1150s) is round in plan: Henry II's Orford, a decade later, has projecting turrets. Pembroke, c. 1200, is round in plan, yet a few years later King John built an octagonal keep at Odiham. As with the square keep, the type lingered on, occurring as late as the 1270s at Flint and being revived in the mid 15th century at Raglan.

Tower Houses and Peels In Ireland and Scotland the peel or tower house is the poor man's keep, a compromise between comfort and security where the sudden raid is feared more than the prolonged siege. It is distinguishable from the square keep only by its smaller size and simpler build: in some cases no clear line can be drawn between the two.

The basic type is a tower of square or rectangular plan rising through three or more storeys, with a single room on each storey. The tower may be anything from 10 to 25 m (c. 33 to 80 ft) square in plan, and rise from 15 to 25 m (c. 50 to 80 ft) in height depending upon the number of storeys. The walls rise straight from the ground, or from a very small plinth: the great splayed plinth of the Norman keep is not found. The walls are unbroken by any projection, having no pilasters, but-

0   5   10   15   20 *Ft.*

0   1   2   3   4   5   *M.*

Section through the 15th-century tower house at Clara,
County Kilkenny

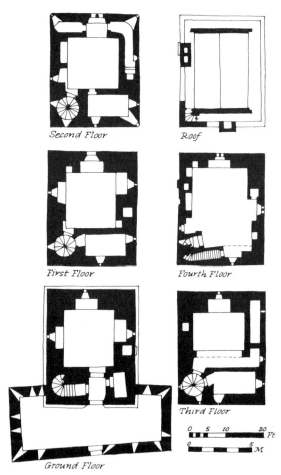

Second Floor

Roof

First Floor

Fourth Floor

Ground Floor

Third Floor

| 0 | 5 | 10 | 20 |
| | | | Ft |

| 0 | | 5 |
| | | M |

The tower house at Clara, Kilkenny: floor plans

tresses or turrets below the level of the parapet. The roof is usually fairly steeply pitched, unlike that of the earlier keeps, with stone gables. Timber hourds were carried on beams supported by a row of stone corbels projecting from the wall just below the parapet. By the early 15th century these hourds gave way to continuous stone machicolations, carried on stone corbels of ever-increasing elaboration. Indeed, the builders seem often to have compensated for the plainness of the walls by concentrating all the martial elements of the castle at roof level. Where there is no continuous machicolation around the top of the tower, there may be a small box-like machicolation above the door itself. 126, 139 169

Privacy is achieved not by subdividing the rooms on each floor, as in the Norman keep, but by adding extra wings (in Scotland known as 'jambs'), a single wing producing an L-shaped plan and two wings a U-shaped plan. More rarely, square corner turrets may be added. In 16th-century Scotland another variation was achieved by offsetting the wings to form a Z-plan. At the same time the roof was carried forward to rest on the oversailing parapets of the walls and small round turrets were built out on corbels from the square corners of the tower: occasionally the reverse occurs—square rooms being built out on corbels above round towers. The result is a profusion of conical roofs, gables and machicolations giving a very distinctive silhouette. In the 17th century Scottish settlers took the idea of this type of castle with them to Northern Ireland. 126, 130 170, 178 129 162

The entrance is usually at first-floor level. There is no forebuilding, the door being reached by a movable stair. The ground floor served as a basement for storage and is usually vaulted, a feature uncommon (though not unknown) in Norman keeps. It is lit only by narrow windows, as a security measure. Communication between this basement and the floor above is by trap-door and ladder. From first-floor level upwards, 169, 176 178 communication is by means of a spiral stair in the thickness of the wall at one corner of the tower. Intermediary 135, 176 floors are of wood, but there is often a second vault over the top storey. The top and bottom of what is essentially a single house stood on end are thus protected against fire by stone vaults.

In a large tower house of more than three storeys, 152 the storey above the basement may contain a kitchen. Alternatively, if the tower is provided with a wing or 126, 130 'jamb', the kitchen will be in it, often equipped with a well, a sink and a fireplace. Either on the entrance floor, or on the floor above, is the hall. In the early examples, where the tower is square or rectangular in plan, the hall is simply a large room equipped with a fireplace in the gable wall, good sized windows and window seats. In later examples, where the tower has a wing or wings, one wing may house a chamber and the hall may 126 have a screens passage at one end. Borthwick, in particular, by use of its two projecting wings, manages to achieve the full medieval layout of kitchen, screens passage, hall, chamber and latrine on a single floor, but this is not common. More usually, the chamber is above the hall and repeats its plan, with fireplace, windows with window seats, and perhaps a tiny oratory or chapel.

Whereas the 12th-century keep was the strongpoint of the castle, the tower house was itself the castle. Around it there is usually a small walled yard (a 'barmkin' in Scotland, a 'bawn' in Ireland). This is the ultimate reduction of the bailey, the yard being intended to house not men-at arms but sheep and cattle. The yard may be battlemented and provided with loops for either bows or hand-guns, and there may even be small corner towers, but it is clear that prolonged defence of the yard was never seriously contemplated.

The earliest tower houses date from the end of the 13th century, being derived from the small square keeps

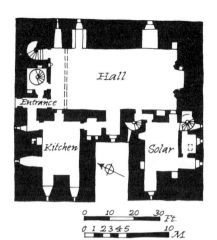

Borthwick, Lothian: plan of the main hall floor of a 15th-century tower house with two 'jambs'

still being built by those lords who could not afford a castle complete with wall towers, gatehouse and barbican. The basic idea—that of a fairly complete house, built room upon room to achieve a fair measure of security, but not intended to withstand serious siege—was not confined to Scotland and Ireland. It was accepted also in England, where it was carried to a considerable degree of sophistication. But it was in Scotland that the idea was continued longest, the later 16th and 17th centuries seeing an exuberant revival of tower house building for reasons that were social and political rather than military.

5, 76 82

CURTAINS AND WALL TOWERS

Curtain Walls The curtain wall, though apparently often merely linking the more impressive wall towers, is the essential element of the castle. Protection comes from being enclosed, and the earliest castles consisted

123

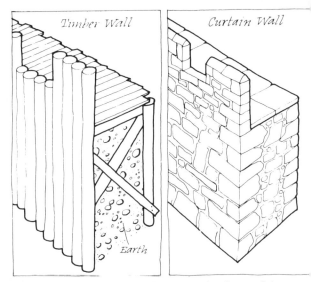

Walls of timber and stone. The eventual collapse of the timber wall will disguise its original similarity to the stone wall

merely of enclosing walls, whether built of timber or of stone.

A timber wall can be only as thick as the girth of the largest tree trunks available. For extra solidity it requires to be backed by a mass of earth (i.e., a rampart), which 61, 112 may itself be completely encased in timber. If the frontal timbers are carried up above the level of the earth backing they will form a breastwork, the earth backing forming a convenient sentry-walk. A stone wall, on the other hand, can resist an attack by battering ram by its own mass, is fireproof and can accommodate a sentry-walk within its thickness.

For this last purpose, the outer facing of the wall is carried up above the main body of the wall to form a parapet: the inner face may be similarly carried up

124

to form a second parapet to the rear, called a 'parados'. To accommodate a sentry-walk a curtain wall needs to be at least 2 m (6–7 ft) thick. In practice, many curtain walls are much thicker, often measuring 4 m (13 ft) or more in width.

In order to protect the masonry against the penetration of water, the sentry-walk was sometimes covered with lead sheets. Even where these have been removed, thin grooves at the foot of the parapet or parados may reveal their former presence. Drain holes in the parapet should not be confused with the holes for beams to carry a hourd; usually the purpose of any holes can be decided by a moment's consideration of the way the water would tend to flow, though it must be admitted that in some cases not even experts can agree! The addition of hourds made a marked difference to the effectiveness

86, 99

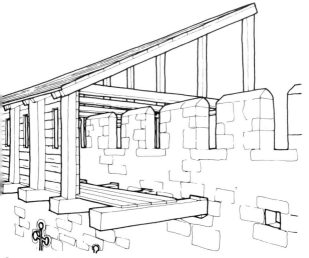

Cut-away view of a timber hourd surmounting a curtain wall

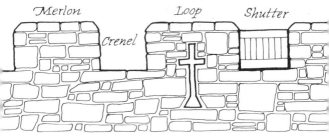

A stretch of curtain wall. Note that the crenels were often protected by wooden shutters

of the defence which could be mounted from the wall top, and their possible presence should always be borne in mind. Machicolations, the later stone replacements of hourds, are only rarely found on curtain walls, occurring usually only on keeps, wall towers and gatehouses.

When a hourd was not erected, the defence of the curtain was mounted from the sentry-walk. For this purpose the parapet was battlemented, with embrasures or 'crenels' usually just less than 1 m (*c.* 3 ft) wide. In the 11th and 12th centuries the solid stretches of parapet between the crenels (called 'merlons') were much wider than the crenels themselves: but by the 13th century crenels were placed closer together. For extra protection the crenel was sometimes closed by a swinging shutter hinged at the top. This could be swung open by anyone wishing to discharge a missile at those below, and while propped open protected the defender against falling arrows. To prevent arrows ricocheting off the sides of the crenel or merlon, a lip or moulding was often left protruding from it. From the beginning of the 13th century arrow-loops were also provided in the middle of each merlon, thus doubling the number of points from which archers could direct their fire from the wall top. Sometimes the tops of the merlons were

126

treated decoratively; in some Welsh castles they bear 88, 95
carved heads or small pinnacles, while in some 15th- 99
century Irish castles they have stepped tops. 161, 176

The way in which the sentry-walk meets the wall
towers may be treated in three different ways. Firstly,
there may be no access from the sentry-walk to the 11, 88
tower: this enables the wall tower to hold out indefi-
nitely should the enemy reach the sentry-walk along
the curtain wall. Secondly, there may be direct access 18
through the tower, the doors being heavily barred or
even protected by small portcullises. Thirdly, the
sentry-walk may be run round the back of the tower. 99, 109
This represents a compromise: men can then be moved
swiftly from one part of the sentry-walk to another
without having to descend to courtyard level, while the
intervening wall towers can if necessary hold out as individual strongpoints.

Defence could also be mounted at levels below that
of the wall top. Embrasures with arrow-loops could be
built into the lower part of the wall, so that archers
standing at ground level could add their fire to that of
their comrades on the sentry-walk. However, such a
practice weakens the wall at a level where an attack by
battering-ram may result in a breach being made.
At Caernarvon the provision of arrow-loops reaches its 88
culmination, there being no less than three intended
levels from which archers could operate: the sentry-
walk itself, and two lower galleries (one unfinished)
running in the thickness of the wall.

Wall Towers Few examples of wall towers are
known from the 11th or early 12th centuries. However,
recent excavations have shown that some earthwork
castles were equipped with timber towers, and it may 112
be that wall towers of stone or timber were more common at this date than the surviving evidence might lead
us to believe. Those examples which do survive are

square in plan, small in size and widely spaced along the line of the curtain.

Two 12th-century examples show the curtain wall itself bent outwards and built upwards to form projecting towers open at the back towards the bailey. Here the motive was purely military: the towers have no additional value in providing accommodation. The main advance comes with King John's work at Dover at the beginning of the 13th century. Here a closely spaced series of small square open-backed towers had been built by Henry II in the 1170s. John's towers, however, are closed at the back and rounded at the front, thus producing a D-shaped tower which can be used for storage or to provide accommodation as required.

From this date the D-plan tower becomes the most common type of wall tower, though square, polygonal and circular plans were also used. At first the lower part

Spurred wall towers of the later 13th century at Goodrich, Herefordshire

128

of the tower was solid, only the upper part being built hollow: subsequently towers were built with accommodation on three or four storeys. The lower part of the front of the tower, always the most vulnerable, is sometimes protected by pyramidal spurs of masonry which project towards the field so as to deflect stones hurled by *petraria*. Since the fronts of wall towers are sometimes carried down into the ditch or moat, the lowest storey may be either at the level of the bailey or sunk lower as a basement.

33, 95
113

Inter-level communication is by stairs. These may be spiral stairs of the usual kind, rising from beside the door into the lowest storey, or they may rise in short flights within the thickness of the wall. Spiral stairs may finish in small turrets rising above the roof level of the main tower. The shape of the roof can only rarely be even surmised: whereas conical roofs may give a more pleasing aspect to the castle, flat roofs are more practical in time of war since they allow the rapid movement of men from one side to another and since small *petraria* can be mounted there.

11, 140
187

11, 88
99

The rooms inside wall towers may be used for a great variety of purposes—storage, imprisonment, casual accommodation, chapels, kitchens or the permanent accommodation of the lord of the castle himself. A castle such as Bodiam shows all these uses applied to its various towers. A careful study of the way in which the rooms in a tower open off the stair, the degrees of privacy thus achieved, the presence or absence of such amenities as fireplaces and latrines, will usually reveal the purpose to which a tower was put. Occasionally it is possible to find a single tower functioning as a complete house set on end, with storage basement, kitchen, hall and chamber rather in the fashion of a small keep. Indeed, some large wall towers should perhaps be counted as keeps set on the line of the curtain.

11

95

80, 88
141

The primary function of a wall tower, however, is

to allow archers to command the face of the adjoining curtain. The most convenient place from which to do so was the roof of the tower, and many wall towers are surprisingly 'blind' at lower levels. Usually, however, there is at least one arrow-loop near the angle between tower and curtain wall on each storey, from which an archer could fire along the face of the curtain. A pattern of three loops on each floor is common, two being at the sides of the tower and one in front towards the field (facing directly outwards). Massed loops are rare, though some of Edward I's Welsh castles made provision for a considerable number of archers.

Wall towers, like the curtain wall itself, form part of the basic structure of the castle. Once the idea had been evolved or rediscovered, wall towers became a necessary part of every castle built during the Middle Ages.

GATEHOUSES

Gatehouses Even the simplest of castles boasted a gatehouse. Indeed, it is possible that from the very beginning the gatehouse epitomized the rest of the castle's defence and so came to represent power and lordship in the period before the evolution of the keep. A few timber gate towers are known from excavation. The earliest surviving stone examples are square or nearly square in plan, some with pilaster buttresses. They vary in size from 8 to 15 m (c. 26 to 50 ft) square, rising through two or three storeys to as much as 25 m (more than 80 ft) in height. The ground floor contains the gate passage, which is sometimes (but not always) vaulted as a protection against fire. The entrance passages are defended by drawbridges and wooden doors and, in at least one instance, by a portcullis. In the larger gatehouses the upper storeys may have provided some of the best accommodation in the castle. With these, a common fate is for the entrance passage to have been blocked in the late 12th century, with a new gate in-

130

Reconstruction of an early stone gatehouse, based on
Exeter, Devon

serted in the curtain wall alongside and the gate tower
46, 66 itself heightened to form a small keep.

By the end of the 12th century experiments were
being made with gates with small towers or turrets
27, 42 placed each side of them. The towers may be solid or
45 open, square or round in plan. Early in the 13th century
such towers were joined above the entrance passage to
8, 82 form a gatehouse with two projecting towers flanking
the approach. The towers are usually rounded towards
the field, though they may also be polygonal, and flat-
backed towards the bailey. Such gatehouses often contain accommodation of some comfort in the room
above the gate passage and in the upper parts of the
towers: traditionally, this was the lodging of the con-

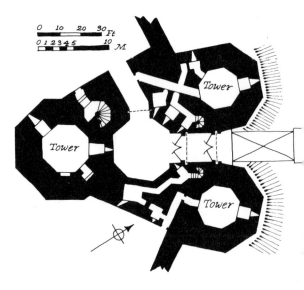

Denbigh, Clwyd: plan of the three-towered gatehouse

132

stable of the castle, unless he had a suite of rooms elsewhere.

The approach to the gatehouse is often covered by a barbican and by a drawbridge (see below). Within the vaulted gate passage there may be traces of several sets of doors and several portcullises, their position being shown by the rebates against which the doors closed and by the sockets for the locking bars, or by the grooves in which the portcullis worked. Openings in the vault (often called *meurtrières* or 'murder holes') were probably for pouring water to extinguish fires rather than for the boiling oil of popular imagination.

The sequence of doors and portcullises may be very complex. In Edward I's Welsh castles there are often as many as three pairs of doors and three portcul- 88, 109 lises. The triangular gatehouse at Denbigh is built to a particularly fearsome plan. The drawbridge rose against 102 the outer face of the gatehouse, in effect forming an extra door. Within there are two further sets of doors and two portcullises controlling access to a large octagonal vaulted room in the centre of the building. This is commanded by five arrow-loops, and must have been a lethal place for an attacker. Entry to the bailey is through another passage leading out of the central space at right angles to the first: now largely destroyed, it probably incorporated more doors and portcullises. It is probable that the unfinished King's Gate at Caernar- 88 von was intended to follow this pattern.

The gatehouses of some of Edward I's Welsh castles are so large as to have been able to offer a great deal of accommodation, and for this reason are sometimes called 'gatehouse keeps'. They represent a reversion to 86, 109 the 11th-century idea whereby the strongest building in the castle protected the gate, rather than standing within the inner bailey. At Beaumaris, left unfinished, there were intended to be at least five separate suites of rooms in the two identical gatehouses. Here once again,

133

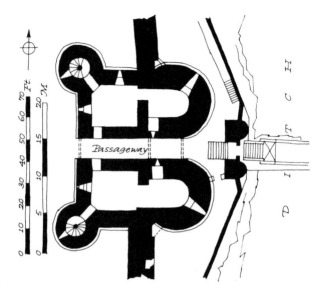

Harlech, Gwynedd: plan of the great gatehouse

it is necessary to look carefully at the stair links, the way in which doors opened into, or out of, a room, and the provision of fireplaces, window-seats and latrines, in order to discern the type of accommodation they offered.

Not all gatehouses are so grand as these, though some copy the plan on a smaller scale. In almost all of them, the rooms above the gate passage are built as halls, with linking chambers in the towers and spiral stairs placed in turrets rising against the rear wall.

The arrow-loops commanding at ground level the approach to the drawbridge are sometimes converted to allow for the use of hand-guns. Sometimes, too, the gatehouse has been reduced in height in an attempt to

69

134

render it proof against cannon fire. All too rarely is a medieval gatehouse now seen complete to its full height, with battlements and machicolations intact.

Drawbridges   Drawbridges were of four main types. The simplest was just a retractable gangplank forming the inner section of a wooden bridge across the moat or ditch: the outer part of the bridge remained in position all the time. Such bridges needed no special architectural arrangements and few positive traces of them now remain.

'Lifting bridges' were hinged at their inner end on the threshold of the gatehouse, being raised by chains worked from a windlass operating in the first floor room above the gate passage. Most early castles were probably fitted with this sort of drawbridge, which works well when kept small in size: for this reason the type was retained in later castles for the bridges of postern gates, which were smaller than those of the main gatehouses.

Where the gatehouse was large, the gate passage correspondingly high, and the moat or ditch wide, a longer drawbridge was needed. This might be heavier than could be raised with a simple windlass, and so a 'turning bridge' was used. The bridge was extended backwards into the gate passage and a counterweight was placed on its inner end. The bridge still pivoted at the threshold of the gatehouse, but it swung like a seesaw: as the outer part of the bridge rose up, so the inner part dropped down into a pit dug in the gate passage just inside the threshold. Such pits, in addition to being necessary to receive the counterbalanced inner end of the bridge, also formed an obstacle to an attacker. Usually, the inner part of the bridge was made slightly heavier than the outer part, it being necessary to lock it in position when lowered by passing a wooden bar under its end. Removal of the bar allowed the counterbalance to drop

88, 102
132, 190

135

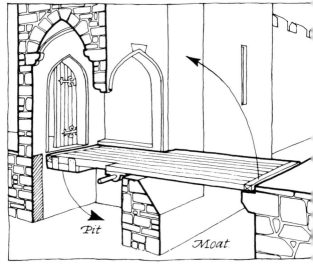

Cut-away view of a 'turning' bridge

down into the pit, so causing the outer part of the bridge to rise. Once risen, the outer part could be locked in position by a second wooden bar slid across its outer face from one of the flanking towers of the gatehouse.

Some builders, however, seem to have considered the pit for the counterbalance more trouble than it was worth. A compromise was devised whereby separate 33, 52 counterbalances were mounted on three long beams 80 projecting backwards from the bridge into the gate passage. For these no pit was necessary, merely three slots into which the weighted beams might drop.

Even these, however, might incommode the defenders, and during the early 14th century a new type of lifting mechanism was devised. This still depended

Cut-away view of a 'bascule' bridge

upon long beams with counterbalance weights, but now the beams were pivoted just above the top of the gate opening. When the bridge was down, the outer ends of the beams projected horizontally from the gatehouse some 3 m (*c*. 10 ft) above the bridge, and were connected to its outer end by chains. When the inner ends of the beams were allowed to drop down from their position just below the vault or ceiling of the gate passage, the outer ends rose up, lifting the bridge with them. Such counterbalanced lifting bridges can still be seen in use over Dutch canals. Their former existence in British castles can be detected by the two vertical slots cut in the stonework of the outer face of the gatehouse just above the entrance arch: these slots received the

137

outer ends of the beams when the bridge was raised, allowing the bridge itself to rest flush against the stonework. Bridges of this type are called bascule bridges.

No drawbridges of medieval date survive. Often, later modifications of the gatehouse have led to the filling in of the counterbalance pit or of the recesses for the lifting beams. In most cases, however, careful examination of the stonework will reveal at least which type of drawbridge was used, even if the details cannot be ascertained.

Portcullises and Yetts　A portcullis is a gate which can be lowered into position from above. It is not hinged, but slides in a groove cut in the stonework at each side of the passage it is intended to block. No portcullis of medieval date is known for certain to survive: the few still in position are probably 16th-century or later replacements. The portcullis is a frame or grid of stout timbers held together by iron nails or clamps. The lower ends of the upright timbers were sharpened to a point and shod with iron, so that when the portcullis was allowed to drop—which was usually in an emergency—it would skewer anyone standing beneath. The great advantage of the portcullis over the gate was thus that it could be dropped into position very quickly, and that its dropping could not be resisted. Once in position it could not be burst open by an attacker, as could a hinged door or gate, but had to be dismantled or burned.

The portcullis was raised by a windlass working directly above it in the room over the gate passage, or in a room above that. When raised sufficiently to allow mounted men and loaded carts to pass underneath, the upper part at least projected through a slot in the vault or ceiling of the gate passage into the room above. Very few examples of such windlasses survive. Where they do survive, they inevitably take up a good deal of space.

80

Often the room above the gate passage was a chapel, and the portcullis with its winding gear must have contrasted oddly with the altar and its fittings. Here was militant Christianity indeed.

Portcullises were known to the Romans, but appear commonly in Britain only from the middle of the 12th century. From the beginning of the 13th century onwards, few gatehouses were without at least one portcullis, and many had three or more (see 'Gatehouses', page 130). In the north of England and in Scotland the place of the portcullis is often taken by the **Yett,** a gate in the form of an iron grille, hinged like a door, of which a number still survive. This may be secured by iron bolts, or by a timber bar sliding in a socket cut into the stone jamb. In Scotland the iron bars of the grille are passed through each other: in England the vertical bars pass in front of the horizontals and the grille is often backed by boards to form an iron-laced door.

Barbicans The function of the barbican is twofold. Firstly it provides an outer defence for the main gate, thus preventing a sudden attack carrying the gatehouse before the defenders can respond. Secondly, it confines those who are attacking the main gate to a small area just in front of the gate where the maximum defensive fire-power may be deployed.

There are two basic types of barbican. One consists of an outer enclosure, defended by its own rampart or curtain wall and with its own gatehouse, set on the outer side of the main ditch, astride the approach to the draw-bridge of the main gatehouse. This outer enclosure may be large, almost forming an extra bailey, or small, merely protecting the outer end of the drawbridge. A variant of the latter form is an enclosure lying on the same side of the ditch as the main gatehouse, i.e., not divided from it by a ditch, but merely providing an extra 'layer' of defence beyond the gate.

45

133

38, 89

11, 33

27, 66
99

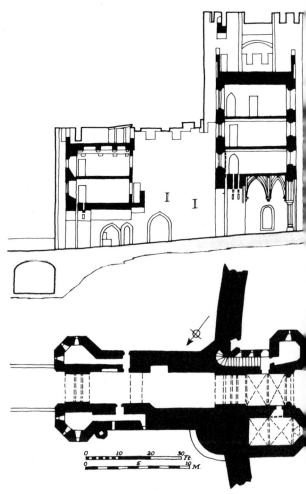

The gatehouse and barbican at Warwick: section and plan

The second type consists of a narrow open passage 23, 43 190 bounded by walls and projecting forward from the main gatehouse, being closed at its outer end by a second gate or even a second gatehouse. Such barbicans would force an enemy intent on attacking the main gate into a selected 'killing ground'. The most remarkable example of this feature is at Warwick. Here the open 83 passage in front of the main gatehouse is flanked by tall side walls having crenels to both parapet and parados, so that archers could fire into the passage as well as out towards the field. The outer end of this killing ground is blocked by a three-storey gatehouse. An enemy who succeeded in crossing the ditch and passing the portcullis and doors blocking the entrance passage through this gatehouse found himself in a killing ground some 8 m (c. 26 ft) long and 3 m (c. 10 ft) wide, where he would be under fire from the great inner gatehouse in front of him, from the tops of the walls on either side, and from the top of the barbican gatehouse, behind him.

Variations on this type of barbican abound. The barbican gatehouse may be rectangular in plan, or round. 95, 190 It may have small projecting turrets, or be quite plain. 43, 83 There may be no barbican gatehouse as such at all, the killing ground being closed at its outer end merely by a strong gate flanked by small round turrets. The killing ground may be reduced in length to only a few metres, or it may be drawn out to a great length. Only the Tower of London combines both the basic types. 80

HALLS, KITCHENS AND CHAPELS

Halls Well preserved castle halls are a rarity: too often the hall has been either reduced to a set of low footings or else so altered by later occupants as to be almost unrecognizable. Frequently the position formerly occupied by the hall is indicated only by a few large windows, and perhaps a fireplace or two, still surviving in the stonework of the curtain wall against which the hall was built.

The two basic types of hall—that in which the lord's hall and chamber are raised to first-floor level, and that in which the hall is at ground level, the lord's chamber lying at first-floor level above the service rooms at one end of the hall—have been discussed in Chapter V.

The 'houses in the castle' differed from contemporary undefended houses only in the way in which they were made to fit within a preconceived plan dictated by the defences. Except where security demanded it the windows, doors and other architectural items are identical with those found elsewhere. For this reason no detailed description is attempted here: instead the reader is

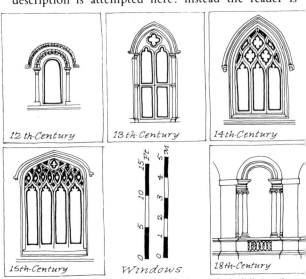

12th-Century *13th-Century* *14th-Century*

15th-Century *Windows.* *18th-Century*

Types of window to be seen in the domestic buildings of castles referred to the companion *Observer's Book of Architecture*. As a guide to the basic types, however, it should be noted that Norman windows and doors were topped by semicircular arches. Early examples, or examples where good stone for carving was not available, may be relatively plain: later, in the 12th century, considerable enrichment was provided in the form of carving around the arch itself and small columns attached to the sides of the opening. Towards the end of the 12th century the 'Gothic' style became popular. Windows and doors were contained within elaborately decorated pointed arches. The form of the decoration—the shape of the mouldings round the jambs, the pattern of the stone tracery—gives the expert an indication of the date at which the stones were carved. Later medieval doors and windows show a flatter pointed arch, sometimes (though erroneously) known as a 'Tudor arch'. Many castles were modified after the end of the Middle Ages. Care should be taken not to confuse the neo-Roman round-headed arches of the 17th and 18th centuries with those of Norman date: these later insertions will be of sharply square-cut stone, often with exaggerated key-stones.

Kitchens Kitchens were built wherever they were needed to provide hot food. They thus adjoin the main domestic accommodation and the more formal hall, but may be built separately in the bailey, attached to the range of buildings containing the hall itself, or tucked into a wall tower. They may be small or large, depending upon the number of people to be fed from the particular kitchen in question. Where there are separate 'houses in the castle', there will usually be more than 11 one kitchen. Similar duplication can be found in some 58 keeps. In tower houses kitchens were contrived in small spaces screened off at one end of the hall, or occupy a 126, 130 room in a 'jamb'.

143

Kitchens are recognizable primarily by the size of their fireplaces, which are much larger than the fireplaces found in halls and chambers, being designed for the roasting of complete oxen. (King John even ordered the construction of ovens large enough to take two or three oxen at once!) A width of 2–3 m (*c.* 6–10 ft) is thus not uncommon. The back of the fireplace will frequently be lined with tiles set so as to present only their edges to the heat. Small bread ovens, similarly lined with tiles, may open off the back of the fireplace. A large kitchen may have two or even three such fireplaces, generally set at opposite sides of the room.

Only rarely do ancillary details survive, such as sinks and drains, or serving hatches. An essential item was a well: this may be in the kitchen itself, but more often is to be found nearby, allowing access both from the kitchen and from other parts of the castle.

Chapels Chapels may be found in the forebuildings and upper chambers of keeps, in wall towers and gatehouses, attached to the lord's hall and chamber, or standing free in the bailey. This results in many variations in plan. Where the chapel stands as a separate building in the bailey it may echo the plan of chapels and churches built at the same time in towns and villages. In all other cases the plan is dictated by considerations other than those of rite or liturgy: only the orientation towards the east remains a common feature, and sometimes the shape of the space into which a chapel has had to be crammed precludes even this.

Rarely will an altar survive, though there may be a modern replacement. The main indications that the room was used as a chapel will be the presence of a *piscina* (a stone basin for rinsing out the chalice after Mass) or a *sedilia* (a row of stone seats along one side of the room for the use of the priest, deacon and subdeacon). There may also be decorative arcading—some-

144

Piscina and sedilia

times called 'blind' arcading—along the walls, with semicircular (Norman) or pointed (Gothic) arches according to the architectural fashion then prevailing. The roof will usually be vaulted, the choice of a rounded 'barrel' vault or pointed Gothic vault again depending upon date and fashion. Both Norman and Gothic vaults may be intersected by small cross-vaults, with the edges of their intersections enriched with moulded ribs.

In the larger castles there will often be a small vestry or sacristy for the keeping of vestments, books and sacred vessels, opening off the chapel. More rarely a lodging for the chaplain can be found. Where the chapel is in a gatehouse, or in the forebuilding of a keep, there may be provision for working a portcullis. Usually, only the slot in the floor against one wall will survive to show that this was the case.

11, 23
113
58, 67
113

LOOPS

Arrow-Loops Arrow-loops enable a defender to fire at an attacker without exposing himself to the degree that would be necessary were he to lean over the battlements. The opening in the outer face of the walls is kept narrow, perhaps only 5-10 cm (*c.* 2-4 in.) wide. Care must be taken not to confuse arrow-loops with what may be described as 'high security windows'. These latter often resemble arrow-loops from the outside: inside, the jambs are splayed to admit as much air and light as possible, but even so an archer could not stand close enough to the opening to direct his fire with any accuracy. Most 11th- and early 12th-century 'loops' are in fact windows. The true arrow-loop is marked by the wider space or *embrasure* hollowed in the thickness of

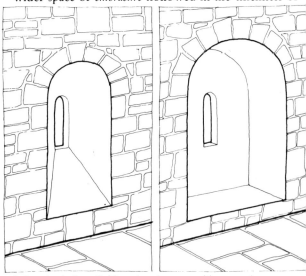

Splayed window (left) and embrasure with arrow-loop (right)

the wall behind so that an archer—particularly one armed with crossbow—could operate with greater ease.

Such loops, backed by embrasures, occur only sporadically in the 11th and early 12th centuries. By the beginning of the 13th century they were more common, being sometimes equipped with cross-slits: one medieval writer says that this was specifically for the more effective use of crossbows. The bottom of the vertical slit was also splayed slightly to allow the archer to depress his angle of fire sufficiently to be able to hit anyone standing near the foot of the wall. Later in the 13th century the ends of the slits forming the loop were cut in the form of a small circular opening.

Behind the loop itself the embrasure was usually quite plain, having a flat lintel or a low arch. An early

22, 38
81, 116
148

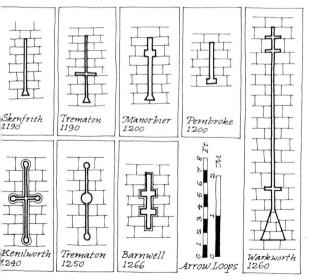

Types of arrow-loop, 12th and 13th centuries

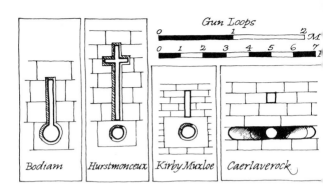

Types of gun-loop, 14th and 15th centuries

27 experiment was the opening of three loops from a
single embrasure, thus enormously increasing the
archer's field of fire. The reverse is also found—three
88 embrasures (i.e., firing positions) utilizing a single loop—
the object again being to allow the archer to command
a greater field.

Gun-Loops In England the first loops specifically
11 for the discharge of hand-guns occur at the end of the
146, 176 14th century. By the 1460s they were in use in Scotland and Ireland. The earliest form resembles an in-
verted keyhole when viewed from the outside. Later,
the observation slit is made separate from the circular
opening for the barrel of the gun itself. By the end of
the 15th century the whole idea of the old arrow-loop
was being reversed: the gun worked in a horizontal or
oval loop splayed not on the inside, but on the outside.
Within the embrasure behind the loop there can often
be seen a slot in the masonry where a horizontal
wooden sill was placed to receive the spike in the
gun's swivel support.

148

VII ON YOUR OWN

By the time you reach this point you should be ready to go out and analyse a castle on your own. The Gazetteer on pages 156–183 will give you an idea of the variety of castles awaiting you. The Site Lists on pages 184–185 will help you if you want to start by looking at a particular type of castle, and the Maps on the endpapers will show which castles lie nearest your home. However, these are only a small part of the great wealth of castles that exists in Great Britain and Ireland. The exact number has never been calculated, but there are probably over 1000 earthwork castles and 500 or 600 stone castles still surviving. This book can therefore provide only a starting point for your researches.

Before setting out, it is worthwhile consulting a history of the county in which the castle you intend to visit lies. Alternatively, you may be able to obtain a guide-book in advance by writing to the organizations mentioned in Chapter I. From these sources, you will, if you are lucky, get some idea of the people who lived in the castle, and perhaps even the name of the man who built it. You will have to be careful here. Many castles were in existence for a century or more before being mentioned in a medieval document and so coming to the attention of the historian. Even when there survives a specific 'licence to crenellate' (i.e., a royal permit to fortify a house or build a new castle) bearing a precise date, the nature of such licences must be borne in mind. The castle may have been built during the reign of an earlier weaker king, the owner later deeming it prudent to get retrospective royal approval from a stronger successor. On the other hand, an ambitious lord may have taken the trouble to get royal assent for the building of a castle, only to find it was many years before he could find the resources to erect it. Some licences were never used at all.

So do not be afraid to trust the evidence of the buildings themselves rather than the evidence of the written sources. Make a checklist of things to look for and work through it systematically.

When you reach the castle, look first at its position. Is it in a town of medieval origin, or is it in open country? Is it set on top of an inaccessible hill, or does it stand in lush pastures? Look to see how it makes use of the shape of the land. Does it use cliffs and steep slopes to keep the enemy away from its walls, or is it built in a valley where water could be brought to fill a moat?

These facts will help to tell you why the first castle was built on that particular site: whether its purpose was to guard a town or a narrow pass: to prevent raiders passing up a river which was once navigable but which may now be merely a stream: or whether it was designed primarily to act as the defensive and administrative centre of a great estate.

To note these details, always walk right round the castle on the outside before going in. Use the opportunity to see how effective the defences are. Would it be easy to divert the stream feeding the moat and so dry it out? Is there a barbican? How tall is the curtain wall? Are the wall towers closely spaced, or are there blind spots? Can you see any provision for the erection of timber hourds? Is there any high ground within 100 m (*c.* 110 yd) from which stone-throwing *petraria* could pound the walls? Make a sketch plan, noting the shape of the towers and any changes of alignment in the curtain wall.

By the time you have finished your circuit round the

castle you should have got some idea of the strength of the castle in its heyday, and also of its general form. If you can see a motte, then its bailey will probably have dictated the plan of any later defences. A large, sprawling castle, with great lengths of curtain wall sparsely studded with towers of varying shape, suggests a long

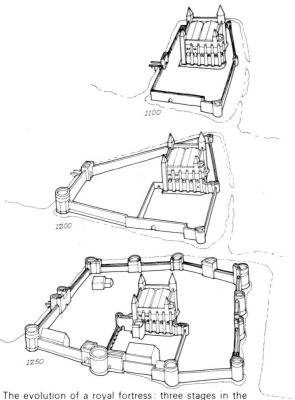

The evolution of a royal fortress: three stages in the development of the Tower of London

and possibly involved building history, with extra baileys added and lodgings spaced about the various courtyards. A compact quadrilateral, surrounded by a moat, will indicate a later medieval work, with all the buildings dovetailed into a convenient and coherent plan.

Inside the castle, look at the general disposition of the buildings. Is there a keep? Add it to your sketch plan. The plan of a castle is always the best clue to its overall history and development. Armed with some sort of plan you can start working out how this particular castle was used.

Look for the great hall. If there is a keep there will be one there, but there may also be another hall in the bailey. If it is at ground level, look for a screens passage and service rooms: look for a great kitchen for those formal banquets. Note that even when the domestic buildings have been demolished there will often be stairs, windows, fireplaces and latrines surviving in the curtain wall against which they once stood. Look for the horizontal rows of square holes to receive the floor joists of upper rooms. Many guide-books will show only a plan taken at ground level. If you do not look up as well as down you will miss half the accommodation the castle once offered.

Look at the wall towers from both the military and the domestic point of view. How good a field of fire is there from each loop and crenel? How easy is it to get onto the sentry-walk along the top of the curtain? Do the rooms in the towers have fireplaces and latrines? Is there a separate stair, or do you have to go through each room on your way to the battlements?

Find the chapel in the bailey. Look for private chapels in the keep or gatehouse. How many wells are there? How vulnerable was the defenders' water supply?

Look for later alterations to the buildings. Enlarged

windows may indicate not only a change in fashion and a desire for greater comfort; if they occur below second-floor level in the outer walls they indicate a change in the owner's attitude towards his castle and the role it was expected to play in military affairs. Look for buildings that have been heightened. This can be deduced from changes in the masonry or in the style of the windows in the upper part of the building. Look for traces of buildings that have been torn down. These will have left scars in the masonry of surviving walls, where the stones of the missing wall were bonded-in. There may also be old roof lines where the lead 'flashing' was grooved into the stonework.

Look, too, for signs of any reuse of the castle during the Civil War of the 17th century. Look for towers cut down to a more squat profile as a defence against gunfire. Look for army barracks built in the bailey or in the keep. Look for the sharp-angled earthworks thrown up round the castle to protect gun batteries.

Lastly, try to find out why the castle fell into disuse. Has it been deliberately 'slighted' so that it could not be used again? Do the latest traces of use suggest that the buildings were too expensive to keep up? Are there people still living in it, so that it is only the military aspects which have fallen into disuse?

As you leave, look back and try to visualize the growth and development of the castle on that site: its impact, and the impact of its occupants, on the neighbouring towns and villages: the ways in which the occupants drew on the countryside around for fuel, food and sport. Try to imagine, too, the converse of all this: the slow decline into disuse, the collapse of some buildings and the deliberate destruction of others for the materials they contained. Think of the society which came to rely on such massive devices of war, and then came to realise they were no longer necessary.

GLOSSARY

Aisled   divided into three parts longitudinally by two arcades supporting the roof

Apse   the rounded east wall of a church or chapel

Arcade   a row of arches, 'blind' when applied to a wall for decorative purposes

Bailey   the defended courtyard of a castle

Barbican   a small outer fortification protecting a gate or drawbridge

Batter   an inward slope to a wall face

Chamber   a private room.

Constable   the official in charge of a castle in the absence of its owner

Corbel   a projecting stone to carry a beam: several tiers of corbels may carry a parapet or a turret

Crenel   a square notch in a parapet. A row of crenels produce 'battlements'

Donjon   a medieval word for a keep, with connotations of lordship

Embrasure   (i) crenel (ii) space hollowed in a thick wall to allow an archer to stand closer to a loop

Forebuilding   a building projecting from the face of a keep, containing the entrance stair

Garderobe   latrine (literally a 'wardrobe')

Hall   a formal reception room for the holding of courts and the entertainment of guests

Hourd   an overhanging timber gallery projecting from the top of a wall

Jamb   the side of a door or window opening. Also (in Scotland) the projecting wing of a tower house

Keep   the main tower of a castle, often isolated and capable of independent defence. A shell keep (really a misnomer) results from the replacement in stone of a timber palisade on a motte

Lintel   the flat top of a door or window opening

Loop   a narrow opening in a wall for the discharge of missiles

154

Machicolation an overhanging parapet pierced for dropping stones and other missiles

Merlon the short length of a parapet between crenels

Motte a large earth mound for the support of a timber tower

Oratory a small private chamber for prayer

Parados a stone breastwork protecting the rear of a sentry-walk

Parapet a stone breastwork protecting the front of a sentry-walk

Pilaster a flat decorative buttress, often found on keeps

Piscina a stone basin in a chapel, for rinsing sacred vessels

Portcullis a wooden grille sliding vertically in grooves cut in the stonework of a gate passage

Putlog holes holes left by the withdrawal of timbers used to secure scaffolding

Sedilia a row of stone seats against the south wall of a chapel

Slighting the deliberate demolition of a castle to prevent further use

Vault an arched roof usually of stone. A 'barrel' vault has a semicircular arch, and a 'Gothic' vault a pointed arch

Window seat a stone seat built into the jamb of a window

Yett an iron gate found in tower houses

GAZETTEER

A selection of castles in Britain and Ireland
open to the public

Note: Castles in State care in England are marked EH (English Heritage); in Scotland, SDD (Scottish Development Department); in Wales, C (Cadw); in Northern Ireland, DOE (Department of the Environment); and in the Republic of Ireland, OPW (Office of Public Works). Castles maintained by the National Trust are marked NT. All other castles are maintained by local authorities or private owners. The letters and figures in brackets, immediately following a castle's location, are the National Grid reference.

ENGLAND

1 Castle Acre, *Norfolk, 6·4 km (4 miles) N of Swaffham (TF 820152)* Ringwork with square bailey. Large square hall house of later 11th century within ringwork, converted to keep early in 12th century. Remains of octagonal curtain wall round ringwork, and of polygonal curtain wall round bailey. Foundations of hall visible in bailey. (EH)

2 Acton Burnell, *Salop, 12·8 km (8 miles) S of Shrewsbury (SJ 534019)* Elaborate fortified house of 1280s. Main block is of two storeys in eastern part and three storeys in western part: square projecting corner towers of four storeys. (EH)

3 Appleby, *Cumbria, 22·5 km (14 miles) SE of Penrith (NY 685199)* Ringwork with rectangular bailey, with plain curtain of 12th century. Square keep of three storeys, heightened in 13th century and altered in 17th century. D-plan wall tower of 13th century and two square corner towers of 15th century. Hall of 15th century incorporated in large house of 17th century in bailey.

4 Arundel, *W Sussex (TQ 018073)* Tall motte with two baileys. Shell keep of late 11th or early 12th century on motte, with square wall tower commanding entrance. Curtain wall of same date, with one square wall tower, survives round northern bailey; square gatehouse to southern bailey of *c.* 1100. Castle much altered in 19th century, when rebuilt in Neo-Gothic style.

5   Ashby de la Zouche, *Leicestershire, 19·3 km (12 miles) NW of Leicester (SK 363167)*   Rectangular moated manor (defences now obliterated) with two courtyards. Hall, buttery and pantry of 12th century, rebuilt in late 14th century when kitchen and solar added. Chapel and tower house of late 15th century. (EH)

6   Bamburgh, *Northumberland (NU 184350)*   Irregular elongated enclosure divided into three parts, on rock occupied since at least 6th century. Square keep of three storeys (later heightened) possibly of early 12th century. Curtain with square and D-plan wall towers: barbican and outer gatehouse of 13th century. Domestic buildings and chapel of 13th century. Castle extensively 'restored' in 19th century.

7   Barnard Castle, *Durham, 24 km (15 miles) SW of Bishop Auckland (NZ 049165)*   Ringwork with large sub-rectangular bailey, divided into three separate parts: remains of curtain of early 12th century. Ringwork has curtain of early or mid 12th century and later domestic range: large round wall tower of three storeys (built *c.* 1240) serves as keep and chamber block at end of early 14th-century hall. (EH)

8   Beeston, *Cheshire, 24 km (15 miles) SE of Chester (SJ 537593)*   Large outer bailey with curtain and D-plan wall towers. Inner bailey utilizes cliffs on two sides: curtain and gatehouse of early 13th century, with one square and one D-plan wall tower. (EH)

9   Berkeley, *Gloucestershire, 35·4 km (22 miles) NE of Bristol (ST 684990)*   Motte and bailey. Motte revetted in stone to form shell keep with three half-round projecting turrets and forebuilding containing stair. Remains of 11th-century hall in bailey.

10   Berkhamsted, *Hertfordshire, 6·4 km (4 miles) W of Hemel Hempstead (SP 995082)*   Tall motte with oval bailey, surrounded by moat with outer rampart and ditch. Foundations of shell keep on motte. Curtain wall with D-plan wall towers and one square keep-like tower. Outer earthwork with projecting platforms, possibly siege work of 1216. (EH)

11   Bodiam, *E Sussex, 19·3 km (12 miles) N of Hastings (TQ 785256)*   Quadrangular castle of late 14th century, surrounded by moat. Four ranges of two-storey buildings (now ruined) set round courtyard, with round corner towers and intermediary square wall towers. Machicolated gatehouse and postern tower, and small barbican gatehouse. (NT)

12   Bolingbroke, *Lincolnshire, 4·8 km (3 miles) SW of Spilsby (TF 348654)*   Irregular hexagonal bailey, formerly surrounded by moat, with D-plan corner towers and gatehouse of early 13th century. One tower rebuilt in octagonal form in 1450. Foundations of hall of 15th century. Much ruined. (EH)

13   Bolton-in-Wensleydale, *N Yorkshire, 27·3 km (17 miles) SW of Richmond (SE 034918)*   Quadrangular castle of later 14th century. Four ranges of three-storey buildings set round courtyard, with rectangular corner towers of five storeys. Elaborate domestic planning, with numerous halls and chambers.

14   Caister by Yarmouth, *Norfolk, 8 km (5 miles) NW of Yarmouth (TA 116012)*   Moated quadrangular castle of early 15th century. Only the west front survives, with machicolated curtain and gatehouse. A narrow round corner tower of five storeys served as a chamber block adjoining the hall.

15   Canterbury, *Kent (TR 146575)*   Only the keep survives, built early in 12th century. Square plan, originally three storeys (top storey destroyed in 19th century).

16   Carisbrooke, *Isle of Wight (SZ 488878)*   Motte with two baileys on site of Roman fort. Polygonal shell keep on motte: curtain and open-backed square corner towers of early 12th century round western bailey. Gatehouse of 13th century. Domestic buildings and chapel of 12th–14th centuries, much rebuilt in 16th century. Outer earthwork defences of 17th century. (EH)

17   Carlisle, *Cumbria (NY 396564)*   Triangular enclosure with irregular outer bailey. Square keep of four storeys, and curtain with rectangular turrets of 12th century. Gatehouse of 13th century with inward barbican, and two gatehouses of 14th century. Much rebuilding in 16th century for artillery defence. (EH)

18   Chilham, *Kent, 11·2 km (7 miles) SW of Canterbury (TR 066535)*   Rectangular bailey with late medieval curtain wall. Late 11th-century hall partly demolished and buried in motte. Octagonal keep with pilaster buttresses built on motte in 1170s, with projecting stair turret and latrine.

158

19   Chipchase, *Northumberland, 12·8 km (8 miles) NW of Hexham (NY 883757)*   Late 13th-century rectangular tower house of four storeys, with corbelled-out round corner turrets and massive machicolation between. Jacobean house of 1621 added at east end of an early 16th-century wing projecting from tower house.

20   Christchurch, *Hampshire (SZ 160926)*   Motte and bailey. Remains of rectangular keep, lower part buried in motte. First-floor hall of *c.* 1160s stands in bailey. (EH)

21   Clun, *Salop, 24 km (15 miles) NE of Ludlow (SO 298809)*   Large low motte with two baileys. Remains of curtain wall on motte, with entrance protected by half-round towers. Rectangular keep of four storeys built on side of motte.

22   Colchester, *Essex (TL 998252)*   Huge hall-keep of 1080s (now a museum). Possibly intended to be lower, but heightened in late 11th or early 12th century. Bailey almost obliterated: rampart survives on two sides. Top storey of keep demolished in 18th century.

23   Conisbrough, *S Yorkshire, 8 km (5 miles) SW of Doncaster (SK 517989)*   Oval bailey with curtain wall, small solid halt-round wall towers and narrow barbican. Round keep of four storeys with six massive projecting buttresses, built *c.* 1180–90. (EH)

24   Corfe, *Dorset, 8 km (5 miles) SE of Wareham (SY 958823)*   Oval ringwork of 11th century, with curtain of same date, square keep of early 12th century, and lavish domestic buildings of early 13th century. Middle and outer baileys of 13th century, with gatehouses and D-plan wall towers. Much damaged in Civil War and subsequently slighted. (EH)

25   Deal, *Kent (TR 378521)*   Artillery fort built *c.* 1540. Circular central 'keep' with six attached gun bastions, within outer ring of six lower crescent-shaped bastions surrounded by dry ditch. (EH)

26   Donnington, *Berkshire, 3·2 km (2 miles) NW of Newbury (SU 461692)*   D-plan bailey, with curtain wall and square and round wall towers of early 14th century. Tall gatehouse of three storeys, with attached four-storey turrets, of *c.* 1386. Domestic buildings destroyed. Outer earthwork defences of 17th century. (EH)

27 Dover, *Kent (TR 326417)*   Large irregular outer bailey on lines of prehistoric hill fort, enclosing Roman lighthouse and late Saxon church. Elaborate square keep of three storeys, curtain with square open-backed wall towers and barbicans, all of late 12th century. Outer curtain with D-plan wall towers of early 13th century. Many later additions, especially in 19th century. (EH)

28 Dunstanburgh, *Northumberland, 11·2 km (7 miles) NE of Alnwick (NU 258220)*   Huge irregular bailey on edge of cliff. Curtain and square wall towers of early 13th century. Great gatehouse of early 14th century, blocked and converted to keep in 1380s, when new gate with barbican built nearby. Small inner bailey, with curtain and square corner tower, of late 14th century. (EH)

29 Durham, *Co. Durham (NZ 274423)*   Tall motte with triangular bailey. Octagonal shell keep with pilaster buttresses on motte. Curtain of later 11th or early 12th century. 11th-century chapel. Hall of later 12th century, and great hall, kitchen and domestic buildings of later 13th century. Many later alterations and additions.

30 Exeter, *Devon (SX 921929)*   Sub-rectangular ringwork in corner of Roman and late Saxon city defences. Curtain, square gatehouse and wall tower of late 11th or early 12th century. Outer bailey obliterated except for one fragment of curtain wall.

31 Farnham, *Surrey (SU 837473)*   Motte with triangular bailey, within large irregular outer enclosure with curtain wall and square wall towers. Motte revetted in stone in 13th century to form shell keep with projecting square turrets: foundations of earlier 12th century square keep (demolished *c.* 1155) built at same time as motte. Domestic buildings in bailey much altered in 17th century. (EH, part only)

32 Framlingham, *Suffolk, 24 km (15 miles) NE of Ipswich (TM 286637)*   Oval bailey with high curtain wall and open-backed square wall towers of *c.* 1190, 13th-century great hall converted to Poor House. Outer earthwork baileys to north and south. (EH)

33 Goodrich, *Herefordshire, 8 km (5 miles) SW of Ross-on-Wye (SO 577200)*   Square keep of mid 12th century, incorporated in rectangular castle of late 13th century with round

160

corner towers, massive gatehouse and barbican. Domestic buildings ranged round central courtyard. Outer curtain with round corner towers on two sides. (EH)

34 Guildford, *Surrey (SU 997494)* Motte, with traces of bailey. Remains of polygonal shell keep on motte. Square keep of three storeys built on side of motte.

35 Hadleigh, *Essex, 6·4 km (4 miles) W of Southend (TQ 810860)* Irregular octagonal enclosure with curtain wall and D-plan wall towers of 13th century. East side rebuilt with two massive towers in 14th century, and barbican added. Foundations of two successive halls. Much ruined by subsidence. (EH)

36 Castle Hedingham, *Essex, 14·4 km (9 miles) N of Braintree (TL 787359)* Ringwork and bailey. Square keep of five storeys in centre of ringwork, with remains of forebuilding.

37 Helmsley, *N Yorkshire, 43·4 km (27 miles) W of Scarborough (SE 611837)* Rectangular enclosure with double rampart and ditch. Curtain with round wall towers and two gatehouses of *c.* 1200. D-plan keep of same date, altered in early 14th century. Elaborate south barbican and simpler north barbican of mid 13th century. Foundations of domestic buildings of 14th–15th centuries. (EH)

38 Kenilworth, *Warwickshire, 9·6 km (6 miles) SW of Coventry (SP 279723)* Large oval outer bailey with curtain, wall towers and gatehouse of early 13th century, connected by earth dam to barbican and protected by lake: new gatehouse built in 16th century. Inner bailey with square keep of two storeys: domestic buildings of mid 14th century. Many alterations of 16th century. (EH)

39 Kilpeck, *Herefordshire, 14·4 km (9 miles) SW of Hereford (SO 444305)* Motte with three baileys and village enclosure. Remains of shell keep on motte. Chapel of 12th century in town enclosure.

40 Kirby Muxloe, *Leicestershire, 8 km (5 miles) W of Leicester (SK 524046)* Rectangular moated castle of later 15th century, left unfinished in 1483. Original intention was to build four ranges of brick buildings round rectangular courtyard, with square corner towers and great gatehouse. Only lower part of gatehouse and one corner tower survives. (EH)

41   Lancaster, *Lancashire (SD 473619)*   Square keep of two storeys (later heightened), possibly of late 11th or early 12th century. Part of bailey curtain survives, with one round and two square wall towers. Massive gatehouse of 15th century. Castle extensively rebuilt as prison in 1800.

42   Launceston, *Cornwall (SX 331847)*   Tall motte with irregular bailey. Round keep of two storeys of early 13th century within earlier shell keep on motte, with lower outer shell wall, approached by defended stair. South gatehouse of 12th century and north gatehouse of 14th century. Bailey curtain of 12th century. (EH)

43   Lewes, *E Sussex (TQ 415101)*   Oval bailey with motte at each end. Shell keep with semi-octagonal wall towers on western motte: remains of another shell keep on eastern motte. Bailey curtain wall with remains of square gatehouse and square wall towers of early 12th century. Small barbican gatehouse of 14th century.

44   Lincoln, *Lincolnshire (SK 975718)*   Sub-rectangular enclosure in corner of defences of Roman town. Two mottes, one with polygonal shell keep and one with square tower built up within the mound. Curtain and square western gatehouse of late 11th or early 12th century: eastern gatehouse much altered. (Note also west end of cathedral, strongly built in the 1080s and used as siege castle in 1141, but subsequently altered.)

45   Longtown, *Herefordshire, 25·7 km (16 miles) SW of Hereford (SO 321292)*   Motte with large sub-rectangular bailey divided into two parts, within earthworks of Roman fort. Curtain and square gatehouse of late 12th century. Round keep of three storeys, with small semicircular buttresses, on motte. (EH)

46   Ludlow, *Salop (SO 508746)*   Curtain, large square gatehouse and four square wall towers, all of late 11th century. Gateway blocked, and gatehouse heightened and converted to keep. Outer bailey with curtain added in later 12th century. Circular chapel of early 12th century and domestic buildings of 13th and 14th centuries in inner bailey.

47   Maxstoke. *Warwickshire, 12·8 km (8 miles) E of Birmingham (SP 234866)*   Rectangular moated enclosure of mid 14th century, with curtain, octagonal corner towers and tall gatehouse.

48   Middleham, *N Yorkshire, 29 km (18 miles) NW of Ripon (SE 128887)* (i) Motte and bailey. (ii) Nearby, a large rectangular keep of two storeys, built *c.* 1170, within later quadrangular castle of 13th century, much rebuilt in 14th and 15th centuries. Gatehouse of early 14th century. Outer bailey obliterated (EH)

49   Neroche, *Somerset, 11·2 km (7 miles) S of Taunton (ST 271158)* Large low motte added in late 11th century to subrectangular earthwork enclosure, built soon after Conquest and set within larger outer enclosure of uncertain date. Foundations of a tower and curtain wall found by excavation on motte.

50   Newark-on-Trent, *Nottinghamshire (SK 796541)* Quadrilateral enclosure with rectangular corner tower and gatehouse of three storeys, all of 12th century (eastern half of enclosure destroyed). Curtain with polygonal corner turret and wall tower of 13th century. Remains of 12th-century crypt below site of later hall.

51   New Buckenham, *Norfolk, 24 km (15 miles) SW of Norwich (TL 084904)* Ringwork with horseshoe bailey and square village enclosure. Round keep (badly damaged) at one side of ringwork has been partly buried when rampart was heightened.

52   Newcastle-upon-Tyne, *Tyne and Wear (NZ 253639)* Triangular enclosure much damaged by railway in 19th century. Part of the late 12th-century curtain survives, with square keep of three storeys. Large square gatehouse with oval barbican tower of mid 13th century, and postern gate of 12th century.

53   Norham, *Northumberland, 9·6 km (6 miles) SW of Berwick-upon-Tweed (NT 906474)* Oval ringwork with crescentic bailey. Square keep of three storeys built c. 1160 and altered in 15th century: gatehouse and curtain of same date, latter rebuilt in 16th century. Bailey gatehouse enlarged in 15th century and 12th-century curtain rebuilt in 13th century. (EH)

54   Norwich, *Norfolk (TG 232085)* Small low motte extended in early 12th century to carry large lavishly decorated hall-keep of two storeys (now a museum). Baileys obliterated.

55   Nunney, *Somerset, 8 km (5 miles) SW of Frome (ST 737457)* Outer bailey destroyed. Tall keep or tower house of four storeys built in French style in late 14th century: rectangular plan with large round corner turrets. Moat. (EH)

56 Odiham, *Hampshire, 12·8 km (8 miles) E of Basingstoke (SU 726519)* Two rectangular baileys formerly surrounded by earthworks and a moat: small outer enclosure, also moated. Octagonal keep of three storeys, with pilaster buttresses at corners, built 1207–10.

57 Old Sarum, *Wiltshire, 4·8 km (3 miles) N of Salisbury (SU138327)* Outer bailey formed by earthworks of prehistoric hill fort. Ringwork of late 11th century, with remains of curtain and internal buildings of early and later 12th century. Foundations of 11th-century cathedral in outer bailey. (EH)

58 Orford, *Suffolk, 32 km (20 miles) E of Ipswich (TM 419499)* Bailey with curtain and open-backed square wall towers destroyed, surviving only as earthworks. Polygonal keep of three storeys with forebuilding and three large projecting rectangular turrets. (EH)

59 Pevensey, *E Sussex, 8 km (5 miles) NE of Eastbourne (TQ 644048)* Sub-rectangular enclosure of 11th century, set in corner of large oval Roman fort with curtain and wall towers of 3rd century. Curtain, gatehouse and D-plan wall towers of early 13th century. Hall of late 11th century converted to keep with projecting buttresses in 12th century (now much damaged). (EH)

60 Peveril, *Derbyshire, 24 km (15 miles) SW of Sheffield (SK 150826)* Triangular bailey with curtain of late 11th and early 12th century. Square keep of two storeys added astride curtain *c.* 1176. Foundations of hall of early 13th century, and remains of earlier hall and chapel of later 11th or earlier 12th century. (EH)

61 Pleshey, *Essex, 12·8 km (8 miles) NW of Chelmsford (TL 666144)* Motte and bailey within large village enclosure. Bailey originally to north of motte (now marked by line of street), rebuilt in later 12th century to south of motte. Excavation has revealed the foundations of a chapel in the southern bailey and of a brick keep on the motte.

62 Pontefract, *W Yorkshire (SE 460224)* Oval inner bailey, with rectangular outer bailey divided into two parts, with curtain, square gatehouses and barbican. Inner bailey with curtain and D-plan wall towers of late 12th or early 13th century. Quadrifoil keep of mid 13th century on plinth of revetted rock.

63 Portchester, *Hampshire (SU 625046)* Outer bailey formed by Roman fort, with curtain and D-plan wall towers of 3rd century (gatehouses rebuilt in 12th century and again in 14th century). Inner bailey with keep of two storeys (later heightened), curtain, square corner tower and square gatehouse (with later barbican), all of early 12th century : domestic buildings of 14th century. Church in outer bailey is all that survives of early 12th-century priory. (EH)

64 Restormel, *Cornwall, 1·6 km (1 mile) N of Lostwithiel (SX 104614)* Circular ringwork with square stone gatehouse and single wall tower or small keep, all of late 11th century. Converted to shell keep in 12th century : internal buildings rebuilt against shell wall and projecting wall tower converted to chapel in 13th century. (EH)

65 Richard's Castle, *Herefordshire, 6·4 km (4 miles) S of Ludlow (SO 483703)* Tall motte with crescentic bailey. Remains of octagonal keep of 12th century, with projecting chapel, on motte. Foundations of early 13th-century curtain with D-plan towers, and square gatehouse of 12th century.

66 Richmond, *N Yorkshire, 19·3 km (12 miles) SW of Darlington (NZ 173007)* Large triangular bailey with curtain, square wall towers, hall and large square gatehouse of late 11th century. Gatehouse blocked, heightened and converted to keep in 12th century, when barbican added. One of the wall towers contains the chapel. (EH)

67 Castle Rising, *Norfolk, 6·4 km (4 miles) NE of King's Lynn (TF 666246)* Large oval ringwork built across earlier rectangular earthwork, which serves as bailey. Square gatehouse of 12th century leads into ringwork with large hall-keep of *c.* 1140: keep heightened, or upper part rebuilt, *c.* 1200. (EH)

68 Rochester, *Kent (TQ 742686)* Oval enclosure with curtain wall of late 11th century and square wall towers rebuilt in 14th century. Square keep of four storeys with forebuilding, built 1127–40. (Note also remains of motte and bailey to south, and Gandulf's Tower at north side of cathedral). (EH)

69 Rockingham, *Northamptonshire, 1·6 km (1 mile) N of Corby (SP 867914)* Motte (modified for artillery in 17th century) with two quadrilateral baileys. Gatehouse, and part of curtain, of later 13th century: remainder of curtain rebuilt in 16th century. Hall of 13th century incorporated in 16th-century house. Castle much altered in 19th century.

70 Sandal, *W Yorkshire (SE 337182)* Large motte with circular bailey. Remains of large round keep of 13th century with massive projecting towers on motte, with defended stair approached from a round barbican. Much ruined.

71 St Briavels, *Gloucestershire, 19·3 km (12 miles) SE of Monmouth (SO 558046)* Ringwork with curtain, remains of domestic buildings and fragments of square keep, all of later 12th century. Large gatehouse and chapel of late 13th century.

72 Scarborough, *N Yorkshire (TA 048892)* Huge outer bailey formed by natural headland, with remains of Roman signal station. Small inner bailey with curtain of 12th century and square keep (much damaged) commanding narrow approach to headland: elaborate barbican. Remains of two separate halls in outer bailey. (EH)

73 Sherborne Old Castle, *Dorset (ST 648168)* Rectangular bailey with angles chamfered off. Curtain wall of early 12th century with three square gatehouses and large outer enclosure or barbican with defended gate passage. Small keep with four ranges of domestic buildings of early 12th century grouped round courtyard in middle of bailey. Foundations of later domestic buildings. (EH)

74 Sulgrave, *Northamptonshire, 12·8 km (8 miles) NE of Banbury (SP 556454)* Ringwork with at least one bailey (now obliterated) on site of earlier Saxon manor house. Excavation has revealed the foundations of a hall and chamber built soon after the Conquest. Abandoned early in the 12th century.

75 Tamworth, *Staffordshire (SK 206038)* Medium sized motte with bailey (now obliterated). Polygonal shell keep, with square wall tower near entrance acting as a small keep. Later interior buildings may echo medieval arrangements.

76 Tattershall, *Lincolnshire, 19·3 km (12 miles) NW of Boston (TF 210575)* Quadrangular moated castle, originally with curtain, D-plan wall towers and gatehouse of 13th century. Rebuilt in mid 15th century, with large machicolated tower house acting as an independent chamber block adjoining the hall. Only the tower house now survives. (NT)

77 Thetford, *Norfolk (TL 875828)* Huge motte 20 m (*c.* 65 ft) high. Bailey converted from prehistoric hill fort, with two lines of rampart and ditch surviving at north side only.

78 Tickhill, *S Yorkshire, 11·2 km (7 miles) E of Rotherham (SK 593928)* Motte and bailey, with counterscarp bank to north and east. Foundations of polygonal shell keep on motte, with pilaster buttresses at angles. Curtain with square gatehouse of late 11th or early 12th century.

79 Totnes, *Devon (SX 800605)* Tall motte with oval bailey. Excavation revealed stone foundation for a timber tower carried up through body of motte. Shell keep with mural stairs and latrine on motte, rebuilt in 14th century. Bailey curtain of 12th century also rebuilt at same time. (EH)

80 Tower of London *(TQ 336805)* Finest of all hall-keeps, *c.* 1080s, originally of three storeys (top floor added later).   Octagonal wall tower, short length of curtain and gate of *c.* 1200. Main inner curtain with D-plan wall towers of second half of 13th century: one massive round tower on line of curtain served as royal chamber. Outer curtain, barbican and moat added in 1270s. Numerous later alterations and additions, especially in 19th century. (DOE)

81 Trematon, *Cornwall, 9·6 km (6 miles) NW of Plymouth (SX 410580)* Tall motte with irregular oval bailey. Crenellated shell keep and bailey curtain of 12th century. Square gatehouse of same date, later rebuilt.

82 Warkworth, *Northumberland, 12·8 km (8 miles) SE of Alnwick (NU 247058)* Motte with rectangular bailey. Curtain and wall towers mainly of early 13th century. Gatehouse of same date, with later machicolation. Hall and domestic buildings mainly of 14th century. Large unfinished church of mid 15th century. Cruciform tower house of late 14th century on motte. (EH)

83 Warwick, *Warwickshire (SP 283647)* Tall motte with sub-rectangular bailey. Remains of octagonal shell keep on motte. Curtain wall of 12th century. East front rebuilt in 1380s with two massive corner towers, tall gatehouse and barbican: domestic buildings rebuilt at same time. Remains of large rectangular keep of 1480s.

84 Windsor, *Berkshire (SU 970770)* Tall motte with two baileys. Shell keep (doubled in height in early 19th century) with 14th-century internal buildings. Curtain and square wall towers of 1170s round upper bailey. 13th-century curtain with D-plan wall towers round lower bailey. St George's Chapel, late 15th-century. Many alterations and additions, especially during early 19th century.

85 York, *N Yorkshire (SE 606515 and 603513)* Two motte and bailey castles on opposite sides of river. Bailey of southern castle obliterated. Northern castle has quatrifoil keep of two storeys on motte, built 1245–59: bailey partly obscured by later buildings. (EH)

WALES

86 Beaumaris, *Anglesey, 8 km (5 miles) NE of Menai bridge (SH 328707)* Concentric castle of 1295–1300, left unfinished. Square inner bailey with curtain, round corner towers, D-plan intermediary wall towers and two great gatehouses (only half built). Octagonal outer curtain with small round wall towers. Moat with defended dock for ships. (C)

87 Bronllys, *Powys, 12·8 km (8 miles) NE of Brecon (SO 149348)* Motte and bailey. Round keep of three storeys of *c.* 1176 on motte. (C, keep only).

88 Caernarvon, *Gwynedd (SH 477626)* Palatial castle begun in 1283 and left unfinished in 1330. Plan conforms to that of earlier motte and bailey on same site. High curtain wall with firing galleries and octagonal wall towers, one capped with three turrets and serving as keep. Two gatehouses, both incomplete but immensely strong. Foundations of hall and domestic buildings. Fortified town attached, with curtain and open-backed D-plan wall towers. (C)

89 Caerphilly, *Glamorgan (ST 155871)* Concentric castle begun in 1271, surrounded by artificial lake. Quadrangular inner bailey with curtain, large round corner towers, huge D-plan kitchen tower and two gatehouses. Low outer curtain with two smaller open-backed gatehouses. Outer bailey or 'hornwork' to west. Fortified dam to east, acting as barbican, with massive square buttresses and octagonal wall towers. Earthworks of earlier castle of 1268 nearby to north-east. (C)

90 Cardiff, *Glamorgan (ST 180767)* Motte with square bailey on line of Roman fort, the south and east walls of which were rebuilt to form bailey curtain. Polygonal shell keep of 12th century on motte. Castle much altered in 19th century.

91 Carew, *Dyfed, 6·4 km (4 miles) NW of Pembroke (SN 045037)* Quadrangular castle with small outer bailey. Gatehouse of *c.* 1200, later blocked. Curtain, hall, D-plan wall tower and semi-octagonal chapel tower of late 13th century. Great hall with square corner towers of *c.* 1300. Outer gate and many internal alterations of *c.* 1500. North front completely rebuilt 1588–92.

92 Carreg Cennen, *Dyfed, 4·8 km (3 miles) SE of Llandeilo (SN 668190)* Square inner bailey of late 13th century: curtain with round, square and octagonal wall towers, and gatehouse approached by long defended stair ramp forming a barbican. Rectangular outer bailey of early 14th century, with remains of curtain with small round turrets. (C)

93 Castell Y Bere, *Gwynedd, 14·4 km (9 miles) NE of Towyn (SH 667086)* Irregular elongated enclosure with curtain, square keep-like tower, round wall tower, and two large D-plan towers at opposite ends of the enclosure, all of 13th century. Square gatehouse protected by barbican with two small square towers. Much ruined. (C)

94 Castell Coch, *Glamorgan, 8 km (5 miles) NE of Cardiff (ST 131826)* Late 13th-century castle, much ruined: completely rebuilt in 1875. Oval bailey with curtain, three large wall towers and square gatehouse. Domestic buildings with wooden galleries, etc., decorated in late Victorian Neo-Gothic style. Details of reconstruction not always correct, but castle gives a good overall impression of what a small 13th-century castle might have looked like. (C)

95 Chepstow, *Gwent (ST 533941)* Irregular inner bailey with first-floor hall (heightened in 13th century) and remains of curtain of late 11th century: curtain rebuilt in late 12th century, 13th century and again in 17th century. North barbican, and outer bailey to south with gatehouse, of mid 13th century: large wall tower of *c.* 1270 serving as independent chamber block to domestic range with two halls. Note also walls, with D-plan towers, of adjoining fortified town. (C)

96 **Chirk,** *Clwyd, 11·2 km (7 miles) NW of Oswestry (SJ 281377)* Built *c.*1289–95. Quadrangular castle with large round corner towers and D-plan intermediary wall towers. South front altered in 16th century and rebuilt in 17th century. Internal buildings much altered and rebuilt in 18th and 19th centuries.

97 **Cilgerran,** *Dyfed, 3·2 km (2 miles) SE of Cardigan (SN 195431)* Polygonal inner bailey with curtain, two large wall towers of four storeys and square gatehouse, all of early 13th century: curtain at west and north sides rebuilt in later 13th century. Foundations of domestic buildings. Triangular outer bailey with fragment of curtain wall of late 13th century. (C)

98 **Coity,** *Glamorgan, 3·2 km (2 miles) N of Bridgend (SS 923816)* Ringwork, with later rectangular bailey with square wall towers. Polygonal curtain, gatehouse and square keep, all of 12th century: oval latrine tower of 13th century. Hall, chapel and other domestic buildings of 14th century. (C)

99 **Conway,** *Gwynedd (SH 784774)* Built 1283–7. Square inner bailey with curtain and massive round corner towers capped by stair turrets: royal apartments of two storeys. Rectangular outer bailey with round wall towers and corner towers: great hall and foundations of service buildings. East and west barbicans with open-backed round towers. Note attached fortified town, with curtain and open-backed D-plan wall towers. (C). Earlier castle of Degannwy, 3·2 km (2 miles) to N.

100 **Criccieth,** *Gwynedd (SH 500377)* Outer bailey formed by Welsh castle of early 13th century with three rectangular towers, now largely obliterated. Lozenge-shaped inner bailey built 1285–92, with great gatehouse and remains of polygonal curtain without wall towers. (C)

101 **Degannwy,** *Gwynedd, 3·2 km (2 miles) N of Conway (SH 781794)* Predecessor of Conway Castle, built in 1244–54 on site fortified since at least 9th century: slighted in 1263. Irregular oval bailey with traces of curtain and gatehouse, between two small hillocks forming natural mottes. Excavation has revealed that east hillock was formerly defended by large open-backed D-plan tower: West hillock formed inner bailey with

170

curtain, hall and large round tower. Castle reoccupied during campaign of 1277, replaced by Conway in 1283.

102 Denbigh, *Clwyd (SJ059660)* Built in 1282 in corner of fortified town of same date. Town walls built first, forming south and west sides of castle, with D-plan wall towers. Castle completed *c.* 1285 by building thicker curtain with octagonal wall towers to enclose polygonal bailey: huge gatehouse of three interlinked octagonal towers. Low outer curtain and barbican added 1295. Foundations of domestic buildings. (C)

103 Dolbadarn, *Gwynedd, 12·8 km (8 miles) S of Bangor (SH 586598)* Irregular triangular bailey with foundations of curtain and two rectangular wall towers. Round keep of three storeys of early 13th century, with projecting latrine turret. Foundations of hall. (C)

104 Dolwyddelan, *Gwynedd, 9·6 km (6 miles) SW of Betws-y-Coed (SH722523)* Polygonal bailey with foundations of curtain wall of early 13th century. Small rectangular keep of two storeys (top floor added in 15th century, battlements modern). Remains of second rectangular tower of 1280s. (C)

105 Dynevor, *Dyfed, 1·6 km (1 mile) W of Llandeilo (SN 611217)* Polygonal enclosure with rock-cut ditch. Curtain of 12th century with round corner tower, square corner turret and latrine tower, survives at south and west sides only: rest of curtain rebuilt in 15th century. Round keep of early 13th century (top part modern). Hall rebuilt in 15th century.

106 Ewloe, *Clwyd, 19·3 km (12 miles) W of Chester (SJ 288675)* Triangular inner bailey with curtain and D-plan keep of two storeys of early 13th century, raised above level of irregular outer bailey with curtain and round corner tower of two storeys, also of early-mid 13th-century date. (C)

107 Flint, *Clwyd (SJ 247733)* Built 1277–86. Square inner bailey with curtain and three round corner towers: unusually designed round keep of three storeys occupies fourth corner of bailey, standing within its own moat (now dry). Rectangular outer bailey, largely destroyed. (C)

108 Grosmont, *Gwent, 22·5 km (14 miles) SW of Hereford (SO 405244)* Large low motte with traces of earthwork barbican. First-floor hall of 12th century: curtain with D-plan wall

171

towers and gatehouse of early 13th century. Gatehouse extended, and new domestic buildings added *c.* 1330. (C)

109 Harlech, *Gwynedd (SH 581313)*   Built 1283–9. Concentric castle with rectangular inner bailey with curtain, large round corner towers and gatehouse keep. Low outer curtain with small open-backed turrets. Foundations of domestic buildings in inner bailey. Former outer bailey to north, now largely destroyed. (C)

110 Haverfordwest, *Dyfed   (SM 953157)*   Polygonal bailey of 14th century, with curtain and square, open-backed and D-plan wall towers. Remains of large irregular outer bailey with curtain and square wall tower. Much altered and partly occupied by modern buildings.

111 Hawarden, *Clwyd, 11·2 km (7 miles) W of Chester (SJ 319653)*   Motte and bailey, with complex outworks, possibly of prehistoric date. Round keep of two storeys of early 13th century on motte: polygonal bailey, with curtain with single solid D-plan tower and elaborate barbican. Foundations of domestic buildings of uncertain date.

112 Hen Domen, *Powys, 3·2 km (2 miles) NW of Montgomery (SO 214980)*   Motte and bailey, with double rampart and ditch. Excavation has revealed the supports of a bridge leading to the motte and many wooden buildings in the bailey.

113 Kidwelly, *Dyfed, 12·8 km (8 miles) NW of Llanelli (SN 409071).*   Semicircular ringwork of 12th century, rebuilt in late 13th century. Square inner bailey with curtain and tall round curtain towers of 1275. Hall and projecting chapel tower of 1280–1300. Outer bailey (on line of earlier ringwork) with curtain and open-backed D-plan towers of early 14th century. Gatehouse rebuilt in late 14th century. (C)

114 Laugharne, *Dyfed (SN 302107)*   Small polygonal inner bailey, with two round wall towers of late 13th century, one (of four storeys) possibly serving as keep. Much altered in early 16th century when curtain rebuilt, new gatehouse constructed and domestic range added at south side (now destroyed). Outer bailey vanished.

115 Llanstephan, *Dyfed, 12·8 km (8 miles) SW of Carmarthen (SN 351101)*   Ringwork and bailey of 12th century. Ringwork has remains of curtain of late 12th century (heightened

172

in early 13th century) with square gatehouse of early 13th century. Bailey with curtain, D-plan wall towers and gatehouse of later 13th century; gatehouse blocked and new gatehouse built alongside in late 15th century. (C)

116 Manorbier, *Dyfed, 9·6 km (6 miles) SW of Tenby (SS 064978)* Irregular inner bailey with polygonal curtain of *c.* 1230 with round curtain towers, enclosing small square tower and first-floor hall of 12th century. Chapel added *c.* 1260. Curtain heightened and gatehouse added in late 13th century. Extra accommodation added between hall and chapel, with projecting latrine wing, *c.* 1300. Outer bailey destroyed.

117 Monmouth, *Gwent (SO 507129)* Oval ringwork with sub-rectangular town enclosure, both much altered. Keep-like first-floor hall of late 11th century, with additions of 14th century. Great hall nearby, of late 13th century. Round tower or keep demolished when castle slighted in 1647 and house built 1673. (C)

118 Montgomery, *Powys (SO 221967)* Built 1224 to succeed Hen Domen (No. 112). Irregular oval inner bailey with curtain, great gatehouse and two D-plan wall towers (one rebuilt in later 13th century). Sub-rectangular outer bailey with curtain of mid 13th century. Much ruined. (C)

119 Ogmore, *Glamorgan, 4·8 km (3 miles) SW of Bridgend (SS 882769)* Oval ringwork with sub-rectangular bailey. Polygonal curtain of early 13th century enclosing small rectangular keep or first-floor hall of two storeys (later heightened) and chamber, both of 12th century. Hall of early 13th century. Bailey contains 14th-century court house and a lime-kiln of 13th century. (C)

120 Pembroke, *Dyfed (SM 982016)* Triangular inner bailey of *c.* 1200 with curtain, domed round keep of four storeys and hall; gate and south part of curtain destroyed. Outer bailey of early 13th century with curtain, round wall towers, gatehouse and a second hall. (C)

121 Raglan, *Gwent, 16 km (10 miles) SW of Monmouth (SO 415083)* Built 1461–9 on site of earlier motte and bailey. Hexagonal keep of four (originally five) storeys surrounded by low curtain with small turrets and moat. Within bailey, two courtyards separated by central block of buildings containing hall, chamber and chapel, and protected by curtain with machicolated hexagonal wall towers. Extensive domestic buildings of two storeys. (C)

122 Rhuddlan, *Clwyd, 4·8 km (3 miles) SE of Rhyl (SJ 026777)* Built 1277–8. Concentric castle: lozenge-shaped inner bailey with two gatehouses and two round corner towers. Low outer curtain with massive buttresses and square turrets, fronted by moat. Defended dock at river edge. Note adjoining defended town and earlier motte and bailey to south. (C)

123 Skenfrith, *Powys, 17·7 km (11 miles) SW of Ross-on-Wye (SO 457202)* Rectangular enclosure with curtain, round corner towers and round keep of three storeys, all of early 13th century, formerly surrounded by moat: D-plan wall tower added to one side in late 13th century. Gatehouse destroyed. Basements of domestic range of early 13th century. (C)

124 Tretower, *Powys, 17·2 km (11 miles) SE of Brecon (SO 184214)* (i) Low stone-revetted motte with 12th-century shell keep containing first-floor hall and chamber, and 13th-century round keep: bailey with curtain and round corner towers (now a farmyard). (ii) Quadrangular manor house of 14th and 15th centuries, with two ranges of two-storey buildings, flanking courtyard with curtain wall. (C)

125 White Castle, *Gwent, 8 km (5 miles) E of Abergavenny (SO 380168)* Large low motte with crescentic bailey and village enclosure. Motte has curtain of 12th century with foundations of small square keep. In 13th century castle was 'turned round': old gate blocked, new gatehouse built at opposite side of motte, and D-plan wall towers added to curtain: at same time, bailey provided with curtain wall, open-backed D-plan towers and gatehouse. (C)

SCOTLAND

126 Borthwick, *Lothian, 19·3 km (12 miles) SE of Edinburgh (NT 370597)* Irregular bailey with curtain (with gun ports) and small square gatehouse of *c.*1500. Machicolated tower house of five storeys of *c.*1430, with two wings giving a U-plan.

127 Bothwell, *Strathclyde, 12·8 km (8 miles) SE of Glasgow (NS 688593)* Remains of large round keep of three storeys, with fragment of curtain and round wall tower, all of late 13th century. Rectangular bailey with round and square wall towers of late 14th or early 15th century, and great hall of early 15th century. Traces of unfinished outer bailey with round wall towers and great gatehouse of late 13th century. (SDD)

128 Caerlaverock, *Dumfries and Galloway, 11·2 km (7 miles) SE of Dumfries (NY 026656)* Triangular bailey of late 13th century with curtain and two round machicolated corner towers, within moat: massive machicolated gatehouse occupies third corner of bailey. Hall-range of 16th century and other domestic buildings of 17th century. (SDD)

129 Claypotts, *Tayside, 4·8 km (3 miles) E of Dundee (NO 453318)* Rectangular tower house of four storeys of 1569–88, with two round corner towers offset to give a Z-plan. Corner towers have square chambers corbelled-out over the tops. (SDD)

130 Craigmillar, *Lothian, in SE outskirts of Edinburgh (NT 285710)* Rectangular tower house of four storeys of late 14th century, with single wing giving L-plan, within rectangular bailey with machicolated curtain and round corner towers (with gun ports) of 1427. Domestic buildings and irregular outer bailey of 16th century. (SDD)

131 Cubbie Roo's Castle (Cobbie Row), *Isle of Wyre, Orkney (HY 442264)* Remains of small square tower of mid 12th century within ringwork beside 12th-century chapel. Traces of adjoining buildings of later but uncertain age. (SDD)

132 Dirleton, *Lothian, 3·2 km (2 miles) SW of North Berwick (NT 516839)* Polygonal bailey with curtain and round wall towers of late 13th century. Curtain rebuilt in 14th century with square machicolated gatehouse and first-floor hall and chamber: chapel added in 15th century. Gatehouse and adjoining wall tower remodelled to form composite tower house in 16th century. (SDD)

133 Doune, *Central, 6·4 km (4 miles) W of Dunblane (NN 731011)* Built in later 14th century. Tall gatehouse of four storeys adjoining first-floor hall, the two forming frontal screen to rectangular bailey with curtain and projecting kitchen tower: other domestic buildings left unfinished.

134 Doune of Invernochty, *Grampian, 16 km (10 miles) N of Ballater (NJ 351129)* Huge oval motte with counterscarp bank: ditch flooded from pond controlled by large earth dam.

175

Remains of shell keep or curtain enclosing foundations of tower and chapel.

135 Drum, *Grampian, 16 km (10 miles) SW of Aberdeen (NJ 796005)* Simple rectangular tower house of five storeys of early or mid 14th century, with crenellated parapet. Mansion of 17th century attached.

136 Duffus, *Grampian, 6·4 km (4 miles) N of Elgin (NJ 189673)* Motte and bailey. Rectangular keep of three storeys of later 14th century on motte: plain polygonal curtain of same date round bailey. North side of bailey rebuilt in later 15th century, with domestic range. Larger outer precinct earthwork. (SDD)

137 Dunstaffnage, *Strathclyde, 4·8 km (3 miles) NE of Oban (NM 883345)* Quadrangular castle of mid 13th century set on scarped boss of rock. Curtain with two corner towers, one (of three storeys) serving as keep. Tower house of 17th century built over 13th-century entrance. (SDD)

138 Edinburgh, *Lothian (NT 251735)* Irregular enclosure with buildings of many periods, on site fortified since at least 6th century. Chapel of 12th century. Remains of tower house of 1367–79 (encased in 16th-century gun bastion). Gatehouse and palace buildings of early 16th century. Barracks and gun emplacements of 18th century. Many 19th-century alterations. (SDD)

139 Hermitage, *Borders, 8 km (5 miles) N of Newcastleton (NY 497961)* Remains of large quadrangular castle of earlier 14th century, incorporated in huge rectangular tower house of late 14th century with single wing giving an L-plan. Large machi-colated square corner towers added, *c*. 1400. Original wing extended in early 15th century. (SDD)

140 Inverlochy, *Highland, 3·2 km (2 miles) NE of Fort William (NN 121755)* Square bailey of mid-late 13th century with curtain and round wall towers, one corner tower (of three storeys) being larger than the others and serving as keep. (SDD)

141 Kildrummy, *Grampian, 16 km (10 miles) W of Alford (NJ 455164)* (i) Motte and bailey. (ii) Nearby, to south-west, castle of mid 13th century with polygonal bailey enclosed by curtain with round and D-plan wall towers and great gatehouse of late 13th century. One wall tower larger than the others and serving as keep (now destroyed). Foundations of domestic buildings and chapel. (SDD)

142 Kiessimul, *Isle of Barra,* Western Isles (NN 666979)   Built on small islet. Square keep of four storeys, with polygonal curtain wall. Date uncertain, but possibly of mid 13th century. Domestic buildings rebuilt in 18th century.

143 Loch Doon, *Strathclyde, 11·2 km (7 miles) S of Dalmellington (NX 484950)*   Originally built on island in loch: rebuilt on mainland by SDD. Polygonal curtain of late 13th or early 14th century: foundations of internal buildings of uncertain date. (SDD)

144 Mingary, *Highland, on SW coast of Ardnamurchan, 1·6 km (1 mile) SE of Kilchoan (NM 502631)*   High polygonal curtain, with small mural chambers, of 13th century: small turrets of 17th century and internal barrack block of 18th century.

145 Mousa, *Shetland, on Mousa Island (HU 457237)*   Round tower or *broch* of *c.* 1st century AD, with open central courtyard, mural chambers at ground level and mural passages above. (SDD)

146 Ravenscraig, *Fife, in northern outskirts of Kirkcaldy (NT 291925)*   Built 1460–63.   Promontory site with neck of promontory barred by curtain with two large D-plan towers for cannon, one (of four storeys) serving as tower house or keep. Curtain raised and provided with artillery platform early in 16th century. (SDD)

147 Rothesay, *Strathclyde, Isle of Bute (NS 088646)*   Circular curtain wall or shell keep of late 12th or early 13th century, with round wall towers added in early 13th century. Three-storeyed gatehouse, two-storeyed chapel of early 16th century. (SDD)

148 Skipness, *Strathclyde, 12·8 km (8 miles) SE of Tarbert (NR 909577)*   Rectangular three-storey hall-house and chapel of early 13th century, incorporated in later 13th-century quadrangular castle: tower house added in 16th century.

149 Stirling, *Central (NS 790940)*   Irregular enclosure with buildings mainly of 15th century and later, on site fortified for many centuries. Great hall of later 15th century, quadrangular palace buildings of early 16th century and chapel of late 16th century. Outer artillery defences, and many internal alterations, of 18th century. (SDD)

150   Sween, *Strathclyde, 25·7 km (16 miles) SW of Lochgilphead (NR 714788)*   Rectangular enclosure, or lower part of keep, of later 12th century: foundations of 13th-century tower of two storeys at one corner and round tower of 16th century at the other. (SDD)

151   Tantallon, *Lothian, 4·8 km (3 miles) E of North Berwick. (NT 596850)*   Promontory site, with extremely high curtain or screen wall with round corner towers and gatehouse of four storeys across neck of promontory. Foundations of domestic buildings. (SDD)

152   Threave, *Dumfries and Galloway, 3·2 km (2 miles) W of Castle Douglas (NX 739623)*   Rectangular tower house of five storeys of late 14th century, within rectangular bailey with curtain, gatehouse and round corner towers (with gun ports) of mid 15th century. (SDD)

153   Tioram, *Highland, on tidal islet off south shore of Loch Moirdart (NM 661725)*   Polygonal bailey of 13th century, with curtain and square keep of four storeys, on boss of rock. Tower house and domestic buildings of 16th century.

ISLE OF MAN

154   Rushen, *near Castleton (SC 265675)*   Square keep of two storeys of later 12th century, with square projecting midwall turrets of *c.* 1200: keep heightened and gatehouse added to north side in early 14th century. Polygonal curtain with square corner turrets, outer gatehouse and barbican of later 14th century: keep and inner gatehouse heightened at same time. Round gun tower, outer barbican and surrounding glacis of 16th century.

NORTHERN IRELAND

155   Ardglass, *Down (J 561372)*   (i) Ardglass Castle: two-storey range of 15th century (west part incorporated into house of 18th century), with small square towers projecting to north. (ii) Cowd Castle: small square tower house of two storeys of late 15th or early 16th century. (iii) Margaret's Castle: square tower house of three storeys of 15th century, with two wings giving a U-plan. (iv) Jordan's Castle: square tower house of four storeys of 15th century, with two wings giving a U-plan.

156   Carrickfergus, *Antrim (J 414873)*   Inner bailey of late

12th century, with curtain and square keep of four storeys of *c.* 1200. Middle bailey with foundations of curtain and square wall tower of early 13th century. Outer bailey with gatehouse of early-mid 13th century. Altered for artillery defence in 16th century and again in 19th century. (DOE)

157 Dromore, *Down (J 206532)*   Motte and bailey of late 12th century. Tall motte (later heightened) with square bailey, both surrounded by outer rampart and ditch on north and east sides. (DOE)

158 Dundrum, *Down (J 404370)*   Oval inner bailey with polygonal curtain of *c.* 1200, and round keep of three storeys of early 13th century: gatehouse of later 13th century. Outer bailey with curtain of late 13th century and house of 17th century. (DOE)

159 Dunluce, *Antrim, 6·4 km (4 miles) E of Portrush (D 905415)*   Castle of 13th century, much altered in 17th century. Remains of curtain with two round wall towers of 13th century: gatehouse of *c.* 1600: large house of early 17th century and remains of other domestic buildings of same date. (DOE)

160 Greencastle, *Down, 9·6 km (6 miles) SW of Kilkeel (J 247118)*   (i) Motte. (ii) Nearby, quadrilateral bailey with fragments of curtain and D-plan corner towers of 13th century. Rectangular keep of two storeys of *c.* 1260, heightened and much altered in late 15th and early 16th centuries, and single-storey building of uncertain use. Remains of 16th-century domestic buildings and modern farm. (DOE)

161 Kilclief, *Down, 4·8 km (3 miles) S of Strangford (J 202532)*   Square tower house of four storeys of *c.* 1420, with two small wings giving a U-plan. (DOE)

162 Monea, *Fermanagh, 11·2 km (7 miles) NW of Enniskillen, (H 164494)*   Rectangular tower house of three storeys of 1618, with two round corner towers capped by corbelled-out square chambers, and two small corbelled-out round corner turrets. Remains of rectangular bailey with two round corner towers. (DOE)

REPUBLIC OF IRELAND

163 Adare, *Limerick, 16 km (10 miles) SW of Limerick (R 460467)*   Oval ringwork with square keep of three storeys of early 13th century, much damaged: curtain (later rebuilt) and square gatehouse. Sub-rectangular bailey with square gatehouse and first-floor hall of early 13th century; aisled hall of later 13th century nearby.

164 Athenry, *Galway, 22·5 km (14 miles) E of Galway (M 504280)* Bailey with polygonal curtain and round corner towers of 13th century, much ruined. Keep, or early tower house, of three storeys, of mid 13th century. (OPW)

165 Athlone, *West Meath (N 040415)* Motte and bailey: motte later revetted in stone. Polygonal curtain with round corner towers, and polygonal keep, of mid 13th century. Now much altered and used as barracks. (OPW)

166 Ballintober, *Roscommon, 16 km (10 miles) NW of Roscommon (M 726747)* Square bailey with curtain, polygonal corner towers and gatehouse of late 13th century. Possibly an Irish copy of Roscommon Castle (no. 187).

167 Ballymoon, *Carlow, 3·2 km (2 miles) E of Bagenalstown (S 739615)* Quadrangular castle of late 13th century or early 14th century. Square bailey with curtain and three square projecting turrets: traces of domestic buildings of two storeys over cellars on all sides of bailey. (OPW)

168 Ballymote, *Sligo, 22·5 km (14 miles) S of Sligo (G 661155)* Square bailey with curtain and round corner towers, and intermediary wall towers of square or D-plan, all of late 13th century: gatehouse destroyed.

169 Blarney, *Cork, 9·6 km (6 miles) NW of Cork (W 605753)* Rectangular tower house of four storeys of mid 15th century, adjoining earlier square tower which now forms wing to main block: machicolated parapets probably added at end of 15th century.

170 Bunratty, *Clare, 12·8 km (8 miles) NW of Limerick (R 450610)* Rectangular tower house of three storeys of late 15th century, with large square corner towers linked by machicolations across the short ends of the building. (OPW)

171 Burnchurch, *Kilkenny, 9·6 km (6 miles) S of Kilkenny (S 475473)* Rectangular tower house of four storeys of 15th century: gable walls carried up one storey higher than side walls as wide turrets with mural passages. (OPW)

172 Cahir, *Tipperary (S 050247)* Castle of 15th and 16th centuries. Bailey divided into two parts with curtain, wall towers (of square, round and polygonal plan), keep of three storeys and hall (now a church). (OPW)

173 Carlingford, *Louth* *(J 189120)* Irregular D-plan bailey. West part with curtain, single square wall tower and remains of square gatehouse, all of early 13th century: east part rebuilt in mid 13th century as massive hall and chamber block of three storeys. (OPW)

174 Carrigogunnell, *Limerick, 9·6 km (6 miles) W of Limerick (R 497552)* Irregular oval bailey on high rock. Plain curtain of 15th century. Two towers, of three and four storeys, of late 15th or 16th century. Remains of other domestic buildings of uncertain date. Much ruined, having been slighted in 1691.

175 Castleroche, *Louth, 8 km (5 miles) NW of Dundalk (J 991119)* Irregular bailey with high plain curtain, single large D-plan tower or bastion and gatehouse, all of mid 13th century: hall of two storeys. Traces of outer bailey. (OPW)

176 Clara, *Kilkenny, 6·4 km (4 miles) E of Kilkenny (S 574578)* Rectangular tower house of five storeys of late 15th century, extremely well preserved. Small rectangular bailey or 'bawn' acting as forecourt. (OPW)

177 Dunamase, *Laoighis, 6·4 km (4 miles) W of Maryborough (S 530983)* Irregular oval inner bailey of mid 13th century with curtain, square gatehouse and remains of rectangular keep: triangular barbican and D-plan earthwork outer bailey. Slighted in 1650 and much ruined.

178 Dunsoghly, *Dublin, 9·6 km (6 miles) NW of Dublin (O 118432)* Square tower house of four storeys of 15th century with square corner towers rising above level of main block as turrets. Original roof of 15th century still survives. (OPW)

179 Ferns, *Wexford, 11·2 km (7 miles) NE of Enniscorthy (T 024500)* Large square keep of three storeys of early 13th century, with massive round corner towers (much damaged). No trace of bailey survives. (OPW)

180 Greencastle, *Donegal, 6·4 km (4 miles) NE of Moville (C 655404)* Irregular oval bailey with curtain and large gatehouse with octagonal towers, of early 14th century: square keep of at least two storeys. Slighted in 1555 and much ruined.

181 Lea, *Laoighis, 3·2 km (2 miles) E of Portarlington (N 573120)* Oval inner bailey with remains of curtain and open-backed round wall towers: rectangular keep of three storeys of early 17th century, with massive round corner towers. Irregular outer bailey with curtain and gatehouse of late 13th century: gatehouse later blocked and new gate built alongside.

182 Limerick *(R 574572)* Polygonal bailey with curtain, gatehouse and round corner towers of early 13th century (one tower replaced by artillery bastion in 1611). Corner towers lowered for artillery defence and vaulted to carry guns. Barracks of 18th century and modern buildings in bailey. (OPW)

183 Liscarroll, *Cork, 11·2 km (7 miles) NW of Buttevant (R 452124)* Rectangular bailey with round corner towers, rectangular gatehouse of three storeys, and small square mid-wall tower on north side, all of 13th century. Traces of domestic buildings. (OPW)

184 Maynooth, *Kildare, 22·5 km (14 miles) W of Dublin (O 935375)* Square keep of two storeys of early 13th century, much altered: square gatehouse of three storeys and fragment of curtain with postern turret and square wall tower. Domestic buildings rebuilt in 17th century. (OPW)

185 Nenagh, *Tipperary (R 865790)* Round keep of four storeys of early 13th century (heightened *c.* 1860). Traces of small polygonal bailey with curtain and round corner towers, now almost entirely destroyed: gatehouse of early or mid 13th century, with later hall added at rear. (OPW)

186 Quin, *Clare, 9·6 km (6 miles) SE of Ennis (R 417745)* Quadrangular castle of 1278–80 with curtain and round corner towers. Destroyed in 1288 and rebuilt as Franciscan friary in mid 15th century, with church and cloister. (OPW)

187 Roscommon, *(M 873652)* Quadrangular castle of late 13th century with curtain, D-plan corner towers, massive gatehouse of three storeys and square postern tower. Much altered for building of new domestic range in 1580, when large windows cut in curtain, gatehouse and corner towers. (OPW)

188 Roscrea, *Tipperary (S 130880)* Polygonal bailey with curtain, two round corner towers and rectangular gatehouse of two storeys, all of late 13th century: gatehouse blocked and heightened in 17th century to form tower house. (OPW)

182

189 Swords, *Dublin 12·8 km (8 miles) N of Dublin (O 198473)*   Large polygonal bailey with curtain and three square wall towers (one serving as small keep) of 13th century. Gateway, with adjoining chapel with tower to east and domestic range to west. Foundations of chamber and hall. (OPW)

190 Trim, *Meath (N 805569)*   Motte and bailey of late 12th century. Triangular bailey with curtain and open-backed round wall towers of early 13th century: square gatehouse and round postern tower with barbican turret. Square keep of two storeys (later heightened) of *c*. 1200, with square towers projecting from wall faces. Remains of town wall. (OPW)

SITE LISTS

Note   Not every castle in the Gazetteer is indexed here: only the better preserved examples are listed. The numbers refer to the Gazetteer on pages 156–183 and to the maps on pages 186–189.

Ringworks   1, 30, 36, 51, 57, 64, 74, 98, 119, 163

Motte and Bailey Castles   10, 16, 20, 21, 29, 39, 42, 43, 44, 45, 49, 61, 65, 70, 75, 77, 79, 81, 84, 85, 87, 90, 112, 134, 136, 157, 165

Shell Keeps   4, 9, 16, 29, 31, 42, 43, 44, 64, 75, 79, 81, 84, 90, 124, 147

Fortified Halls and Hall-Keeps   1, 22, 54, 67, 80, 95, 117

Square Keeps   3, 6, 15, 17, 21, 24, 27, 33, 36, 38, 41, 48, 52, 53, 60, 63, 68, 72, 98, 104, 136, 142, 150, 154, 156, 160, 163, 164, 179, 180, 181, 184, 190

Round and Polygonal Keeps   18, 23, 42, 45, 51, 56, 58, 87, 103, 105, 107, 120, 121, 123, 124, 127, 141, 158, 165, 185

Gatehouses of 11th and 12th Centuries   4, 27, 30, 43, 46, 50, 64, 66, 73, 78

Gatehouses of 13th Century and later   6, 8, 11, 24, 27, 28, 37, 38, 41, 59, 69, 71, 80, 82, 83, 86, 88, 89, 95, 100, 109, 113, 128, 154, 156, 163, 166, 180, 182, 184, 187, 188, 190

Wall Towers (square)   16, 27, 30, 31, 32, 46, 66, 84, 173 (Round or D-Plan) 8, 11, 24, 27, 59, 63, 80, 84, 86, 88, 93, 96, 99, 109, 113, 127, 128, 132, 140, 141, 151, 166, 168, 182, 187, 190

Barbicans   23, 27, 33, 37, 43, 66, 70, 72, 80, 83, 89, 92, 99, 111, 154, 190

Edwardian Concentric Castles   33, 80, 86, 89, 109, 113, 122

Moated Castles   11, 14, 40, 55, 80, 86, 89, 128

Halls and Domestic Buildings   2, 11, 13, 20, 29, 46, 66, 73, 82, 83, 84, 98, 99, 108, 116, 121, 132, 133, 148, 149, 163, 173, 175

184

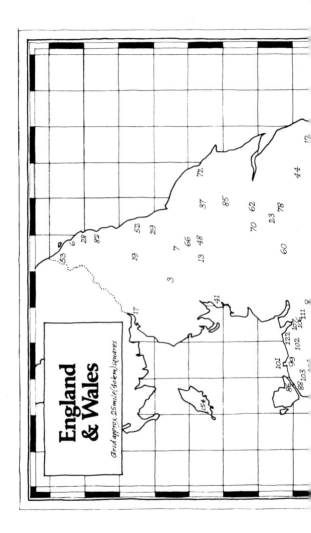

England & Wales

Grid approx. 25 mile/40 km squares

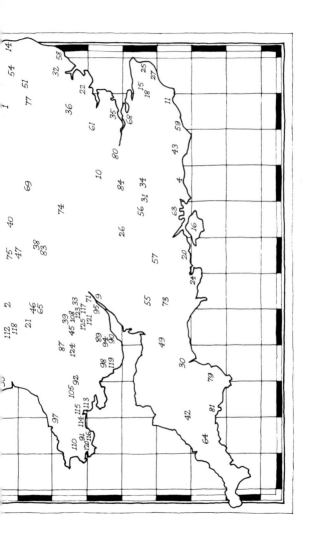

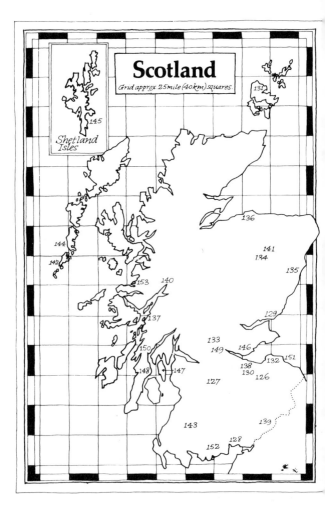

Scotland

Grid approx 25mile (40km) squares.

131

145
*Shetland
Isles*

136

141
134

144

142

135

153   140

129

137

133   146
149
150   138   132   151
130   126
148   147

127

143

139

152   128

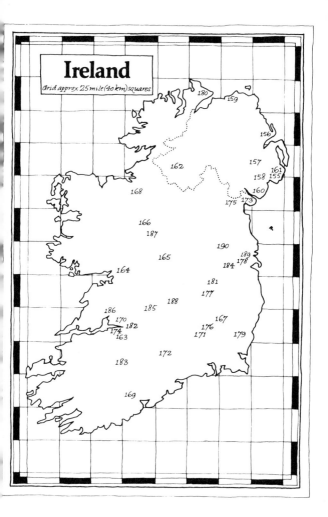